Р. В. Дуганов

ВЕЛИМИР ХЛЕБНИКОВ

ПРИРОДА ТВОРЧЕСТВА

МОСКВА · СОВЕТСКИЙ ПИСАТЕЛЬ · 1990

ББК 83 3Р7
Д 80

6003701052

Художник *Леонид ЗЫКОВ*

X230784274

Д $\dfrac{4603020101-347}{083(02)-90}$ 437—90

ISBN 5—265—01499—3

ПРЕДИСЛОВИЕ

Ряд очерков, составляющих эту книгу, связан не столько последовательностью развития темы, сколько единством предмета изучения. Собранные вместе, они представляются мне рядом подходов или приближений с разных сторон и с разной степенью углубления к одному основному вопросу о п р и р о - д е, то есть с у щ е с т в е и о с о б е н н о с т и хлебниковского творчества. Подходов и отступлений в разные стороны, где тот же вопрос ставится косвенно, в иных отражениях и сопоставлениях.

Большая часть из них печаталась ранее в различных изданиях. Здесь они освобождены от редакторской правки прежних лет, пересмотрены, сокращены или дополнены новыми материалами. Впервые печатаются очерки «Об учителе и ученике», «Из эпических сюжетов», «О ноосфере и мыслезёме».

Я не старался избежать повторений и противоречий. Напротив, возвращаясь неоднократно к одним и тем же событиям творческой жизни Хлебникова, к узловым произведениям и важнейшим положениям его мысли, я хотел через исследовательское з н а н и е подойти к цельному п о н и м а н и ю поэта, а такое живое и личное знание не может быть непротиворечивым и завершенным. Тем более, что, несмотря на появившиеся, особенно в последние годы, серьезные, глубокие, обстоятельные или, во всяком случае, по-разному интересные и поучительные исследования о Хлебникове, сейчас, как и шестьдесят лет назад, когда Р. Якобсон начинал эту работу своими «Подступами к Хлебникову», по сути дела мы все еще находимся на подступах к поэту, хотя, может быть, ближних и ближайших.

Главным препятствием остается отсутствие текстологически надежного и полного издания произведений Хлебникова. В связи с этим неустранимым пока обстоятельством необходимо предупредить читателя, что все тексты Хлебникова, приводимые в книге, проверены и исправлены по рукописным и первопечатным источникам и в некоторых случаях значительно отличаются от печатавшихся в пятитомном Собрании произведений (1928—1933), в томе Неизданных произведений (1940) и в других публикациях.

Основные издания Хлебникова и архивные фонды с принятыми в книге сокращенными их обозначениями указаны в Приложении 3. Там же помещен список избранной литературы о нем, преимущественно новейшей.

Искреннюю признательность приношу В. П. Григорьеву, Вяч. Вс. Иванову, С. С. Лесневскому и Н. И. Харджиеву, чьи критические замечания и советы способствовали, в меру моих возможностей, устранению недостатков книги и вместе с тем убеждали следовать хлебниковскому завету:

«Со временем, когда Мы станет богом, речные русла всех мыслей будут течь с высот единой мысли. Но мы не боги, а потому будем течь, как реки, в море общего будущего. Оттуда, где расположен опыт каждого, течь то Волгой, то Тереком, то Яиком в общее море единого будущего.

Будем избегать средневековых споров о числе волос на бороде Бога».

Глава первая
ПРИРОДА ПОЭТА

1

Поэтическая судьба Хлебникова складывалась так, что он как бы несколько раз входил в литературу. И каждый раз это сопровождалось самыми жестокими разногласиями и самыми непримиримыми оценками его творчества.

> Люди изумленно изменяли лица,
> Когда я падал у зари.
> Одни просили удалиться,
> А те молили: озари,—

писал он в стихотворении «Гонимый — кем, почем я знаю?..». Так было при его жизни, в начальную поэтическую эпоху нашего века, когда все то, что делал Хлебников, а вслед за ним и Крученых, и Давид Бурлюк, и Маяковский, и Петников, и Асеев, и другие участники движения за новое искусство, казалось чем-то внепоэтическим и вообще внелитературным. Так было после его смерти, в двадцатые годы, когда влияние поэзии Хлебникова уже далеко выходило за рамки его поэтической школы, но он представлялся почти исключительно поэтом для поэтов, а его стихи — образцом «изобретательской», «инженерной», но не «массовой» литературы. «Понятные вначале только семерым товарищам-футуристам, они десятилетие заряжали многочислие поэтов, а сейчас даже академия хочет угробить их изданием как образец классического стиха»,— говорил Маяковский в 1928 году[1]. На самом деле с изданием пятитомного собрания произведений в 1928—1933 годах Хлебников заново вошел в литературу, и уже несомненно в качестве поэта для читателей. В предисловии к этому изданию Юрий Тынянов называл Хлебникова «единственным нашим поэтом-эпиком XX века», а его поэмы «Ладомир», «Уструг Разина», «Ночь перед Советами», «Ночной обыск» — «может быть, наиболее

---

[1] Маяковский В. В. Полн. собр. соч. в 13 т., т. 12. М., 1955—1961, с. 165. Дальше ссылки на это издание — в тексте.

значительным, что создано в наших стихах о революции» (СП, I, 94, 28). Против таких оценок многие возражали, но важно было то, что спор шел уже не только о внутрилитературном, а о широком общественном значении творчества Хлебникова.

С тех пор Хлебников давно уже и прочно вошел в эстетическое сознание нашего века. Однако и до сих пор творчество его мы знаем далеко не полно и, главное, далеко не достаточно осознаем строй его художественной мысли. Без этого же, очевидно, полноценное переживание поэтического слова невозможно. Если в начальную эпоху и в особенности для ближайших его сподвижников Хлебников нужен был прежде всего как изобретатель новых поэтических методов, нужен был в набросках, в отрывках,— как говорил Маяковский,— «наиболее разрешающих поэтическую задачу» (ПСС, XII, 25), если в последующие десятилетия важны были отдельные произведения и отдельные стороны его творчества — наиболее открытые и доступные для восприятия, то сейчас задача заключается в том, чтобы увидеть художественный мир Хлебникова в его целом. Дело идет уже не о признании нужности и важности его поэзии, не об оценке его места в истории литературы, а о живом и сознательном п о н и м а н и и.

С чего начинается такое понимание? Мы хорошо знаем, что поэтическое слово не совпадает ни с обыденным здравым смыслом, ни с научной логикой, но мы часто забываем, что и общих поэтических правил не существует и что каждый поэт и даже каждое стихотворение является нам, по слову Хлебникова, «с своим особым богом, особой верой и особым уставом» (СП, III, 317). Мы же, перенося то или иное привычное восприятие на другого поэта, в лучшем случае замечаем отдельные образы, строки, отрывки, но никак не схватываем логики целого. Так часто читают Хлебникова:

> Когда умирают кони — дышат,
> Когда умирают травы — сохнут,
> Когда умирают солнца — они гаснут,
> Когда умирают люди — поют песни.

Последняя строка, больше всего задевающая обычное поэтическое сознание, как бы подсказывает и готовое лирическое переживание всего стихотворения — то ли в духе элегического смирения, то ли в духе трагического героизма, но в любом случае так, что высокая смерть человека, запечатленная в музыке и слове, как будто противостоит безропотному и бесследному умиранию природы.

Верно ли подобное восприятие? Ведь тогда окажется, что

все остальное, кроме последней строки, в стихотворении необязательно и даже нелепо. Почему, спрашивается, умирая, кони — дышат? Как будто, когда живут, они не дышат. И т. п.

Но если следовать логике стихотворения, мы должны будем сказать, что кони — дышат потому, что обычно дыхание не ощущается, ибо оно — сама жизнь, и лишь когда оно становится трудным, прерывается, мы замечаем: дышат. Когда кони — дышат, травы — сохнут, солнца — гаснут, нам открывается, что воздух, вода, огонь, как бы покидающие их и через смерть передаваемые ими друг другу, суть не что иное, как жизненные стихии. И жизнь есть не случайное и не хаотическое, а необходимое и законосообразное взаимопревращение этих стихий. «Огонь живет смертью земли, воздух живет смертью огня, вода живет смертью воздуха, а земля — смертью воды» — так когда-то, на заре научной мысли, когда философия еще не отделилась от мифологии и поэзии, учил Гераклит[1]. Разумеется, современный философ ту же мысль формулирует в иных категориях. Но для поэта такие переклички с древней натурфилософией были всегда привлекательны. Что может быть проще, убедительней, человечней и, наконец, поэтичней, чем эти, знакомые всякому, земля, вода, воздух, огонь в качестве символов всеобщих начал, образующих и вселенную и человека? Тем более что в кругу этих стихий еще нагляднее выступает пятое начало — человеческий дух, воплощенный в песне.

Однажды, летом 1909 года, в дни необычайного творческого подъема, когда был написан знаменитый «Зверинец», Хлебников признавался в письме Вячеславу Иванову: «Я знаю, что я умру лет через 100, но если верно, что мы умираем, начиная с рождения, то я никогда так с и л ь н о не умирал, как эти дни» (НП, 355).

Как огонь живет смертью земли, так поэзия живет смертью человека. Но его певучее слово становится высшим жизненным состоянием природы, когда всем раздельным существованиям, вопреки необратимости распада и смерти, возвращается их изначальное всеобщее единство. Ведь *стихии* (stoicheia) по-гречески буквально означает «буквы», и вселенная слагается из стихий, как из букв — слово. И не какое-то слово вообще, а именно вот э т о слово, каждый раз заново возвращаемое поэтом, именно вот эти четыре строки.

---

[1] Г е р а к л и т. В 76. Ср. в «Тимее» Платона: «...огонь, сгустившись и угаснув, снова приходит в виде воздуха, а воздух опять собирается и сгущается в облака и тучи, из которых при дальнейшем уплотнении изливается вода, чтобы в свой черед дать начало земле и камням. Так передают они друг другу круговую чашу рожения» (49 c — d).

Конечно, они могут пробуждать в нас и печаль о невозвратности уходящего, и негодование на судьбу, и блаженство воссоединения с целым, как могут они пробуждать и множество других переживаний, всегда сопровождающих человеческое существование, однако все стихотворение, взятое в его целом, говорит нам прежде всего о другом. Оно говорит нам о всеобщей необходимой и, в конечном счете, разумной и прекрасной взаимосвязанности всего. И по существу речь в нем идет не о смерти, а, напротив, о напряженнейшем переживании полноты бытия. Перед нами оказывается не лирика, с ее сугубо человеческими и личными чувствами, а эпос. Он заключен в самую малую форму, но способен развертываться в как угодно широкую и внеличную картину мира. Здесь как бы сама природа говорит о себе, и это с л о в о п р и р о д ы раскрывает нам в то же время и природу поэтического слова Хлебникова.

«Я боюсь бесплодных отвлеченных прений об искусстве. Лучше было бы, чтобы вещи (дееса) художника утверждали то или это, а не он»,— писал Хлебников Алексею Крученых по поводу его «Декларации слова как такового», выпущенной в 1913 году, и ограничивался лишь кратким замечанием: «Мое мнение о стихах сводится к напоминанию о родстве стиха и стихии. ⟨...⟩ Вообще молния (разряд) может пройти во всех направлениях, но на самом деле она пройдет там, где соединит две стихии» (НП, 367). И действительно, насколько полнее и весомее сказано о том же в четырех строках стихотворения, представляющем самое существо поэзии в самом чистом виде. Поэтому ему просто не нужны ни строгий размер, ни рифмы, ни метафоры, столь привычные поэзии нашего времени, но отнюдь не являющиеся ее непременной принадлежностью. Здесь мы находим лишь то, что найдем во всяком поэтическом произведении любых времен и на любом языке.

Но как же тогда совместить «особую веру и особый устав» каждого поэтического слова с несомненно ощущаемой нами общностью и вечностью поэзии? По-видимому, противоречия здесь нет. Каждый поэт видит мир со своей особой точки зрения и каждый говорит на особом языке, но все вместе они говорят об одном и том же, потому что основным содержанием искусства всегда будет единство и полнота мира. Как раз этому и учит опыт Хлебникова. В его стихотворениях, поэмах, драмах, прозе мы встречаемся с поражающим разнообразием поэтических форм, сюжетов, образов — не зря, всего через год после смерти Хлебникова, зная лишь малую часть им написанного, Мандельштам назвал его творчество «огромным всероссийским требником-образником»[1]. Но за всем этим разнообразием всегда угадывается какой-то единый сверхсюжет, какой-то глубинный образ, какое-то, если можно так выразиться, мысленное изваяние, как в его рассказе «Николай»: «К людям вообще можно относиться как к разным освещениям одной и той же белой головы с белыми кудрями. Тогда бесконечное разнообразие представит вам созерцание лба и глаз в разных освещениях, борьба теней и света на одной и той же каменной голове, повторенной и старцами и детьми, дельцами и мечтателями, бесконечное число раз».

В поэтическом мире Хлебникова все частное, единичное и конечное восходит к единому и бесконечному. Даже в мгновенном вздохе, вырвавшемся вслед навсегда исчезнувшей возлюбленной, открываются целые миры: «Привыкший везде на земле искать небо, я и во вздохе заметил и солнце, и месяц, и землю. В нем малые вздохи, как земли, кружились кругом большого» (СП, IV, 83). И наоборот, в небе поэт всегда искал землю и человека. В драматической поэме «Взлом вселенной» перед нами девушка,— она сидит у окна и плетет косу,— но это не что иное, как вселенная, и она держит на ладони русский народ. Всегда и везде, в большом и малом, он находил всеобщие связи и стройные закономерности космоса, устроенного ритмом и гармонией подобно творению поэта:

> Боги, когда они любят,
> Замыкающие в меру трепет вселенной,
> Как Пушкин жар любви горничной Волконского.

В конце концов неизвестно, кто кому подражает: поэтическое слово божественному космосу или божественный космос слову поэта. Мир предстает нам каким-то бесконечно-величественным стихотворением, где, скажем, Россия — «сменой тундр, тайги, степей — похожа на один божественно-звучащий стих». И кажется, что поэт всю жизнь читал одну только книгу:

> Ночь, полная созвездий,
> Какой судьбы, каких известий
> Ты широко сияешь, книга,
> Свободы или ига,
> Какой прочесть мне должно жребий
> На полночью широком небе?

Вот эта е д и н а я к н и г а п р и р о д ы и есть тот глубинный образ, тот сквозной сюжет, который проходит через все

---

[1] М а н д е л ь ш т а м О. Слово и культура. М., 1987, с. 60.

творчество Хлебникова и составляет его основное содержание. И чем дальше уходит от нас начальная поэтическая эпоха века, тем яснее различаем мы то основное и, теперь уже без всякого сомнения можно сказать, вечное, с чем вошел в наше художественное сознание Хлебников. Это прежде всего природа в самом непосредственном ее явлении:

> В этот день голубых медведе́й,
> Пробежавших по тихим ресницам,
> Я провижу за синей водой
> В чаше глаз приказанье проснуться.
> На серебряной ложке протянутых глаз
> Мне протянуто море и на нем буревестник;
> И к шумящему морю, вижу, птичая Русь
> Меж ресниц пролетит неизвестных...

Очевидно, природа здесь совсем не то, что называют окружающей средой. Она столько же вне человека, сколько и внутри его. И человек, открывая глаза в природу, сам открывается в таком нераздельном единстве с нею, что, сколько бы мы ни вчитывались в насквозь прозрачный мир стихотворения, мы никак не можем решить, где же здесь кончается человек и начинается природа и кто же здесь на кого смотрит: человек ли удивленно и благодарно узнает себя в природе, природа ли радостно и любовно видит себя в человеке. И в то же время мы отчетливо понимаем, что вот это полное слияние с миром, как будто утреннее пробуждение сознания, и есть поэзия. «Все во мне и я во всем», по слову Тютчева, который, конечно, из всей классической поэзии в этом отношении ближе всего Хлебникову.

> Не то, что мните вы, природа:
> Не слепок, не бездушный лик,
> В ней есть душа, в ней есть свобода,
> В ней есть любовь, в ней есть язык.

Близость их такова, что многие стихи Хлебникова кажутся живым откликом и прямым продолжением Тютчева (см. главу 3). Ведь если природа предстает нам одушевленной и очеловеченной, мы вправе видеть в ней не только какие-то безымянные существа, не только какие-то призрачные мифологические образы, но и живые человеческие лица, и даже реальные исторические личности:

> Усадьба ночью, чингисхань!
> Шумите, синие березы.
> Заря ночная, заратустрь!
> А небо синее, моца́рть!..

Ведь если у природы есть свой язык, то не делами ли великих воителей, пророков, художников говорит она нам свое слово, и не эти ли глаголы — *чингисханить, заратустрить, моцартить* — суть ужасные, величественные и прекрасные глаголы природы? Поэт же выступает только переводчиком «неземных голосов» на человеческий язык своего времени и своей земли, как, скажем, в поэме «Хаджи-Тархан»:

> И в звуках имени Хвалынского
> Живет доныне смерть Волынского...

Посредством слова поэта природа раскрывается нам в своем человеческом, личном, историческом содержании. Но вместе с тем мы видим и обратное движение художественной мысли, которое было еще более важно для Хлебникова и которое составляет самую суть его поэтики. Вот как рисует он образ казачьего атамана в поэме «Уструг Разина»:

> Был заперт порох в рог коровы,
> На голове его овца.
> А говор краткий и суровый
> Шумел о подвигах пловца.
> Как человеческую рожь
> Собрал в снопы нездешний нож.
> Гуляет пахарь в нашей ниве.
> Кто много видел, это вывел.
> Их души, точно из железа,
> О море пели, как волна.
> За шляпой белого овечьего руна
> Скрывался взгляд головореза.

Может показаться, что в этих почти фольклорных загадках скрывается какой-то второй смысл: смерть таится в пороховнице, сделанной из рога безобидной коровы, или скрывается под видом мирного пахаря, а волк прячется в овечьей шкуре. На самом деле смысл здесь как раз совсем не скрыт, а, напротив, посредством всех этих уподоблений, метафор, метонимий и катахрез раскрывается с полной очевидностью. Сквозь образы казачьей вольницы проступают и обнаруживаются природные, стихийные, нечеловеческие начала, и бунт Стеньки Разина оказывается не просто историческим событием, а неотвратимым явлением природы. И ему грозно откликается современность:

> И Разина глухое «слышу»
> Подымется со дна холмов,
> Как знамя красное взойдет на крышу
> И поведет войска умов.

Поэтому великие потрясения своего века, свидетелем и участником которых он был, поэт хотел увидеть в их глубинной изначальной сущности и понять их в самых общих природных закономерностях.

Нет, пожалуй, ни одного русского поэта, у которого произведения такой классической ясности и фольклорной простоты соседствовали бы с произведениями такой загадочной сложности и прямо-таки мучительной темноты, как у Хлебникова. Почему это так, мы поймем, если представим необъятность тех задач, которые он ставил перед собой, и ту высокую меру, которой мерил себя сам — «перед лицом немых созвездий». Владимир Одоевский, мыслитель, глубоко родственный Хлебникову и ценимый им, писал в «Русских ночах»: «Часто сетуют на сочинителя за то, что его сочинение не довольно понятно; но есть творение, которое всех других непостижимее,— вселенная».

2

В автобиографической заметке 1914 года Хлебников писал: «Родился 28 октября 1885 года в стане монгольских, исповедующих Будду, кочевников — имя «Ханская ставка», в степи — высохшем дне исчезающего Каспийского моря ⟨...⟩ При поездке Петра Великого по Волге мой предок угощал его кубком с червонцами разбойничьего происхождения. В моих жилах есть армянская кровь (Алабовы) и кровь запорожцев (Вербицкие), особая порода которых сказалась в том, что Пржевальский, Миклуха-Маклай и другие искатели земель были потомками птенцов Сечи» (НП, 352).

Так поэтически осмыслял он свои природные и исторические корни. Ему, очевидно, важно было, что его разбойничье — казацкое происхождение на пересечении Востока и Запада отвечало бунтарскому и в то же время обобщающему и синтезирующему духу его творчества. И все эти разрозненные и, может быть, случайные биографические факты становились тем связным и значительным целым, которое мы и называем судьбой поэта.

Хотя, казалось бы, по складу характера и ума и по воспитанию Хлебников призван был совсем к иному поприщу, к тому, что в его времена еще носило благородное и простое название: испытатель природы. Его отец, Владимир Алексеевич Хлебников, происходивший из почетных граждан города Астрахани, орнитолог и лесовод, впоследствии один из основателей первого в СССР Астраханского заповедника, в год рождения поэта занимал должность попечителя Малодербетовского улуса Калмыцкой степи. Об этом Хлебников писал в наброске автобиографической повести в стихах (1909):

> Меня окружали степь, цветы, ревучие верблюды,
> Круглообразные кибитки,
> Моря овец, чьи лица однообразно-худы,
> Огнем крыла пестрящие простор удоды,
> Пустыни неба гордые пожитки.
> Так дни текли, за ними годы.
> Отец, далеких гроза сайгаков,
> Стяжал благодарность калмыков...
> Ручные вороны клевали
> Из рук моих мясную пищу,
> Их вольнолюбивее едва ли
> Отроки, обреченные топорищу.
> Досуг со мною коротая,
> С звенящим криком: «сирота я»,
> Летел лебедь, склоняя шею,
> Я жил, природа, вместе с нею.

Мать поэта, Екатерина Николаевна Вербицкая, происходившая из значительной петербургской семьи, двоюродная сестра народовольца А. Д. Михайлова, по образованию историк, была во многих отношениях противоположностью отца. Ее образ мы узнаём в поэме «Ночь перед Советами» (1921):

> ...Ссыльным потом помогала, сделалась красной.
> Была раз на собраньи прославленной «Воли народной» —
>   опасно как! —
> На котором все участники позже
> Каждый
> Качались удавлены
> Шеями в царские возжи.
> Билися насмерть, боролись
> Лучшие люди с неволей.
> После ушла корнями в семью.
> Возилась с детьми, детей обучала.
> И переселилась на юг.
> Дети росли странные, дикие,
> Безвольные, как дитя,
> Вольные на все,
> Ничего не хотя.
> Художники, писатели,
> Изобретатели.

Детей было пятеро: старшие — Борис и Екатерина и младшие — Виктор, Александр и Вера, к которым, собственно, относится эта характеристика: Вера стала художницей, Александр — биологом и физиком, изобретателем. Благодаря матери дети получили хорошее домашнее образование и, что еще важнее, вкус к литературе, музыке, живописи и в особенности к истории. Читать будущий поэт выучился четырех лет и всегда очень много читал по-русски и по-французски. Библиотека в семье была основательная и постоянно пополнялась, несмотря на то, что им приходилось много переезжать. Из Калмыцкой степи — на Волынь, оттуда снова на Волгу, в Симбирскую губернию, где Виктор в 1897 году был помещен в третий класс симбирской гимназии, затем в Казань, где в 1903 году он окончил гимназию и поступил в университет.

С раннего детства он часто сопровождал отца в служебных, научных и охотничьих поездках в приволжских степях и лесах. И с тех пор он на всю жизнь сохранил страсть к путешествиям, будучи неутомимым ходоком, наездником, прекрасным пловцом (он переплывал Волгу и трехверстный залив Судака). Отец — «поклонник Дарвина и Толстого. Большой знаток царства птиц, изучивший их целую жизнь»,— внушил сыну не только естественное понимание природы, но и привил навыки первых научных наблюдений. Уже одиннадцатилетним мальчиком он вел фенологические и орнитологические записи, помогал отцу в собирании фаунистических коллекций; позже дважды (в 1903-м и 1909-м) участвовал в научных экспедициях в Дагестан, а в 1905 году вместе с братом Александром при содействии Казанского общества естествоиспытателей совершил большое самостоятельное путешествие на Урал, в Павдинский край, ставшее одним из самых значительных событий в его жизни и отразившееся во многих его произведениях («Зверинец», «Змей поезда», «Разин напротив. Две Троицы» и др.). «Орнитологические наблюдения на Павдинском заводе» А. и В. Хлебниковых были напечатаны в московском журнале «Природа и охота» (1911, № 12).

Неудивительно, что и самый первый из дошедших до нас стихотворных опытов Хлебникова (датированный 6 апреля 1897 г.) также был своего рода орнитологическим — «О чем поешь ты, птичка, в клетке?..». Мы не знаем, как рождается поэт, как начинают «жить стихом», но мы можем разглядеть, как с самого раннего детства два начала — отцовское и материнское — в их борьбе и единстве образуют ту подоснову хлебниковского творчества, которой он находил выражение в образах «природы» и «книги».

В последних классах гимназии и в первые университетские годы Хлебников занимался математикой, биологией, физической химией, кристаллографией, увлекался философией (Спинозу он, например, штудировал на латыни), изучал японский язык и в то же время пробовал свои силы в живописи и музыке и постоянно писал в стихах и прозе (некоторые литературные опыты он посылал Горькому). Уже из этого далеко не полного перечня его интересов понятно, что призвания своего он еще не определил, хотя и не сомневался в том, что оно будет высоким. В эпитафии, сочиненной самому себе в 1904 году, он писал: «Пусть на могильной плите прочтут: «Он нашел истинную классификацию наук, он связал время с пространством, он создал геометрию чисел. Он нашел славяний, он основал институт изучения дородовой жизни ребенка...» и т. п. (НП, 318—319). Конечно, можно было бы усмехнуться самонадеянности девятнадцатилетнего юноши, если бы тут не было верного ощущения духа времени. Век действительно стоял на пороге великих открытий и мировых потрясений, и Хлебников уже видел себя участником наступающих событий. И каким? «Он полагал, что благу человеческого рода соответствует введение в людском обиходе чего-то подобного установлению рабочих пчел в пчелином улье, и не раз высказывал, что видит в идее рабочей пчелы идеал свой лично ⟨...⟩ Сердце, плоть современного порыва человеческих сообществ вперед, он видел не в князь-человеке, а в князь-ткани — благородном коме человеческой ткани, заключенном в известковую коробку черепа (там же.)» Уже тогда, задолго до Тейяра де Шардена и Вернадского, его воодушевляла идея преобразования природной биосферы в ноосферу, сферу разума, создаваемую энергией человеческой культуры (см. Отступление 6).

Конечно, от этого воодушевления еще очень далеко до строгой науки, зато в нем было то, что для нас сейчас гораздо важнее,— цельное видение мира, то, что можно назвать п о э з и е й науки. Тем не менее казанские профессора А. Остроумов, М. Рузский считали Виктора Хлебникова многообещающим натуралистом. А профессор Васильев, тогдашний декан физико-математического факультета, вспоминая четверть века спустя своего исключительно одаренного ученика, к сожалению оставившего науку ради поэзии, отмечал одну странную подробность: когда на студенческих собраниях появлялся этот высокий, молчаливый, замкнутый юноша, все почему-то непроизвольно вставали и — удивительно — вставал и сам профессор. (Об этом в 1928 году А. В. Васильев рассказывал С. Я. Маршаку[1].)

Призвание его определил 1905 год — поражение России

_____

[1] См.: А н д р и е в с к и й А. Н. Мои ночные беседы с Хлебниковым.— «Дружба народов», 1985, № 12, с. 241—242.

на Востоке и поражение первой русской революции; двойное, и внешнее и внутреннее, унижение родины стало той вехой, от которой Хлебников отсчитывал начало своей сознательной творческой жизни. «Мы бросились в будущее ⟨...⟩ от 1905 года» (НП, 368),— говорил он, имея в виду неотделимость личных судеб от судьбы России. Душой он безусловно принимал Тютчева:

> Умом Россию не понять,
> Аршином общим не измерить:
> У ней особенная стать —
> В Россию можно только верить.

Но только «высокой веры в высокие судьбы России», присущей, как говорил он, Тютчеву[1], ему было недостаточно. Поэтому он и следовал Тютчеву и спорил с ним, стремясь именно «умом» понять «особенную стать» России и найти такой «аршин», которым можно было бы измерить ее судьбы. Отсюда две главные и взаимосвязанные задачи, которые он ставил перед собой и которым посвятил жизнь: изучение п р и р о д ы я з ы к а, в мудрости которого он искал выражение народного самосознания, и изучение п р и р о д ы в р е м е н и, в том числе и законов исторических судеб России, ибо, говорил он, «слово управляет мозгом, мозг — руками, руки — царствами» (СП, V, 188).

Однако если бы его удовлетворяло только изучение, он стал бы языковедом или историком, физиком или математиком. Он же хотел не только постигать язык, но и творить новый: «...если живой и сущий в устах народных язык может быть уподоблен доломерию Эвклида, то не может ли народ русский позволить себе роскошь ⟨...⟩ создать язык — подобие доломерия Лобачевского?» (НП, 373). Точно так же он хотел не просто изучать прошлое, но и предсказывать будущее. А это неизбежно вело его за рамки существующих наук в область свободного творчества и цельного переживания природы тем романтическим путем, который указывал когда-то Фр. Шлегель: «Если ты хочешь проникнуть в тайны физики, то ты должен посвятить себя в мистерии поэзии».

Такое посвящение Хлебникову как будто суждено было принять в кругу петербургских символистов, признанным центром которого был Вячеслав Иванов. Он-то больше всего и привлекал Хлебникова, когда тот в 1908 году отправился из Казани в Петербург. Привлекала его, по-видимому, не столько

---

[1] Х л е б н и к о в В. Битвы 1915—1917 гг. Новое учение о войне. Пг., 1915, с. 19.

многоосмысленная филологическая поэзия Иванова и даже не широко развернутая им теория символического искусства, сколько идея возрождения народного духа языка, связанная с общей идеей славянского возрождения, имевшей глубокие традиции в русской культуре. «Через толщу современной речи язык поэзии — наш язык — должен прорасти и уже прорастает из подпочвенных корней народного слова, чтобы загудеть голосистым лесом всеславянского слова»,— писал Иванов в статье «О веселом ремесле и умном веселии»[1]. И на эту-то идею прежде всего откликался Хлебников в своих словотворческих опытах и в своей первой декларации 1908 года «Курган Святогора»: «...останемся ли мы глухи к голосу земли: уста дайте мне! дайте мне уста! Или останемся пересмешниками западных голосов?» (НП, 323).

Хлебников усердно посещал литературные «среды» в знаменитой башне Иванова на Таврической и «Академию стиха» при новом журнале «Аполлон», где встречался с С. Городецким, А. Толстым, Н. Гумилевым, О. Мандельштамом и др., с которыми тогда находил много общего. И хотя как будто на первых порах Хлебников встретил сочувственное внимание Вячеслава Иванова, интерес к своим словотворческим опытам со стороны Ремизова и даже как будто нашел в Кузмине своего учителя («Я подмастерье знаменитого Кузмина. Он мой magister»,— сообщал он брату.— СП, IV, 287), и хотя он вроде бы истово следовал «заветам символизма» и у него даже находили «строки гениальные» (СП, V, 289), внутренне в этом кругу он оставался чужим (см. отступление 1).

В этом есть какая-то загадка. Вряд ли дело было в несовместимости стихии и культуры. Хлебников отнюдь не был каким-то стихийным самородком, за ним стояла своя культура, и прежде всего культура естественнонаучной мысли. Может быть, дело было в той ч р е з м е р н о с т и, которой отмечено все, что предпринимал Хлебников.

> Я новый смысл вонзаю в «смерьте».
> Повелевая облаками, кидать на землю белый гром...
> Законы природы, зубы вражды ощерьте!
> Либо несите камни для моих хором.
> Собою небо, зори полни Я,
> Узнать, как из руки дрожит и рвётся молния,—

говорит «безумный» герой его романтической драмы «Маркиза Дэзес» (1909), не случайно перекликающейся с грибоедовским

[1] И в а н о в В. По звездам. СПб., 1909, с. 244.

«Горем от ума». Если это была стихия, то она хотела быть математикой. Если это была культура, то она хотела быть дикой и вольной природой. Во всем этом было слишком много природы, слишком много математики и слишком много поэзии. Все это было слишком всерьез и слишком требовательно, а потому хлебниковская поэзия оказывалась вне литературы. Во всяком случае, нам нечего возразить Давиду Бурлюку, писавшему в предисловии к «Творениям» Хлебникова: «Гений Хлебников читал свои стихи ⟨...⟩ в Петербурге Кузмину, Городецкому, В. Иванову и др.— но никто из этих литераторов не шевельнул пальцем, чтобы отпечатать хотя бы одну строку — этих откровений слова»[1].

3

К 1910 году, когда Хлебников покинул круг символистов, он, по существу, уже произвел переворот в литературе, заложив основы новой эстетики и разработав принципы нового художественного метода. Но переворот этот в тот момент остался незамеченным именно потому, что он перестраивал сами отношения поэзии к действительности. Понадобилось еще два десятилетия, отмеченных великими событиями и в искусстве и в действительности, чтобы историк литературы мог спокойно подвести итог, как это сделал Тынянов в предисловии к Собранию произведений Хлебникова в 1928 году: «Хлебников потому и мог произвести революцию в литературе, что строй его не был замкнуто литературным, что он осмыслял им и язык стиха и язык чисел, случайные уличные разговоры и события мировой истории, что для него были близки методы литературной революции и исторических революций» (СП, I, 28).

В чем же заключался этот новый строй? Вопрос очень сложный и во многом не осознанный до сих пор. Попробуем пояснить его хотя бы в исходном положении и на самом простом примере. Сравним:

> Там чудеса: там леший бродит,
> Русалка на ветвях сидит;
> Там на неведомых дорожках
> Следы невиданных зверей;
> Избушка там на курьих ножках
> Стоит без окон без дверей;
> Там лес и дол видений полны...

«...И были многие и многия: и были враны с голосом: «смерть!»

---

[1] Хлебников В. В. Творения 1906—1908 гг. Херсон, 1914, с. 26.

и крыльями ночей, и правдоцветиковый папоротник, и времататая избушка, и лицо старушонки в кичке вечности, и злой пес на цепи дней, с языком мысли, и тропа, по которой бегают сутки и на которой отпечатлелись следы дня, вечера и утра ⟨...⟩ и стояла ограда из времового тесу, и скорбеветвенный страдняк ник над водой, и было озеро, где вместо камня было время, а вместо камышей шумели времыши».

Мы сразу же обращаем внимание на очевидную преемственность хлебниковского «Искушения грешника» от пушкинского вступления к «Руслану и Людмиле» и столь же очевидное отличие в характере самого поэтического слова. Пушкинское слово рисует нам некий сказочный мир, которого на самом деле вовсе и нет, но который как будто где-то «там» существует и который мы как бы видим, причем видим не только русалку и лешего, но даже невиданных зверей на неведомых дорожках. В хлебниковском слове, сколько бы мы ни старались, мы ничего не видим и никакого ощущения правдоподобия у нас не возникает. Да и как вместо камня увидеть время, а вместо камышей услышать шум времышей? Здесь слово не рисует, не описывает чудеса и видения, а само является таким чудом и видением, таким «невиданным зверем» и «неведомой дорожкой». И все это происходит не где-то «там», а прямо здесь — в слове, в самом языке. По сути дела, новый строй Хлебникова начинался с того, что, устраняя литературное «как бы», устраняя условную предметность, он прямо погружался в сказочный мир языка, который, собственно, и есть непосредственная действительность народного сознания.

Еще нагляднее, может быть, сопоставление «Искушения грешника» с его непосредственным источником — философской драмой Г. Флобера «Искушение Святого Антония». Надо сказать, что эта драма, прочитанная Хлебниковым в юности, вообще оказала огромное, даже исключительное воздействие на все его творчество — от ранней словотворческой прозы до последней сверхповести «Зангези». Особенно ярко оно проявилось в его фантастических пьесах «Снежимочка», «Чертик», «Боги», в сверхповести «Дети Выдры», в повестях «Ка», «Скуфья скифа», «Есир». И вместе с тем, как, впрочем, нередко бывает, Хлебников испытывал враждебные чувства к этой истории заблуждений человеческого разума. В дни революционных событий 1918 года в Астрахани он писал: «Я был без освещения после того, как проволока накаливания проплясала свою пляску смерти и тихо умирала у меня на глазах. Я выдумал новое освещение: я взял «Искушение Святого Антония» Флобера и прочитал его всего, зажигая одну страницу и при ее свете прочитывая другую; множество имен, множество богов мелькнуло в сознании, едва волнуя, задевая одни струны, оставляя в покое другие, и потом все эти веры, почитания, учения земного шара обратились в черный шуршащий пепел. ⟨...⟩ И все это — в дни, когда сумасшедшие грезы шагнули в черту города, когда пахарь и степной всадник дрались из-за мертвого обывателя, и из весеннего устья Волги несся хохот Пугачева,— стало черным высокопоучительным пеплом третьей черной розы. Имя Иисуса Христа, имя Магомета и Будды трепетало в огне, как руно овцы, принесенной мной в жертву 1918 году. Как гальки в прозрачной волне, перекатывались эти стертые имена людских грез и быта в мерной речи Флобера. ⟨...⟩ Я долго старался не замечать этой книги, но она, полная таинственного звука, скромно забралась на стол и, к моему ужасу, долго не сходила с него, спрятанная другими вещами. Только обратив ее в пепел и вдруг получив внутреннюю свободу, я понял, что это был мой какой-то враг» (СП, IV, 115—116).

Вот одна из заключительных сцен «Искушения Святого Антония»: «...И возникает множество разных страшных зверей: Трагелаф — полуолень-полубык; Мирмеколеон — спереди лев, сзади муравей с половыми органами навыворот ⟨...⟩ Налетают шквалы, неся с собой всякие анатомические диковинки. Головы аллигаторов на ногах косуль, совы с змеиными хвостами, свиньи с мордой тигра, козы с ослиным задом, лягушки, мохнатые как медведи, хамелеоны ростом с гиппопотамов, телята о двух головах — одной плачущей, другой мычащей, четверни-недоноски, связанные друг с другом пуповиной и кружащиеся как волчки, крылатые животы, порхающие как мошки,— чего только тут нет. Они дождем падают с неба, они вырастают из земли, они текут со скал. Повсюду пылают глаза, ревут пасти, выпячиваются груди, вытягиваются когти, скрежещут зубы, плещутся тела. Одни из них рожают, другие совокупляются, а то одним глотком пожирают друг друга» (перевод М. Петровского).

Рисуя все эти чудовищные гротескные образы, Флобер пользовался тем же, так сказать, агглютинативным методом, что и Босх, Питер Брейгель, Калло, разрабатывавшие тот же сюжет, составляя самые фантастические существа из вполне реальных форм животных, птиц, насекомых, пресмыкающихся. (Приложение 1, илл. 11.) Их можно изобразить, о них можно рассказать другими словами, потому что они существуют как иллюзия предметного представления. У Хлебникова же воображаемые существа нельзя «вынуть» из слова. И образуются они не из однородных предметных представлений, а как

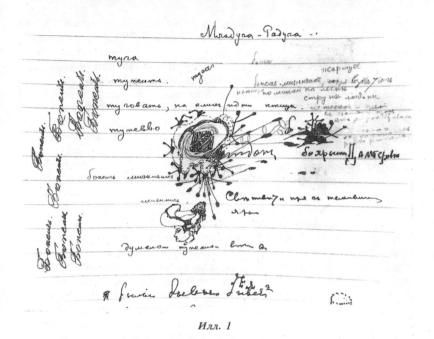

Илл. 1

бы поперек, соединяя в себе предметное с беспредметным, вещественное с мыслимым: *правдоцветиковый папоротник, вре-матая избушка, сомнениекрылая ласточка* и т. д.

Поэтическое с л о в о у Хлебникова вообще не предметно и не беспредметно, оно поперечно — и потому не называет, а порождает предмет во внутреннем представлении. Отсюда свобода словотворчества, на которой настаивал Хлебников с первых шагов в литературе, утверждая, что «всё, что не противоречит духу русского языка, дозволено поэту» (ЦГАЛИ, ф. 527, оп. 1, № 60, л. 60). Так, например, построено его знаменитое «Заклятие смехом» (1909), где целый «смеховой мир» порожден от корня *смей*. А исходным толчком для него послужили, по всей вероятности, слова Купавы, обращенные к Хмелю (восходящие в свою очередь к народной «Песне о Хмеле»), в пьесе Островского «Снегурочка»:

> Молю тебя, кудрявый ярый Хмель,
> Отсмей ему, насмешнику, насмешку.

Если Пушкин в своем творчестве, начиная с «Руслана и Людмилы», вводил фольклор и народную мифологию в высокую литературу, воссоединяя их в единое искусство, то за Хлебниковым был следующий необходимый шаг, вперед и в то же время назад, к первоистокам поэзии, чтобы сделать литературным явлением живую мифологическую стихию самого языка и утвердить поэзию как функцию народного слова. Но не того слова, которое есть, было или даже будет, а того слова, которое м о ж е т быть. «Сущность поэзии — это жизнь слова в нем самом, вне истории народа и прошлого народа» — таково было его принципиальное убеждение, сформулированное уже в 1907—1908 годах (ЦГАЛИ, ф. 527, оп. 1, № 60, л. 63). К решению своей задачи он приступал с навыками естественнонаучных исследований, создавая, по выражению Маяковского, «целую периодическую систему слова». Вот как описывал Б. Лившиц свое первое знакомство со словотворческими рукописями Хлебникова: «Если бы доломиты, порфиры и сланцы Кавказского хребта вдруг ожили на моих глазах и, ощерившись флорой и фауной мезозойской эры, подступили ко мне со всех сторон, это произвело бы на меня не большее впечатление. Ибо я увидел воочию о ж и в ш и й язык. ⟨...⟩ Я стоял лицом к лицу с невероятным явлением. Гумболдтовское понимание языка, как искусства, находило себе красноречивейшее подтверждение в произведениях Хлебникова, с той только потрясающей оговоркой, что процесс, мыслившийся до сих пор как функция коллективного сознания целого народа, был воплощен в творчестве одного человека»[1]. Да и сейчас, когда мы научились лучше понимать смысл хлебниковской работы, рукописи его производят почти такое же ошеломляющее впечатление (см. Приложение 1, илл. 1, 2).

Уже одного словотворчества Хлебникова было достаточно для возникновения целой поэтической школы. Но его мало привлекала собственно литературная борьба, равно как и роль вождя и мэтра какого-либо направления. И если все-таки фактически он таковым стал, когда в начале десятых годов вокруг него собрались молодые художники и поэты, позднее получившие газетное прозвище футуристов, то отнюдь не в результате каких-то организационных усилий или учительного авторитета, а только в силу своей художественной мысли, далеко опережавшей современность.

Первым произведением Хлебникова, увидевшим свет, было «Искушение грешника», напечатанное в октябре 1908 года в журнале «Весна» благодаря Василию Каменскому, служившему тогда секретарем редакции. Через него Хлебников сблизил-

---

[1] Л и в ш и ц Б. Полутораглазый стрелец. Л., 1989, с. 335—336.

ся с Давидом Бурлюком и его братьями, затем с музыкантом и художником Михаилом Матюшиным и его женой, художником и поэтом Еленой Гуро. В апреле 1910 года вышел их совместный сборник «Садок судей», с которого, собственно, и начиналось футуристическое движение. (Хлебников слова *футуризм* не употреблял и называл своих друзей *будетлянами*.) Позже к ним присоединились Бенедикт Лившиц, Крученых и Маяковский. И все они так или иначе опирались на поэтическое творчество Хлебникова, находя в нем то выражение нового мироощущения, которое представлялось им прорывом к искусству будущего. У них не было той литературной искушенности и филологической культуры, какая была в кругу Вячеслава Иванова, но зато у них было стихийное чутье ко всему новому и подлинному. Особенно это касается Давида Бурлюка, взявшего на себя роль издателя и организатора движения. Даже не понимая многого в литературной работе Хлебникова, он угадывал ее значение для будущего. Так, отправляя произведения Хлебникова для сборника «Союз молодежи», он писал: «Радуюсь посылкой вам очень редких рукописей гениального Хлебникова ⟨...⟩ Печатайте их «до точки» ⟨...⟩ Это собрание ценностей, важность которых учтена сейчас быть не может» (НП, 14).

Не только словотворчество Хлебникова, но и весь звуковой, ритмический и интонационный строй его стиха, ориентированного на разговорную речь, в особенности в поэме «Журавль» и драме «Маркиза Дэзес», как очень точно указал Н. Харджиев[1], стал основным источником поэтики русского футуризма. А сквозной хлебниковский сюжет «восстания природы» оказался магистральным сюжетом всего движения. Вспомним хотя бы его развитие в «Трагедии», а также в «Мистерии-буфф» и «150 000 000» Маяковского. Причем и тот социальный смысл, который вкладывал в этот сюжет Маяковский, был уже заложен у Хлебникова:

> Смеясь, урча и гогоча,
> Тварь восстает на богача.
> Под тенью незримой Пугача
> Они рабов зажгли мятеж.

Однако для широкой публики, для которой футуристов в годы их громокипящих литературных выступлений представляли главным образом скандально известные имена Игоря Северя-

---

[1] Х а р д ж и е в Н., Т р е н и н В. Поэтическая культура Маяковского. М., 1970, с. 96—126.

нина, Давида Бурлюка или Крученых, а часто и для самих участников движения Хлебников оставался в тени. «Его тихая гениальность,— много лет спустя признавался Маяковский,— тогда была для меня совершенно затемнена бурлящим Давидом» (ПСС, I, 21). Тем не менее именно творчество Хлебникова представляло собой ту, так сказать, невидимую ось вращения, вокруг которой шумело новое искусство. Ситуацию эту хорошо рисует один эпизод на диспуте «О современной литературе» 1913 года из воспоминаний Крученых: «Особенно запомнилось мне, как читал Маяковский стихи Хлебникова. Бронебойно грохотали мятежные

> Веселош, грехош, святош
> Хлябиматствует лютеж.
> И тот, что стройно с стягом шел,
> Вдруг стал нестройный бегущел.

Эти строчки из поэмы Хлебникова «Революция» были напечатаны в «Союзе молодежи» по цензурным условиям под названием «Война — смерть». Кажется, никогда, ни до, ни после, публика не слыхала от Маяковского таких громовых раскатов баса и таких необычных слов!»[1]

Самого Хлебникова на подмостках при этом не было. Да и вообще трудно представить его «работающим на публику». К тому времени уже вполне сложился его облик поэта «вне быта и жизненных польз», удивлявший современников не меньше, чем его слово. Михаил Матюшин вспоминал: «Хлебников был всегда молчалив и страшно рассеян. Отсюда его неловкость, беспомощность и неуверенность ⟨...⟩ Помню, обедая у меня, он задумался и поднес ко рту коробку со спичками вместо хлеба и тут же начал высказывать замечательные мысли о новом слове. В эти минуты высшей рассеянности он был глубоко собран внутренне. Его огромный лоб всегда производил впечатление горы ⟨...⟩ Работая целыми днями над изысканием чисел в Публичной библиотеке, Хлебников забывал есть и пить и возвращался измученный, серый от усталости и голода, в глубокой сосредоточенности. Его с трудом можно было оторвать от вычислений и засадить за стол»[2]. Он мало заботился об издании своих произведений, считая, что, если вещь написана, она уже непреложно существует, и большей частью предоставлял все практические заботы своим друзьям. Но когда дело

---

[1] К р у ч е н ы х А. Из воспоминаний. Наш выход.— «День поэзии. 1983». М., 1983, с. 160.
[2] М а т ю ш и н М. Русские кубо-футуристы.— Сб. «К истории русского авангарда». Стокгольм, 1976, с. 141—142.

шло о принципиальных вопросах искусства, о взаимоотношениях литературы и действительности, он всегда оказывался в самом центре и находил решение ясное и твердое. Так, возражая требованиям «искусства для искусства», он писал в 1912 году: «Свобода искусства слова всегда была ограничена истинами, каждая из которых частность жизни. Эти пределы в том, что природа, из которой искусство слова зиждет чертоги, есть душа народа. И не отвлеченного, а вот этого именно» (НП, 334).

Сейчас, когда литературные распри десятых годов стали уже далекой историей, мы можем взять в руки, скажем, футуристический сборник «Пощечина общественному вкусу» (1912), вызывавший в свое время столько возмущений, и спокойно перелистать его страницы. Мы увидим, что сборник чуть ли не наполовину заполнен произведениями Хлебникова, большая часть которых уже стала классикой,— «Кузнечик», «Бобэоби», «Гонимый — кем, почем я знаю?..», поэма «И и Э», в которой Ю. Тынянов проницательно находил «преображенного» Пушкина:

> Видно, так хотело небо
> Року тайному служить,
> Чтобы клич любви и хлеба
> Всем бывающим вложить.

И мы без труда догадываемся, что означало название сборника. Ведь эта «Пощечина», сопровождавшаяся манифестом с призывами бросить Пушкина, Толстого, Достоевского с парохода современности, была просто-напросто повторением той самой пощечины, которую пушкинский Руслан дает великанской голове, добывая волшебный меч. И, как насмешливо вспоминал потом Хлебников, «совы летели из усов и бровей старой головы и садились прямо на столбцы передовиков» (то есть газетных передовиц) (СП, V, 134). Но дело было отнюдь не шуточное, речь шла не просто об утверждении нового литературного движения, речь шла о новом понимании природы времени. В 1915 году Хлебников с гневной убежденностью говорил: «Будетлянин — это Пушкин в освещении мировой войны, в плаще нового столетия, учащий праву столетия «смеяться» над Пушкиным 19 века. Бросал Пушкина «с парохода современности» Пушкин же, но за маской нового столетия. И защищал мертвого Пушкина в 1913 году Дантес, убивший Пушкина в 18** году. «Руслан и Людмила» была названа «мужиком в лаптях, пришедшим в собрание дворян». Убийца живого Пушкина, обагривший его кровью зимний снег, лицемерно оделся маской защиты его (трупа) славы, чтобы повторить отвлечен-

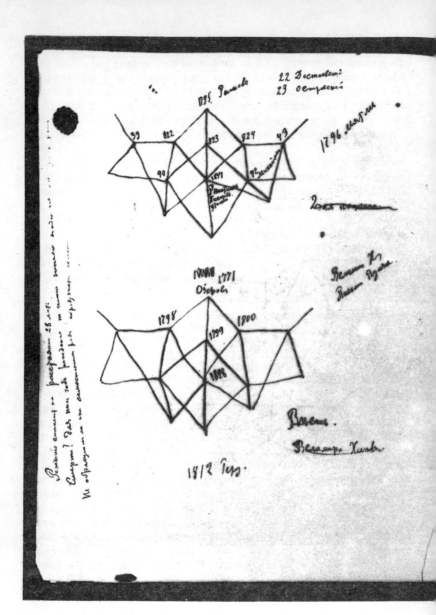

Илл. 2

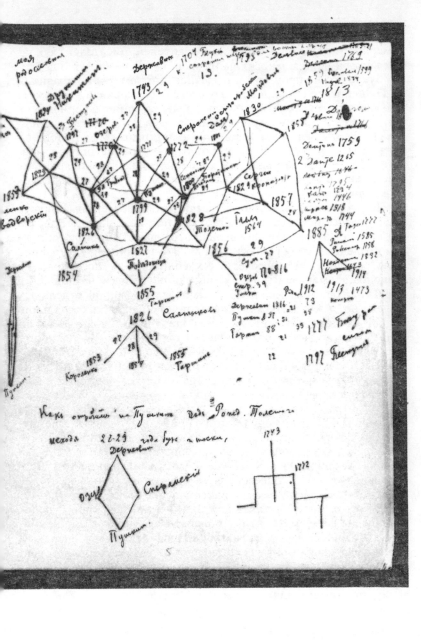

ный выстрел по всходу табуна молодых Пушкиных нового столетия». Работая над статьей «Закон поколений»[1], находя закономерности рождения «борцов, мыслителей, писателей, духовных вождей народа многих направлений», размышляя о действии будущего на прошлое, и в частности о том, «как отразился на Пушкине год рождения Толстого», расчерчивая «геометрию истории» русской литературы, он не случайно в черновиках называл ее «2-ая пощечина», «Письмо Вуича» (то есть наследника), «Весть Велимира Хлебникова» и прямо «Моя родословная» (ГПБ, ф. 1087, № 30). Вот эта внутренне ощущаемая, а тем более подтверждаемая хлебниковскими вычислениями «звездная родословная» давала иной смысл всему будетлянскому движению.

На последней странице «Пощечины общественному вкусу» была напечатана загадочная таблица под названием «Взор на 1917 год» с датами падения великих государств прошлого, причем последним стоял «Некто 1917». Это грозное предсказание было результатом многолетних хлебниковских исследований «законов времени». В книге «Учитель и ученик», вышедшей в мае 1912 года, он писал: «Я не смотрел на жизнь отдельных людей; но я хотел издали, как гряду облаков, как дальний хребет, увидеть весь человеческий род и узнать, свойственны ли волнам его жизни мера, порядок и стройность». И приходил к выводу: «не следует ли ждать в 1917 году падения государства?» Сказать печатно, о каком государстве идет речь, было, разумеется, немыслимо, но из сохранившихся черновых записей Хлебникова ясно, что речь шла о России.

Сейчас мы понимаем, а некоторые современники и тогда уже понимали, что именно книга «Учитель и ученик», а не футуристический манифест «Пощечина общественному вкусу» была действительной программой нового искусства. Друзья Хлебникова видели в ней прежде всего поэзию, какое-то пророческое искусство будущего. Да Хлебников и сам называл себя «художником числа вечной головы вселенной» (СП, II, 11). Тем убедительней казались для них его предсказания, соединявшие поэзию, математику и действительность. И Маяковский в поэме «Облако в штанах», следуя Хлебникову, опережал его на год в своих поэтических пророчествах: «В терновом венце революций грядет шестнадцатый год».

Все, происходившее тогда в искусстве, в новой живописи и поэзии, представлялось им подтверждением их ожиданий.

---

[1] Х л е б н и к о в В. Утес из будущего. Проза. Статьи. Элиста, 1988.

Странная ломка миров живописных
Была предтечею свободы, освобожденьем от цепей.
Так ты шагало, искусство...—

говорил Хлебников в стихотворении «Бурлюк».

4

Однако с началом мировой войны и живопись и поэзия отодвигались далеко на задний план. «Отвращение и ненависть к войне ⟨...⟩ Интерес к искусству пропал вовсе» (ПСС, I, 23),— вспоминал об этом времени Маяковский. Хлебников же полностью был погружен в изучение законов времени. В своих книгах «Битвы 1915—1917 гг. Новое учение о войне» и «Время мера мира», изданных в 1915 и 1916 годах, он изучал прошлые войны человечества, чтобы предсказать ход текущей войны и таким образом сделать ее бессмысленной. «Всей силой своей гордости и своего самоуважения я опускал руку на стрелку судьбы, чтобы из положения внутри мышеловки перейти в положение ее плотника» (СП, IV, 145). Но можно ли было это сделать за письменным столом ученого, одиноким усилием ума?

Призванный в апреле 1916 года в царскую армию, он оказался в Царицыне, в запасном полку, где прошел весь «ад перевоплощения поэта в лишенное разума животное, с которым говорят языком конюхов, а в виде ласки так затягивают пояс на животе, упираясь в него коленом, что спирает дыхание, где ударом в подбородок заставляли меня и моих товарищей держать голову выше и смотреть веселее, где я становлюсь точкой встречи лучей ненависти, потому что я не толпа и не стадо, где на все доводы один ответ, что я еще жив, а на войне истреблены целые поколения ⟨...⟩ Шаги, приказания, убийство моего ритма делают меня безумным к концу вечерних занятий ⟨...⟩ Таким образом, побежденный войной, я должен буду сломать свой ритм (участь Шевченко и др.) и замолчать как поэт» (СП, V, 309—310). Так писал он доктору Н. И. Кульбину. С его помощью ему удалось добиться временного освобождения. Окончательно его освободил 1917 год, вычисленный и предсказанный им.

Вряд ли мы даже можем себе представить, каким было то чувство свободы. «Это было,— вспоминал Хлебников,— сумасшедшее лето, когда после долгой неволи в запасном полку ⟨...⟩ я испытывал настоящий голод пространства и на поездах, увешанных людьми, изменившими Войне, прославлявшими

29

Мир, Весну и ее дары, я проехал два раза, туда и обратно, путь Харьков — Киев — Петроград. Зачем? я сам не знаю» (СП, XIV, 106).

Его стихи тех дней полны ощущения небывалой и безграничной свободы:

> Свобода приходит нагая,
> Бросая на сердце цветы,
> И мы, с нею в ногу шагая,
> Беседуем с небом на ты.

В то время он был одержим идеей создания общества Председателей Земного Шара, задуманного еще в конце 1915 года. В нем должно было состоять 317 членов. Почему именно это число? Да потому, что, по наблюдениям Хлебникова, все события земного мира — и переселения народов, и войны, и революции, и удары человеческого сердца, и колебания музыкальных струн, и т. д.— все это, измеренное во времени, оказывалось кратным 317. И, таким образом, это число должно было символически выражать идею полноты и единства мира. Но общество никогда не представлялось Хлебникову ограниченным только 317 членами. Напротив, по его мысли, Председателем Земного Шара мог быть каждый, кто ощущал свое единство со всем человечеством и сознавал ответственность за его судьбу, поэтому только недоразумением можно объяснить нередко встречающееся уподобление хлебниковского общества аристократическому государству философов Платона. Это явствует, например, из одного из «Предложений» Хлебникова: «Внести новшество в землевладение, признав, что площадь землевладения, находящегося в единоличном пользовании, не может быть менее поверхности земного шара» (СП, V, 158). В такой парадоксальной и чрезвычайно характерной для Хлебникова форме здесь выражена идея неделимости мира и человека. Разумеется, общество Председателей Земного Шара в конечном счете было не чем иным, как поэтическим произведением Хлебникова. И оно даже более определенно и решительно, чем его стихи, говорит о том, что высочайшее чувство свободы неразрывно с высочайшей ответственностью.

С лета 1917 года начинались самые трудные и, может быть, лучшие годы жизни поэта, годы тяжких испытаний, которые он прошел вместе со всей страной, и годы самых замечательных его творческих достижений.

Иногда говорят о какой-то отрешенной философской созерцательности поэзии Хлебникова, далекой будто бы от злободневной действительности. Это неверно. Напротив, мало кто из литературных современников видел революцию и гражданскую войну так, как видел ее Хлебников, в ее важнейших, поворотных событиях. И когда говорят о каких-то его бесцельных и необъяснимых странствиях, о каких-то его внезапных отлетах в пространство, забывают, что почему-то всякий раз он оказывался там, где происходило что-то знаменательное. Может быть, он и сам не всегда отдавал себе в этом отчет, но мы сейчас легко можем понять, как он, всю жизнь изучавший законы времени по книгам, хотел своими глазами видеть ежедневно совершающуюся историю, видеть ее обнаженный механизм.

В октябре 1917 года он был в Петрограде, и это описано в его воспоминаниях «Октябрь на Неве» и поэме «Ночной обыск». В ноябре 1917 он был свидетелем боев в Москве, и это описано в его поэме «Сестры-молнии». В 1918 году он видел движение революции на Волге, в Астрахани, и это описано в его воспоминаниях «Никто не будет отрицать того...» и поэме «Ночь перед Советами». В 1919—1920 годах он пережил все превратности гражданской войны на Украине, поход Деникина на Москву и его разгром, и это описано в его рассказе «Малиновая шашка», поэмах «Каменная баба», «Полужелезная изба...» и «Ночь в окопе». В 1920—1921 годах он был на Кавказе и в Персии, куда его особенно влекли начинающиеся освободительные движения на Востоке, и это описано в его поэме «Труба Гуль-муллы». И все это помимо множества стихотворений и таких поэм, как «Война в мышеловке», «Азы из узы», «Берег невольников», «Горячее поле», «Настоящее», «Ладомир», где речь идет о революции в ее целом. Причем все эти годы он постоянно работал в различных газетах, в бакинском и пятигорском отделениях РОСТА, в Политпросвете Волжско-Каспийского флота. «Стихи,— говорил он,— это все равно, что путешествие, нужно быть там, где до сих пор еще никто не был». Но и странствия его, скажем мы, несмотря на все тяготы и лишения, были самой настоящей поэзией.

Его произведения последних лет полны точных примет времени. Лица, события, даты записаны в них прямо с фактографической тщательностью, так что могут служить историческим первоисточником. И самое, может быть, поразительное в них — невероятное богатство и подлинность народного языка. В эти годы вся Россия, как никогда, превратилась в какую-то первородную стихию слова. И поэт в этом «взрыве глухонемых пластов языка» находил реальное подтверждение своих ранних словотворческих опытов. Он замечал, как в октябрьские дни «странной гордостью звучало слово *большевичка*», ему нравилось, как Петроград — совсем в духе его поэтики — переименовывался в *Ветроград,* его восхищало характернейшее слово, и даже не слово, а всеобъемлющий клич эпохи — *даешь!* — и, как отмечают историки языка, именно Хлебников впервые ввел его в литературу.

Как же тут говорить об отрешенности его поэтического слова?

Однако основания для такого взгляда на поэзию Хлебникова все-таки есть. Нужно только правильно их понять. Поэзия ведь всегда говорит нам не о фактах, но о смысле этих фактов. А тем более поэт такого эпического склада, каким был Хлебников, с его постоянным стремлением всюду видеть не просто вещи, людей, события, но именно природу этих вещей, людей, событий и всегда находить их всеобщие связи и закономерные отношения. Поэтому его поэтическое слово совершенно конкретно и непосредственно и в то же время тяготеет к предельной обобщенности символа.

Он и на себя смотрел таким как бы двойным зрением. Когда в декабре 1921 года Хлебников вернулся в Москву, он уже знал, что жизнь его подходит к концу. «Люди моей задачи,— печально и спокойно говорил он,— часто умирают тридцати семи лет». Весной 1922 года, тяжело больной, он отправляется вместе со своим последним другом Петром Митуричем в Новгородскую губернию. Там в деревне Санталово 28 июня 1922 года Хлебников умер на тридцать седьмом году жизни. Его последним словом, в ответ на вопрос, трудно ли ему умирать, было «да»[1].

У него было поразительно ясное сознание цельности и завершенности своего пути. В одном из предсмертных стихотворений, перекликающемся с пушкинским «Свободы сеятель пустынный, // Я вышел рано, до звезды...», он говорил:

> Я вышел юношей, один
> В глухую ночь,
> Покрытый до земли
> Тугими волосами.
> Кругом стояла ночь
> И было одиноко.
> Хотелося друзей,
> Хотелося себя.
> Я волосы зажег,
> Бросался лоскутами колец
> И зажигал кругом себя.
> Зажег поля, деревья,
> И стало веселей.
> Горело Хлебникова поле.

[1] М и т у р и ч П. В. Воспоминания о Велимире Хлебникове. (В печати.)

И огненное Я пылало в темноте.
Теперь я ухожу,
Зажегши волосами...
И вместо Я
Стояло — Мы...

Стихотворение это, как и множество других его произведений, осталось незаконченным. Однако все они внутренне настолько связаны друг с другом, что совершенно естественно читаются как части какого-то «давно задуманного целого», и даже сама их незавершенность как будто указывает на их единство. Недаром он много работал над созданием нового жанра «сверхповести», объединявшего все роды и виды литературы в «Единую книгу». Отсюда, кстати сказать, и возникало у современников ошибочное представление о неизменности его художественного метода. В действительности характер его творчества, как и его мировоззрение, менялся, и весьма значительно, хотя основной предмет его размышлений и художественных исследований, безусловно, оставался постоянным. Он был убежден, что всякое движение вперед, всякое развитие, в том числе и литературы, невозможно без возвращения назад. Однако оно мыслилось им не как возврат к историческому прошлому, а как движение «внутрь», как возвращение и человека, и человечества, и поэтического слова к самим себе, к своей изначальной природе. Эти первоначала виделись ему настолько же в прошлом, насколько и в будущем.

И когда земной шар, выгорев,
Станет строже и спросит: кто же я?
Мы создадим «Слово полку Игореве»
Или же что-нибудь на него похожее,—

говорил он в поэме «Война в мышеловке» (1919). На этот преемственный и «возрожденческий» характер хлебниковского творчества давно обращали внимание наиболее проницательные современники. «Когда прозвучала живая и образная речь «Слова о полку Игореве», насквозь светская, мирская, русская в каждом повороте,— началась русская литература. А пока Велимир Хлебников, современный русский писатель, погружается в самую гущу русского корнесловия, в этимологическую ночь, любезную сердцу умного читателя, жива та же самая русская литература, литература «Слова о полку Игореве»,— писал О. Мандельштам в 1922 году в статье «О природе слова»[1].

---

[1] М а н д е л ь ш т а м О. Слово и культура. М., 1987, с. 58.

Отступление первое

ОБ УЧИТЕЛЕ И УЧЕНИКЕ

Несмотря на разрыв с символизмом, в начале десятых годов Хлебников еще, по-видимому, ощущал какие-то внутренние связи если не со всем символистским кругом, то во всяком случае с М. Кузминым и В. Ивановым. Окончательно их взаимоотношения выяснились лишь весной 1912 года, когда Хлебников, живший тогда в Москве, приехал в Петербург. По всей вероятности, он спешил поделиться с Ивановым, который, несомненно, лучше кого бы то ни было мог его понять, своими первыми — и поразительными! — результатами исследований законов времени.

Никаких прямых свидетельств этой встречи не сохранилось. Но вот что писал Иванов в начале апреля 1912 года (по датировке Н. В. Котрелева) в стихотворении «Послание на Кавказ», адресованном Юрию Верховскому:

> Обедаем вчера на Башне мирно:
> Семья, Кузмин, помещик-дилетант...
> Да из птенцов юнейших Мусагета
> Идео́лог и фило́лог, забредший
> Разведчиком астральным из Москвы,—
> Мистической знобимый лихорадкой
> (Его люблю, и мнится — будет он
> Славянскому на помощь Возрожденью:
> Wenn sich der Most auch ganz absurd gebärdet,
> Es gibt zuletzt doch noch 'nen Wein,— по Гёте).

В этом беглом наброске, кажется, можно узнать Хлебникова. (Надо ли говорить, что упоминаемый здесь Мусагет — несомненно Аполлон Водитель Муз, а никак не издательство «Мусагет», к которому Хлебников не имел ни малейшего отношения?) И если оставить в стороне некоторые «астральные» и «мистические» излишества стиля, портрет молодого поэта на первый взгляд вполне благоприятен.

Однако на самом деле, как это свойственно поэтике Иванова, он построен в весьма изощренной литературной перспективе и по меньшей мере двусмыслен. Перспектива эта раскрывается посредством двух цитат, включенных в отрывок. Первая отсылает нас к пушкинскому «Посланию Дельвигу», где в портрете бесцеремонного бурша, похитившего кости Дельвигова предка, как будто предсказан образ Хлебникова:

> Косматый баловень природы,
> И математик и поэт,

Буян задумчивый и важный,
Хирург, юрист, физио́лог,
Идео́лог и фило́лог,
Короче вам — студент присяжный...

Другая цитата указывает на гётевского «Фауста», а именно на второй акт второй части, где мы вновь встречаем некогда робкого школяра из первой части, ставшего теперь уже бакалавром и преисполненного молодого энтузиазма:

Куда хочу, протаптываю след,
В пути мой светоч — внутренний мой свет.
Им все озарено передо мною,
А то, что позади, объято тьмою.

(Уходит.)

А бывший его учитель говорит ему вслед:

Ступай, чудак, про гений свой трубя!
Что б сталось с важностью твоей бахвальской,
Когда б ты знал: нет мысли мало-мальской,
Которой бы не знали до тебя!
Разлившиеся реки входят в русло.
Тебе перебеситься суждено.
В конце концов, как ни бродило б сусло,
В итоге получается вино.

Вот эти последние две строки и цитировал в своем послании Иванов, как бы ссылаясь на «Гётеву мудрость»:

Wenn sich der Most auch ganz absurd gebärdet,
Es gibt zuletzt doch noch 'nen Wein.

В переводе Б. Пастернака, которым мы воспользовались, этот афоризм сильно смягчен. Перевод Н. Холодковского точнее:

Как ни нелепо наше сусло бродит,—
В конце концов является вино.

Но и он не передает всей резкости выражения, так как в оригинале речь идет не просто о «брожении» и даже не о «нелепости», а о «совершенной нелепости», «полной бессмыслице» (ganz Absurd). И, как можно догадываться, встреча Хлебникова с Ивановым «на Башне» окончилась так же, как и сцена в «кабинете Фауста».

Тем более что в этой сцене бакалавр встречается совсем не с Фаустом, как он думает, а все с тем же, морочившим ему голову в первой части, переодетым Фаустом Мефистофелем. И эта ситуация тоже подразумевалась в послании Иванова, отсылая на три года назад, к их первым встречам с Хлебниковым. Тогда, в 1909 году, Иванов прямо посвятил ему стихотворение

ПОДСТЕРЕГАТЕЛЮ

Нет, робкий мой подстерегатель,
Лазутчик милый! Я не бес,
Не искуситель — испытатель,
Оселок, циркуль, лот, отвес.
Измерить верно, взвесить право
Хочу сердца — и в вязкий взор
Я погружаю взор, лукаво
Стеля, как невод, разговор.

И, совопросник, соглядатай,
Ловец, промысливший улов,
Чрез миг — я целиной богатой,
Оратай, провожу волов:

Дабы в душе чужой, как в нови,
Живую взрезав борозду,
Из ясных звезд моей Любови
Посеять семенем — звезду.

И теперь, в «Послании на Кавказ» Иванов, несомненно, продолжал ту же игру в Фауста-Мефистофеля, вопреки собственным оправданиям («я не бес»)[1].

У Гёте в «Фаусте» сцена, после ухода бакалавра, заканчивается прямым обращением Мефистофеля — «к молодым зрителям в партере, которые не аплодируют»:

Вы не хотите мне внимать?
Не стану, дети, спорить с вами:
Черт стар,— и чтоб его понять,
Должны состариться вы сами.

(Перевод Н. Холодковского)

Без сомнения, понимая двусмысленность послания Иванова, вскоре опубликованного в его сборнике «Нежная тайна» (СПб., 1912), Хлебников ответил на него в поэме «Игра в аду»,

---

[1] Ср. любопытное повторение ситуации в «Переписке из двух углов» Вячеслава Иванова и Гершензона (П., 1921, с. 28—29), где Иванов также прибегал к объяснениям: «Я же вовсе не Мефистофель...»

Илл. 3

написанной совместно с А. Крученых, который называл эту поэму «насмешкой над архаическим чертом»:

> Отверженный всегда спасен,
> Хоть пятна рдеют торопливо,
> *Побродит он —*
> *И лучшее даст пиво.*

Последние две строки, очевидно,— вольный перевод гётевской цитаты.

Но то была всего лишь, так сказать, горестная замета. Настоящим же ответом на «потустороннюю мудрость» стала его книга «Учитель и ученик», само название которой намекало на известную сказку об ученике чародея, превзошедшем учителя.

Впрочем, нельзя отказать Вячеславу Иванову в какой-то лукавой последовательности. Как вспоминал Н. Асеев, в разговоре с ним, вероятно в связи с выходом первого тома «Творений» Хлебникова в 1914 году,— «Вяч. Иванов признавал, что творчество Виктора Хлебникова — творчество гения, но что пройдет не менее ста лет, пока человечество обратит на него внимание... Когда я спросил его, почему он, зная, что уже есть гениальный поэт, не содействует его популярности (в это время отзыв В. Иванова был обеспечением книги на рынке) и не напишет, что творчество Хлебникова — исключительно, В. Иванов с загадочной улыбкой ответил: «Я не могу и не хочу нарушать законов судьбы. Судьба же всех избранников — быть осмеянными толпой»[1].

Возможно, в этом была своя правда. Но Хлебников думал о другом. В набросках повести «Ка^2», относящихся к началу 1916 года, он писал о Вячеславе Иванове: «Забавно встретить лицо седого немецкого ученого в человеке, которого вы помните с золотистыми волосами, окруженными полувенком.

Мои пылкие годы.

Когда он не был убелен, он мне напоминал еще Львиное Сердце. Ласковыми, уверенными движениями он возьмет вашу руку и прочтет неясное пророчество, и после взглянет внимательно и поправит два стеклышка.

В те дни я тщетно искал Ариадну и Миноса, собираясь проиграть в XX столетии один рассказ греков. Это были последние дни моей юности, трепетавшей крылами, чтобы отлететь, вспорхнуть. Но их не было; наконец, пришло время, когда я почувствовал, что не смогу уже проиграть их. Это меня огорчило. Я понял, что дружба, знакомство есть ток между различным числом сил, уравнивающий их» (СП, V, 128—129).

А еще позже, в пору возобновления их знакомства зимой

---

[1] А с е е в Н. Московские записки.— Газ. «Дальневосточное обозрение», 1920, 27 июня.

1920—1921 годов в Баку, Хлебников нарисовал портрет Вячеслава Иванова — запоминающийся образ, как бы овеянный величием и безнадежностью прошлого. «И я вспоминаю,— писал М. Альтман, свидетель последних встреч Хлебникова с Вячеславом Ивановым,— как на мой вопрос, отчего Вячеслав Иванов, которого он любил и чтил, не кажется ему идеальным, он ответил: да потому, что его жизнь не героическая»[1].

[1] А л ь т м а н М. Из того, что вспомнилось.— «Литературная газета», 1985, № 46 (5060), 13 ноября.

Глава вторая

СМЫСЛ ТВОРЧЕСТВА

Не рассчитывая на полноту и окончательность, а всего лишь в порядке постановки задачи попробуем ответить на три вопроса, относящихся к разряду основных, то есть самых простых и самых трудных, сформулировав их по возможности более определенно: каково главное событие творческой судьбы Хлебникова? каково центральное его произведение? и каков его магистральный сюжет?

Все эти вопросы, очевидно, являются необходимыми подступами к основному смыслу хлебниковского творчества.

Но прежде всего спросим себя, можем ли мы вообще ставить такие вопросы? Можем ли мы, в частности, начинать с вопроса о главном событии в судьбе поэта, о таком событии, которое определяло бы важнейшее содержание его жизни и указывало бы направление его художественной мысли? Говоря вообще, такой подход может оказаться ложным, хотя бы потому, что далеко не во всех случаях вправе мы задавать такие вопросы и тем более не всегда можем их разрешить. Однако в отношении Хлебникова они становятся не только возможными, но и необходимыми. Этого требует особый, с о б ы т и й-н ы й и п о в о р о т н ы й характер его эпохи, этого требует и весь состав его мироощущения и весь строй его мысли. Даже самого общего представления о творчестве и личности Хлебникова достаточно, чтобы увидеть, что ему самому как раз свойственно было задавать главные, осевые вопросы: что есть история и природа? что есть пространство и время? что есть смерть и судьба? что есть число и слово? что есть, прежде всего, человек и его творчество?

> Вы, книги, пишетесь затем ли,
> Чтоб некогда ученый воссоздал,
> Смесив в руке святые земли,
> Что я когда-то описал? —

спрашивал он в поэме «Путешествие на пароходе». И продолжал:

И он идет: железный остов
Пронзает грудью грудь морскую
И две трубы неравных ростов
Бросают дымы; я тоскую.
Морские движутся хоромы,
Но, предков мир, не рукоплещь,
Ведь до сих пор не знаем, кто мы:
Святое Я, рука иль вещь?

Назовите это философической настроенностью или юношеской непосредственностью, научной пытливостью или поэтической дерзостью, но, как бы то ни было, ясно, что дело шло именно об основных вопросах, с которыми поэт обращался к современности. Редко у кого они выступают с такой настойчивостью и прямотой и еще реже получают ответ. В драматической поэме «Взлом вселенной» Ученик, в речах которого нетрудно услышать собственные признания поэта, потрясенного 1905 годом, говорит:

Слушай! Когда многие умерли
В глубине большой воды,
И родине ржаных полей
Некому было писать писем,
Я дал обещание,
Я нацарапал на синей коре
Болотной березы
Взятые из летописи
Имена судов,
На голубоватой коре
Начертил тела и трубы, волны,—
Кудесник, я хитр,—
И ввел в бой далекое море
И родную березу и болотце.
Что сильнее, простодушная береза
Или ярость железного моря, кипящего от ядер?
Я дал обещание все понять,
Чтобы простить всем и все...

В этом отношении замечательны его размышления о судьбе Достоевского. В 1913 году, на самом подъеме движения за новое русское искусство, он писал А. Е. Крученых: «Русское войско (и русские), вернувшись к себе из похода в столицу галлов ⟨18⟩13 года с чистосердечием победителей увидало в себе только силу, а в живом духе Галлии «меру и край» (вкус, ум, изящный нрав), отсутствовавшие дома. Если казенная Россия того времени заключала в себе немецкие начала, то в галльском «нраве» околовоенные круги видели также и свободу от грубой государственности ⟨...⟩ По закону — угол падения равен углу отражения — искали и находили во Франции начал тех же, но обратных, т. е. искали только отрицательного значения господствовавших немецких начал. Нашли Прудона, Сен-Симона, Фурье. Петрашевский был их верующим и начитанным учеником и руслом, через которое стекали французские — — (отрицательные значения, тевтонские ++) величины в Россию. Достоевский, как луч, в годы Петра ⟨шевского⟩ летел туда, туда, в esprit français. Но ссылка отразила этот луч и повернула к себе в Россию. Открыло ему Россию в ее законах. Общество Петрашевского сделало его крайним галлом, а ссылка поставила его в положение чужеземца, открывающего новую землю Россию. За то, что суд казенной России простил Достоевского, сняв петлю, суд вольный и суд общественного мнения простил Россию, такую как ⟨она есть⟩, и снял с нее невещественную петлю. Все творчество Достоевского было расплатой за милосердие суда казенной России ответным милосердием» (СП, V, 300—301).

Разумеется, можно спорить с таким пониманием Достоевского. Но важнее обратить внимание на другое, а именно на сам строй этих размышлений, прямо связывающих судьбу писателя с судьбой России и находящих в их пересечении главное событие в творческой судьбе Достоевского. Говоря о нем, Хлебников, очевидно, думал о том, что больше всего волновало его самого. И это настолько понятно для русского писателя и настолько естественно для русской литературы, что мы часто об этом забываем, особенно — в связи с Хлебниковым. Тем важнее сейчас об этом помнить. В течение всей сознательной жизни Россия, ее народ, ее история, ее природа — природа физическая и природа духовная — были постоянным, мучительным и неустранимым предметом его размышлений. Вот одно из последних и самых горьких его стихотворений, где великая мысль возносится над унизительным, нечеловеческим бытом времен гражданской войны в России:

Вши тупо молилися мне,
Каждое утро ползли по одежде,
Каждое утро я казнил их,
Слушая трески,
Но они появлялись вновь спокойным прибоем.
Мой белый божественный мозг
Я отдал, Россия, тебе.
Будь мною, будь Хлебниковым.
Сваи вбивал в ум народа и оси,
Сделал я свайную хату
— «Мы будетляне».

Все это делал как нищий,
Как вор, всюду проклятый людьми.

(СП, V, 72)

И эта мысль, эта жизненная задача для Хлебникова, как и для Достоевского в его понимании, заключалась в том, чтобы «открыть Россию в ее законах» и предвидеть ее будущее, не полагаясь ни на какие чуждые начала, ни на, условно говоря, «тевтонские», «положительные», государственно-охранительные, ни на «галльские», «отрицательные», социально-революционные. Задача для Хлебникова заключалась в том, чтобы построить иное, как бы перпендикулярное измерение и подняться на такую высоту, чтобы увидеть сразу и настоящее, и прошлое, и будущее в единой перспективе. Это исходная точка всего хлебниковского строя мысли, который он сам называл «поперечным» или «отвесным мышлением», и к этому исходному положению нам еще придется неоднократно обращаться.

«Возможно ли так встать между источником света и народом, чтобы тень Я совпала с границами народа?» — спрашивал он, имея в виду художественное творчество как выражение народного самосознания, как совпадение «аганкары человека и аганкары народа» (СП, IV, 74). Здесь виделась ему едва ли не главная «тайна творчества». В августе 1912 года, в пору первых успехов будетлянского движения, набрасывая программу «расширения пределов русской словесности», он писал А. Е. Крученых: «Одна из тайн творчества — видеть перед собой тот народ, для которого пишешь, и находить словам место на осях жизни этого народа, крайних точек ширины и вышины. Так, воздвигнувший оси жизни Гёте предшествовал объединению Германии кругом этой оси, а бегство и как бы водопад Байрона с крутизны Англии ознаменовал близящееся присоединение Индии» (СП, V, 298). Так понимал Хлебников свою жизненную задачу. «Я клетка волоса или ума большого человека, которому имя Россия. Разве я не горд этим? Он дышит, этот человек, и смотрит, он шевелит своими костями, когда толпы мне подобных кричат «долой» или «ура»,— писал он в одном из своих ранних произведений с характерным названием «Юноша Я-Мир» (СП, IV, 35). И это мироощущение проходит сквозь все его творчество вплоть до последних произведений, где оно выражено с классической простотой и завершенностью, как, скажем, в стихотворении «Я и Россия»:

Россия тысячам тысяч свободу дала.
Милое дело! Долго будут помнить про это.

43

А я снял рубаху,
И каждый зеркальный небоскреб моего волоса,
Каждая скважина
Города тела
Вывесила ковры и кумачовые ткани.
Гражданки и граждане
Меня-государства
Тысячеоконных кудрей толпились у окон.
Ольги и Игори,
Не по заказу
Радуясь солнцу, смотрели сквозь кожу.
Пала темница рубашки!
А я просто снял рубашку,
Дал солнце народам Меня!
Голый стоял около моря.
Так я дарил народам свободу,
Толпам загара.

(СП, III, 304)

Здесь есть ощущение такой естественной свободы, когда иронический парадокс, как будто заявленный в стихотворении, выворачивается наизнанку и становится новым и простым восприятием мира. Но Я здесь вовсе не пресловутый анархический «голый человек на голой земле», Я здесь, совпадая с границами «народов Меня», очерчивает прообраз какого-то будущего «Я-Мира» и позволяет войти в то поэтическое сознание, которое для Хлебникова несла с собой революция, где личность в своей бесконечной внутренней глубине смыкалась с бесконечностью мира. Революция была для поэта не только социальным переворотом и освобождением, она проходила весь мир насквозь, переворачивая и возвращая ему утраченные всеобщие связи. Она была возвращением мира и человека к самим себе, к своей изначальной природе.

В «Утесе из будущего», рисуя, так сказать, первобытный мир будущего, Хлебников говорил: «Именно мы не должны забывать про нравственный долг человека перед гражданами, населяющими его тело. ⟨...⟩ Правительство этих граждан, человеческое сознание, не должно забывать, что счастье человека есть мешок песчинок счастья его подданных. Будем помнить, что каждый волосок человека — небоскреб, откуда из окон смотрят на солнце тысячи Саш и Маш. Опустим свой мир сваями в прошлое.

Вот почему иногда просто снять рубашку или выкупаться в ручье весной дает больше счастья, чем стать самым великим человеком на земле. Снять одежды — понежиться на морском песке, снова вернуть убежавшее солнце — это значит дать день искусственной ночи своего государства, большого ящика звенящих проволок, по звукам солнечного лада. Не надо быть Аракчеевым по отношению к гражданам своего собственного тела. ⟨...⟩ Счастье людей — вторичный звук; оно вьется, обращается около основного звука мирового. Оно — слабый месяц около земель вокруг солнца коровьих глаз, нежного котенка, скребущего за ухом, весенней мать-мачехи, плеска волн моря.

Здесь основные звуки счастья, его мудрые отцы, дрожащая железная палочка раньше семьи голосов. Проще говоря,— ось вращения» (СП, IV, 297—298).

Относительно этой мировой оси, «одним концом волнующей небо, а другим скрывающейся в ударах сердца» (СП, V, 243), которую Хлебников называл «гаммой будетлянина» и «ладом мира», строилось его творчество. Поэтому «открыть Россию в ее законах» означало то же самое, что открыть Я в его законах и открыть Мир в его законах. Но Россия тут занимала центральное место, в ее судьбах естественно и самоочевидно связывалось Я с Миром, человек с человечеством, культура с природой. И дело было не только в личном мироощущении поэта. Таково было общее самосознание его эпохи, когда Россия действительно оказалась средоточием мировых судеб, когда через нее прошла «мировая молния» революции.

Таким образом, задавая вопрос о главном событии в творческой судьбе Хлебникова, мы, конечно, уже знаем ответ, и это опять-таки совершенно естественно и само собой понятно. Революция в его судьбе, как и в судьбах всего народа, была тем смысловым центром, к которому так или иначе было направлено его творчество и из которого оно исходило.

«Я думаю о действии будущего на прошлое»,— писал он в книге «Учитель и ученик» (СП, V, 174), вычисляя и предсказывая грядущие события. И этот парадокс Теодора Моммзена, автора знаменитой «Римской истории», воспринятый Хлебниковым через ученика Моммзена, Вячеслава Иванова[1], глубочайшим образом пережит в его поэтическом творчестве, начиная с самых первых шагов в литературе.

---

[1] См. статьи В. Иванова «Из области современных настроений» в журн. «Весы» (1905, № 6) и «О русской идее» в его кн. «По звездам» (СПб., 1909, с. 311). Ср. те же переживания будущего, «бросающего тень на настоящее», даже у такого далекого и от Вячеслава Иванова и от Хлебникова автора, как А. Богданов, в его романе-утопии «Красная звезда» (1908), ч. I, гл. X; ч. III, гл. II.

Разумеется, Хлебников переживал революцию не так, как, скажем, Вячеслав Иванов или Короленко, Мережковский или Горький, Андрей Белый или Бунин, Блок или Маяковский. Каждый из них предчувствовал и понимал, отвергал или принимал, любил или ненавидел революцию по-своему, но для каждого из них это была, если перетолковать известные слова Маяковского, «моя революция» в той мере, в какой каждый из них был русским писателем. «Открыть Россию в ее законах» в ту эпоху с неизбежностью означало понять р у с с к у ю р е в о л ю ц и ю. Речь идет, конечно, не только о 1917 годе и гражданской войне, речь идет обо всей эпохе войн и революций начала нашего века и о коренном перевороте во всей социальной, экономической, религиозной, философской, научной и художественной жизни России, перевороте, бросающем тень или свет далеко в прошлое и в будущее.

2

В чем же отличие хлебниковского переживания этих событий? Ближе всего, надо думать, было ему блоковское восприятие революции: «Она сродни природе. ⟨...⟩ Революция, как грозовой вихрь, как снежный буран, всегда несет новое и неожиданное; она жестоко обманывает многих; она легко калечит в своем водовороте достойного; она часто выносит на сушу невредимым недостойных; но — это ее частности, это не меняет ни общего направления потока, ни того грозного и оглушительного гула, который издает поток. Гул этот все равно всегда — о великом»[1]. Но для Хлебникова такое стихийно-поэтическое восприятие было недостаточным. Для него революция была не просто подобна природе, а прямо — я в л е н и е м п р и р о д ы, точно так же как и человек был не просто сродни, а буквально — самой природой, в ее продолжающемся развитии. А это значит, по мысли Хлебникова, что история человеческого общества должна подчиняться той же природной необходимости, что и всякое явление природы. Такой взгляд отнюдь не отрицает особых социальных, экономических и нравственных закономерностей, но за ними он пытается разглядеть более далекие и более общие законы природы и раскрыть историю в качестве функции природы. По существу, это и подразумевает диалектика природы, поскольку «сама история,— как писал К. Маркс,— является д е й с т в и т е л ь н о й

---

[1] Б л о к А. А. Собр. соч. в 8 т., т. VI. М.—Л., 1960—1962, с. 12.

частью истории природы, становления природы человеком»[1].

Однако сомнительным и трудным в хлебниковской философии природы было то, что искал он не косвенные, не опосредованные, а прямые связи между природой, обществом и человеком, стремясь понять и человека и общество как космос и построить, так сказать, космологию человека и космологию общества, включенные во всеобщий порядок мира.

В заметках 1920 года он писал: «...язык человека, строение мяса его тела, очередь поколений, стихи ⟨и⟩ войн, строение толп, решетка множества его дел, самое пространство, где он живет, чередование суши и морей — все подчиняется одному и тому же колебательному закону», а потому каждая отдельная наука — «грамматика, физиология, история, статистика, география» — является «главой науки о небе» (ЦГАЛИ, ф. 527, № 93, л. 6). С такой точки зрения в конечном счете все сводится к законам времени. «Если существуют чистые законы времени, то они должны управлять всем, что протекает во времени, безразлично, будет ли это душа Гоголя, «Евгений Онегин» Пушкина, светила солнечного мира, сдвиги земной коры и страшная смена царства змей царством людей, смена Девонского времени временем, ознаменованным вмешательством человека в жизнь и строение земного шара»[2],— развивал он это положение в «Досках судьбы» (с. 11).

Надо сказать, что «Доски судьбы», главный обобщающий труд Хлебникова, над которым он работал до последних дней и который так и остался незаконченным,— да он, очевидно, по самой своей сути никогда и не мог быть закончен,— как раз и задумывался таким образом, чтобы включить все отдельные науки в единую «науку о небе», основное положение которой состояло именно в том, что «не события управляют временами, но времена управляют событиями» (ДС, 24).

Отсюда следовало другое, еще более решительное отличие хлебниковского отношения к историческим событиям, в особенности к таким сдвигам человеческого общества, как войны и революции. Если все бесконечно сложные и многообразные явления мира подчиняются единым законам времени, то эти мировые ритмические колебания могут быть выражены только в числовых уравнениях, поскольку число является необходи-

---

[1] Маркс К., Энгельс Ф. Из ранних произведений. М., 1956, с. 596.
[2] Отметим здесь неслучайное совпадение с размышлениями В. И. Вернадского о геологических масштабах деятельности человека. См. Отступление 6.

мым для постижения мировых закономерностей синтезом предела и беспредельного. «Когда мы осмелимся вылететь из курятников наук, мы увидим один и тот же лик числа как мудрый правящий дух, одно и то же его дерево, в трех плоскостях: 1) времени, 2) пространства, 3) множеств, или толп. И когда мы построим взаимные углы этих плоскостей, множители перехода, особого рода выключатели, мы сразу будем выключать счет из плоскостей времени в плоскость пространства, мы выйдем на широкую дорогу единого мирового разума. ⟨...⟩ Мы увидим, что законы вселенной и законы счета совпадают. ⟨...⟩ Свод истин о числе и свод истин о природе один и тот же. Это так. Многие соглашаются: бывающее едино. Но никто еще до меня не воздвигал своего жертвенника перед костром той мысли, что если все едино, то в мире остаются только одни числа, то есть числа и есть не что иное, как отношения между единым, между тождественным, то, чем может разниться единое. Став жрецом этой мысли, я понял, что признак глупости одинаково безумно сводить единое к веществу или духу, камень или пение делать краеугольным камнем здания» (ДС, 40).

На это место из главы «Азбука неба» нужно обратить самое пристальное внимание. Здесь с поразительной наглядностью сформулированы первоначала хлебниковского мировоззрения, глубоко укорененного в традиции древней натурфилософии и совпадающего с основным направлением русской научно-философской мысли XX века, в первую очередь с идеями Вернадского, Флоренского, Лосева и других мыслителей, развивавших учение Владимира Соловьева о «всеединстве». В свете Единого раскрывается совершенное тождество идеи и материи, снимающее бессмысленный, по Хлебникову, вопрос о первичности «вещества» или «духа». Как пространство и время суть только разные измерения, разные направления счета единого пространства-времени, так идея и материя — только разные направления одной и той же «дороги единого мирового разума», так как «мышление и бытие — одно и то же» (ЦГАЛИ, ф. 527, оп. 1, № 73, л. 9). Все это Хлебников еще в 1904 году стремился выразить в идее «мыслезёма», предвосхищавшей столь распространенную в наше время теорию ноосферы (см. Отступление 6).

Вместе с тем не менее наглядно здесь выступает исключительное своеобразие Хлебникова, сводившего мир к числу, или, лучше сказать, возводившего мир к Числу как «мудрому правящему духу»[1]. Хлебников не просто вычислял, он мыслил чис-

---

[1] О различных «образах числа» у Хлебникова см.: Г р и г о р ь е в В. П. Грамматика идиостиля. В. Хлебников. М., 1983, с. 119—130.

лами и даже каким-то труднопостижимым образом чувствовал и ощущал мир в числе. Вот несколько характерных признаний из заметок 1920—1921 годов: «Я чую: боль огня и липы запах будут водопадом чисел. Это мой ум»; «Пьянею числами»; «Совершенно исчезли чувственные значения слов. Только числа» (ЦГАЛИ, ф. 527, оп. 1, № 93, л. 10, 8 об., 16); «Числа! голые вы вошли в мою душу, и я вас оде ⟨вал⟩ одеждою земных чувств и народов»; «И звезды это числа, и судьбы это числа, и смерти это числа, и нравы это числа. Счет бога, измерение бога. «Мы богомеры» — написано на знамени» (там же, № 83, л. 4, 4 об., 29). В предсмертных записках мая — июня 1922 года, связанных с образом Зангези в одноименной сверхповести, он писал о себе как бы с «того света»: «Это был великий числяр. Каждый зверь был для него особое число. У людей были свои личные числа. Он узнавал личное число по поступи, по запаху, подобно собакам. Он кончил самоубийством с ⟨о⟩ скуки. «Вселенная уже перечислена, мне нечего делать! Увы, я пришел поздно. Горе мне, опоздавшему!» — Опоздавшему быть чем? — коварно спросим мы, ⟨рассматривая⟩ маленькую записку самоубийцы, — ее творцом? «Боги мира кроются в облаках около ничего. Достаточно созерцать первые три числа точно блестящий шарик, чтобы построить вселенную. Законы мира совпадают с законами счета»[1].

Неудивительно поэтому, что начиная с 1905 года, пробудившего его сознательную творческую волю, Хлебников, вместе со многими своими современниками переживая эсхатологические предчувствия, тревогу и отчаяние, утверждаясь в сознании неизбежности продолжения «дела свободы», искал твердые опоры для предвидения будущего, чтобы точно исчислить и предсказать грядущие события «не с пеной на устах, как у древних пророков, а при помощи холодного умственного расчета» (СП, V, 241).

Не будем, однако, преувеличивать числовой холод и бесстрастие хлебниковского мировоззрения. В своем исходном отношении к миру он, безусловно, был прежде всего поэтом, и поэтом именно стихийного, патетического и пророческого склада. Энергия его поэтического слова как раз и возникала из противоборства стихийных переживаний и математического расчета.

> Холод строгих плоскостей,
> Чисел нежные кривые,—
> Чтоб мятежней без властей
> Самоправились живые —

---

[1] Х л е б н и к о в В. Утес из будущего. Элиста, 1988, с. 145.

вот конечная цель и образ его творчества. «Наибольший ток,— писал он,— возможен при наибольшей разнице напряжения, а она достигается шагом вперед (число) и шагом назад (зверь)»[1]. На таком «совмещении несовместимого» вообще основана эстетика Хлебникова, в соответствии с «поперечным» строем его мысли. Так строятся ключевые понятия его философии (например, «мыслезём»), так строятся важнейшие, сквозные образы его поэзии, в частности образ «звериного числа», или «числозверя» (см., например, стихотворения «Числа», «Зверь+число» и др.). Причем в таких случаях провести границу между понятием и образом чаще всего просто невозможно, и потому при всей поэтической наглядности и убедительности толкование их связано с большими трудностями. В данном случае образ «звериного», или, как пояснял Хлебников, «живого числа» (СП, V, 308), очевидно связанный с символикой апокалипсического Зверя, получал к тому же глубоко личное значение. Вот, к примеру, хлебниковский автопортрет в повести «Ка», где иронический и почти пародийный характер описания только подчеркивает пророческий и «откровенный» смысл происходящего: «...долго плававший в воде выходил из моря на берег, покрытый ее струями, точно мехом, и был зверь, выходящий из воды. Он бросился на землю и замер; Ка заметил, что два или три наблюдательных дождевика написали на песке число 6 три раза подряд и значительно переглянулись. Татарин, мусульманин, поивший черных буйволов, бросившихся к воде, разрывая постромки, и ушедших в море на такую глубину, что только темные глаза и ноздри чернели над водой, а все их, покрытое коркой переплетенной с волосами грязи, тело скрылось под водой, вдруг улыбнулся и сказал христианину-рыбаку: «Масих-аль-Деджал». Тот его понял, лениво достал трубку и, закурив, лениво ответил: «А кто его знает. Мы не ученые... Сказывают люди»,— добавил он».

Замечательно в этой иронически-символической картине то, что «числозверь» здесь увиден сразу со многих точек зрения — как бы с точки зрения доразумной природы, «глазами» слепого дождевого червя и глазами буйвола, с точки зрения природы разумной — глазами людей разных вероисповеданий и с точки зрения природы сверхразумной, как бы с потусторонней точки зрения, глазами Ка (подробнее об образе Ка см. в главе 7). То есть увиден как бы глазами всей природы, увиден и узнан как выражение своей собственной сущности. Не вдаваясь в подробности очень сложного, опять-таки «поперечного»

---

[1] Х л е б н и к о в В. Время мера мира. Пг., 1916, с. 13.

переосмысления мифологических образов Масих-аль-Деджала, Сака-Вати-Галагалайямы и Антихриста у Хлебникова[1], достаточно сказать, что «числозверь» здесь — не что иное, как символ законов природы, но не в виде каких-то мертвых формул или уравнений, а в образе «живого звериного числа», скрытого и одновременно явленного самой природой. Черви сами собой образуют «звериное число» 666, и такими же «числами» являются и звери и люди, и даже фантастическое существо Ка — мнимый двойник человека, по Хлебникову,— $\sqrt{-1}$. «Ряд чисел — мир в себе. Это тот же мир, что кругом нас, но в себе» (ЦГАЛИ, ф. 527, оп. 1, № 91, л. 100). Таким же «живым числом», «числозверем» и «Числобогом» Хлебников ощущал самого себя, так сказать, себя в себе. Найти «число», открыть «меру» означало для него найти истинное место всякому явлению на мировой оси, открыть всякую вещь, событие, существо, в том числе и собственное Я в «его законах», и в этом смысле — заново «перечислить» и построить мир. Другими словами, проникнуть в самое «сердце мира», в самый его «мозг». Об этом говорит в своих безумных речах герой ранней хлебниковской романтической драмы «Маркиза Дэзес», в сюжете которой как раз и реализуется явление «нового зверя»:

Убийца всех, я в сердце миру нож свой всуну!
Божество. Стать божеством. Завидовать Перуну.
Я новый смысл вонзаю в «смерьте».
Повелевая облаками, кидать на землю белый гром...
Законы природы, зубы вражды ощерьте!
Либо несите камни для моих хором.
Собою небо, зори полни Я,
Узнать, как из руки дрожит и рвется молния.

Об этом же, правда, уже совсем в иной тональности, говорит герой его последней драмы, мудрец и пророк Зангези:

Хороший плотник часов,
Я разобрал часы человечества,
Стрелку верно поставил,
Лист чисел приделал,
Вновь перечел все времена,
Гайку внедрил долотом,
Ход стрелки судьбы железного неба
Стеклом заслонил:
Тикают тихо, как раньше.
К руке ремешком прикрепил
Часы человечества.

---

[1] См. статью «О пользе изучения сказок» (СП, V, 196—197) и книгу «Время мера мира», с. 12—13.

Песни зубцов и колес
Железным поют языком.
Гордый, еду, починкой мозгов.
Идут и ходят, как прежде.
Глыбы ума, понятий клади
И весь умерших дум обоз,
Как боги лба и звери сзади,
Полей божественных навоз,
Кладите, как колосья, в веселые стога
И дайте им походку и радость и бега.
Вот эти кажутся челом мыслителя,
Священной песни книгой те.
Рабочие, завода думы жители!
Работайте, носите, двигайте!
Давайте им простор, военной силы бег
И ярость, и движенье.
Пошлите на ночлег и беды, и сраженье...

Все это как бы насквозь просвечено «умным числом», оно проявляется в каждом образе сверхповести. Особенно любопытно описание места действия:

«Горы. Над поляной подымается шероховатый прямой утес, похожий на железную иглу, поставленную под увеличительным стеклом. Как посох рядом со стеной, он стоит рядом с отвесными кручами заросших хвойным лесом каменных пород. С основной породой его соединяет мост — площадка упавшего ему на голову соломенной шляпой горного обвала. Эта площадка — любимое место Зангези. Здесь он бывает каждое утро и читает песни. Отсюда он читает свои проповеди к людям или лесу». (Ср. рисунок Хлебникова в наброске плана «Зангези». Приложение 1, илл. 9.)

Перед нами не что иное, как метафорическое изображение излюбленного хлебниковского $\sqrt{-1}$, который он полагал в основу всего воображаемого, мыслимого, «умного» мира, включая художественное творчество[1]. Этого числа нет, и в то же время оно есть, и на этом-то «природном числе» стоит Зангези и отсюда «читает свои проповеди к людям и лесу». Это его «философский камень».

Таково, в сущности, самосознание Хлебникова, его «аганкара», определявшая природно-числовую точку зрения и на поэтическое слово, и на исторические судьбы человечества. В «Досках судьбы» он писал: «Числа суть истинные судьи слов, языков и тяжб народов друг с другом. Постройка человечества в одно целое, то есть нахождение общего

---

[1] О мнимых числах у Хлебникова см.: Н и к и т а е в А. Веселый корень из нет-единицы (в печати).

знаменателя для дробей человечества, ладомир тел [который, к сожалению, слишком часто понимался только как ладомир желудков, как многочлен из голода и сытости, возведенных в степени и окруженных скобками, голода, одевшего на себя боевые доспехи уравнений] есть второй шаг. Он невозможен без ладомира духа, то есть одной священной и великой мысли, в которую превращались бы все остальные мысли. Но такая мысль дана нам в числе: число и есть такое объединяющее все мысли начало, «камень мыслителей» нового времени. Таким образом, выступает истина: волшебный камень народов немыслим без волшебного камня мыслей. Между тем число и есть объединитель мира мыслей» (ЦГАЛИ, ф. 527, оп. 1, № 75, л. 4, об.—5).

Поэтому «холодный умственный расчет» для Хлебникова неотделим был от самых стихийных предчувствий и пророчеств, и самые отвлеченные числовые исследования законов времени имели ближайший жизненный, личный и общий, исторический смысл.

3

Судя по некоторым признаниям в письмах (см. СП, V, 292) и сохранившимся рабочим заметкам, уже в 1911 году он достиг первых значительных результатов. В отрывочной записи, относящейся к лету 1910 или, скорее, 1911 года, отмечено: «Сегодня в ночь на Ивана Купала я сорвал ⟨цветок⟩ папоротника» (ГПБ, ф. 1087, № 28, фр. 5, л. 3), а позже, в «Учителе и ученике», об этом открытии он писал так: «Ясные звезды юга разбудили во мне халдеянина. В день Ивана Купала я нашел свой папоротник — правило падения государств» (СП, V, 179). Как известно, по народным поверьям, нашедший цветок папоротника, который цветет только в ночь на 24 июня, получал дар ясновидения. Осенью 1911 года, посылая свой «Очерк значения чисел и о способах предвидения будущего» А. А. Нарышкину, он писал в черновике сопроводительного письма: «Желая проверить деловым путем возможность предвидения будущего, я построил предсказание для не столь отдаленного 1917—1919 года и присылаю Вам, надеясь на Ваше просвещенное внимание к нему» (ГПБ, ф. 1087, № 48, л. 1; № 28, фр. 3)[1]. Но ни

---

[1] Письмо это пока не обнаружено, поэтому трудно сказать, почему Хлебников обращался именно к Александру Алексеевичу Нарышкину, управляющему министерством земледелия и государственных имуществ, и, главное, какую оценку давал предсказываемым событиям.

у него, ни у Вячеслава Иванова, к которому Хлебников обращался весной следующего года, эти предсказания не получили признания.

Тем не менее Хлебников, как известно, трижды публиковал их, сначала в книге «Учитель и ученик» в мае 1912 года, затем в «Пощечине общественному вкусу» в декабре того же года и, наконец, в сборнике «Союз молодежи» № 3 весной 1913 года. Такая настойчивость достаточно красноречива. Причем характерен тот факт, что при подготовке другого футуристического сборника, «Садок судей II», Хлебников опять-таки, с несвойственным ему обычно в издательских делах упорством, настоял, чтобы в нем были напечатаны стихи тринадцатилетней девочки. В ответ на недоумения своих соратников он писал издателю сборника М. В. Матюшину: «Через четыре года это поколение войдет в жизнь. Какое слово принесет оно? Может быть, эти вещи детского сердца позволяют разгадывать молодость 1917—1919 лет. Оно описывает трогательную решимость лечь костьми за права речи и государственности и полно тревожным трепетом предчувствия схватки за эти права. Важно установить, что эти предчувствия были. Оправдаются ли они или нет — покажет будущее» (СП, V, 294. См. также статью «Песни тринадцати вёсен» — НП, 338—340).

У самого Хлебникова сомнений в этом не было. «Я совершу чудеса: по моему мановению ⟨и не против рока⟩ погибнет государство»,— писал он в заметках о «числовом строении мира» (ГПБ, ф. 1087, № 1, л. 6). И называл 1917 год — «великим узлом, развязанным мною, событий» (ГПБ, ф. 1087, № 28, фр. 8). Хотя, надо думать, отношение его к надвигавшимся событиям было далеко не ясным и не однозначным. 1917 год он сопоставлял и с 1905 годом, и с восстанием Степана Разина 1669—1671 годов, и с покорением Казанского царства в 1553 году, и с гибелью царства вандалов в 534 году, и даже с религиозным переворотом египетского фараона Эхнатона в 1378 году до н.э., стремясь понять смысл и характер предстоящего.

В первоначальных расчетах, по-видимому, он имел в виду «паденье государства» и «гибель свобод» под натиском с Востока или с Запада. И начавшаяся мировая война, которую до всяких вычислений он пророчил еще в 1908 году в «Воззвании к славянам», вывешенном в Петербургском университете, как будто подтверждала его предсказания. Однако в армии он столкнулся совсем с иными настроениями. «Кол из будущего надвигался на улицу, полную запаха вчерашних взглядов, слов. От потопа новых времен спасались лишь в верхних чердаках общества. Подвалы были затоплены. Я шептал проклятья холодным треугольникам и дугам, пирующим над людьми, поднявшим ковши с пенной брагой, обмакивавшим в мед седые усы князей жизни, и видел, как кулак калек подымается к их теням с той же глухой угрозой.

Я отчетливо видел холодное «татарское иго».

Полчища треугольников, вихрей круга наступили на нас, людей, как вечер на день, теневыми войсками, в свой срок, как 12 часов войны; я настойчиво помнил, как чечевица, наполнявшая котелки пехоты, вдруг стала чечевицей лучей мести, собрала в одну точку и зажгла как хворост; я помнил, как по рядам войск пробежало крылатое слово: «тутто оно и оказалось», произнесенное весело, с лукавым видом взаимного понимания, вдали от начальства, бородатым дядькой, а потом: «бабушка надвое сказала», угрюмо произнесенное суровым боевиком. Как отблеск надвигавшейся кровавой зари, две трещины, пересекшие мир того дня.

И не к войне ли «до конца» относилось это загадочное «бабушка надвое сказала»? — невольно спрашивал я себя.

Может быть, число, может быть, треугольник был пастухом этих двигавшихся на запад волн.

Не он ли расставил громадные прутья железной мышеловки? Всей силой своей гордости и своего самоуважения я опускал руку на стрелку судьбы, чтобы из положения внутри мышеловки перейти в положение ее плотника».

Так вспоминал он позднее в рассказе «Перед войной». А тогда, в декабре 1916 года, уверенный в неотвратимости революции и неизбежности гражданской войны, он писал родным из казармы 90-го запасного пехотного полка, называя точную ее дату: «Это только полтора года, пока внешняя война не перейдет в мертвую зыбь внутренней воины» (СП, V, 312).

Неудивительно, что в 1919 году, когда все эти «числа» и «треугольники», вся эта чудовищная «геометрия истории» стала очевидной реальностью и расчертила судьбы людей и государств, Хлебников говорил в предисловии к предполагавшемуся собранию сочинений: «Законы времени, обещание найти которые было написано мною на березе (в селе Бурмакине, Ярославской губернии) при известии о Цусиме, собирались 10 лет. Блестящим успехом было предсказание, сделанное на несколько лет раньше, о крушении государства в 1917 году». Правда, тут же он замечал: «Конечно, этого мало, чтобы обратить на них внимание ученого мира» (СП, II, 10).

Мало ли? Даже одной этой даты, не говоря уже о других предсказаниях Хлебникова, достаточно, чтобы задуматься о значении его «чисел». Тем более что главная работа над «Досками судьбы», после того как 17 ноября 1920 года он нашел «основной закон времени», ему еще предстояла.

К сожалению, «Доски судьбы» не были завершены и дошли до нас в таком, прямо скажем, хаотическом состоянии, что судить об их общем замысле, который, вероятно, был совершенно ясен автору, сейчас нам почти невозможно. Даже чтобы издать отдельные более или менее законченные главы, необходимы, я думаю, совместные усилия разных наук — математики, астрономии, биологии, истории, филологии, причем тут нам придется столкнуться с весьма необычной и даже «другой» математикой, астрономией, биологией и т. д., к которым мы не всегда готовы. «Язык так же мудр, как природа, и мы только с ростом науки учимся читать его»,— говорил Хлебников в статье «Наша основа» (СП, V, 231). То же самое, видимо, можно сказать и о языке его «природных чисел», но с известной оговоркой. Хлебниковский «мыслезём» становится понятен после работ Вернадского и Тейяра де Шардена. Загадочный «Некто 1917» раскрывается прежде всего самой историей.

Поэтому, не вдаваясь в подробности хлебниковских вычислений, возьмем просто ряд предсказанных им исторических вех, следующих за основной, узловой вехой 1917 года, до начала XXI века. Собственно, тут не один, а два ряда событий, противоположных по своему значению. «Четный» ряд, управляемый числом 2, простейшим четным числом, дает продолжение, развитие, рост однородных событий, как круги от брошенного в воду камня. «Нечетный» ряд, управляемый простейшим нечетным числом 3, дает ряд противособытий, как круги на воде, отраженные берегом. По разъяснению Хлебникова, «между обратными событиями время строится плотником мира по закону 3^n дней, а между волнами последовательного роста — по закону 2^n дней; отрицательная единица, четное число раз умноженная сама на себя, делается положительной, нечетное — остается отрицательной» (ДС, 25).

Вот пример из таблицы «Роста луча свободы через 2^n дней»: «25. XII. 1905 г. Вооруженное восстание рабочих Москвы.—

Через 2^{12} дней — 13. III. 1917. Падение самодержавия в России» (ДС, 25). Вот примеры противособытий: «Правительство Милюкова — Керенского 10. III. 1917 возникло за 3^5 ⟨дней⟩ до правительства Ленина — Троцкого 10. XI. 1917. Разгром Врангеля, преемника Колчака, и конец гражданской войны был 15. XI. 1920 г., через 3^6 ⟨дней⟩ после провозглашения Колчака «Верховным Правителем» — 17. XI. 1918 года. Самодержец Николай Романов был 16. VII. 1918 расстрелян через 3^7+3^7 ⟨дней⟩ после роспуска Думы 22. VII. 1906 г.» (ДС, 8).

Предсказания следующих событий мы извлекаем из подготовительных материалов к «Доскам судьбы» (ЦГАЛИ, ф. 527, оп. 1, № 117, л. 1 об.—2 об.). Они были составлены в конце 1921— начале 1922 года и остались в черновом, неразработанном виде.

Нечетный ряд: 1921—1923—1929—1935—1953—1971.
Четный ряд: 1923—1929—1939—1962.

Как видим, большая часть этих дат нам знакома, и, оглядываясь на историю нашей страны, мы готовы признать их важнейшими вехами. В самом деле, 1921 год был отказом от идеи мировой революции и началом нэпа; 1929 год, совпадающий в обоих рядах, не зря получивший название «года великого перелома», был началом насильственной коллективизации и установления тоталитарного государства; 1935 год — началом массового террора, последовавшего за убийством Кирова; 1939 год — начало второй мировой войны и установление советской власти в Западной Украине, Западной Белоруссии и Прибалтике; 1953 год — смерть Сталина, казнь Берии и начало демократизации; 1962 год — «карибский кризис», вызванный установкой советских ракет на Кубе, когда мир стоял на грани третьей мировой войны.

Вместе с тем мы ничего не знаем о сколько-нибудь значительных событиях в 1923 году и тем более в 1971-м. Были ли они и остались неизвестны широкой общественности, как это было у нас в 1962 году, или только м о г л и б ы т ь?

Дело в том, что «законы времени», по Хлебникову, вовсе не задают жесткой схемы, эти колебательные ритмы природы, подъемы и спады мировой энергии — только возможность исторических событий, как шарообразность Земли — только возможность кругосветного путешествия. Главная трудность в исследовании «законов времени» состоит в том, чтó считать событием и как соотнести эти ряды событий и противособытий между собой. Поэтому, настаивая на объективности «законов времени», Хлебников вместе с тем подчеркивал п о т е н ц и а л ь н ы й характер подобных предсказаний: «Советская власть 11. X. 1917 — через 2^{11} — 21. VI. 1923. Большой советский день вне (шире) России — через 2^{12} — 29. I. 1929 дни Советской власти за пределами России — через 2^{14} — 11. X. 1962 — опыт: Советская власть Зем⟨ного⟩ ⟨Шара⟩» (ЦГАЛИ, ф. 527, оп. 1, № 72, л. 7). Обратим внимание, что речь идет именно о возможности, об опыте, который в наши дни получает актуальный и поучительный смысл.

В «Досках судьбы», в главе «Починка мозгов», Хлебников писал: «Мы часто ощущаем, проходя тот или иной шаг по мостовой судьбы, что сейчас все мы, всем народом опускаемся в какой-то овраг, идем книзу, а сейчас взлетаем кверху, точно на качелях, и какая-то рука без усилия несет нас на гору. И тогда у целого народа кружится голова от ощущения высоты, внезапно открытой ему, точно человек на качелях взлетел на самую высокую точку релей, над самой головой. Эти вековые качели народов — молитвенным служением им был храм, стоящий на площади каждой деревни, любимая игра сел, языческий храм в виде двух столбов с доской, среди праздничной молодости — следуют следующему правилу времени: ныряние наступает через естественные гнезда дней, в 3^n единиц, после взлета; закат народа — через 3^n после восхода, окунание в ничто и жалкое прозябание — через 3^n после бурной мощи и подъема. ⟨...⟩ В пору подъема народам свойственно свое настоящее продолжать по касательной к кривой рока в будущее. Это источник самообманов и разочарований, смешных до жестокого. Время упадка напоминает, что касательная не передает своенравной природы кривой» (ДС, 34).

Если продолжить четный ряд, то следующий опыт подобного рода, следующий подъем можно ожидать через 2^{15} после 1917 года — в 2007 году. Если же продолжить нечетный ряд, то через $3^9 + 3^9$ после 1917 года — в 2025 году должно наступить событие обратного значения.

Положим, однако, что теория Хлебникова неверна, расчеты ошибочны и предсказания оказываются в лучшем случае просто-напросто совпадениями. Но и тогда исходная идея о единых ритмах в природе, обществе и в жизни отдельного человека, издавна волновавшая человеческие умы, а в XX веке получившая новый смысл, не может быть заведомо отвергнута. Вспомним хотя бы исследования таких современников

Хлебникова, как Н. Я. Пэрна[1] и А. Л. Чижевский[2], а из новейших — работы А. Т. Фоменко и М. М. Постникова[3]. Тем более что эта идея одушевляла всю жизнь и все творчество Хлебникова. И этого достаточно, чтобы обратить внимание на его предсказания если не ученого, то художественного мира.

Тут перед нами не научные гипотезы, а неслучайный и неопровержимый п о э т и ч е с к и й ф а к т, в отличие от научных предположений воплощающий действительность в художественном образе во всей ее полноте и единстве. Пусть космология Данте не отвечает современным научным представлениям о вселенной, но без этой поэтической космологии не было бы «Божественной комедии». Пусть историософия Толстого не выдерживает научной критики, но без нее не было бы «Войны и мира». Или, по меньшей мере, без этой художественной науки нельзя по-настоящему понять ни «Божественную комедию», ни «Войну и мир»[4].

В предсказаниях Хлебникова перед нами тот редкий и даже редчайший случай, когда поэтическая мысль прямо воплощается в действительности, становится реальным историческим событием. Поэтому 1917 год и был для него «великим узлом событий», где связаны воображение и реальность, число и поэтическое слово, личная судьба поэта и судьбы России. Отсюда то высокое самосознание, которое давало ему право в дневниковых записях называть февральскую революцию (10 марта по новому стилю) — днем «овелимирения земного шара» (ЦГАЛИ, ф. 527, оп. 1, № 91, л. 3 об.), а Октябрь

[1] П э р н а Н. Я. Ритм жизни и творчества. М.—Л., 1925.

[2] Ч и ж е в с к и й А. Л. Земное эхо солнечных бурь, изд. 2-е. М., 1976. См. также: Я г о д и н с к и й В. Н. Александр Леонидович Чижевский. М., 1987 (с библиографией опубликованных и неопубликованных работ А. Л. Чижевского).

[3] Ф о м е н к о А. Т. Некоторые статистические закономерности распределения плотности информации в текстах со шкалой.— «Семиотика и информатика», вып. 15. М., 1980; П о с т н и к о в М. М., Ф о м е н к о А. Т. Новые методики статистического анализа нарративно-цифрового материала древней истории. (Предварительная публикация.) — «Научный совет по комплексной проблеме «Кибернетика». М., 1980; П о с т н и к о в М. М., Ф о м е н к о А. Т. Новые методики статистического анализа нарративно-цифрового материала древней истории.— «Ученые записки ТГУ. Труды по знаковым системам». XV. Тарту, 1982.

[4] Впрочем, о гениальных интуициях Данте, предвосхищавших некоторые современные научные открытия и перекликающихся с идеями Хлебникова, см.: Ф л о р е н с к и й П. А. Мнимости в геометрии. М., 1922. О хлебниковских «законах времени» в связи с историософией Толстого см.: А р е н з о н Е. Р. К пониманию Хлебникова: наука и поэзия.— «Вопросы литературы», 1985, № 10.

непосредственно связывать с днем своего рождения, 28 октября, когда ему пошел тридцать третий год. В эти дни, размышляя о конце старого мира и неведомом будущем, он писал о всеобщей связи бытия через смерть, как бы продолжая свое давнее стихотворение «Когда умирают кони — дышат»:

> И если ребенок пьет молоко девушки,
> Няни или телицы,
> Пьет он лишь белый труп солнца,
> И если в руне мертвых коз
> И в пышнорунной могиле бобра
> Гуляете вы, или в бабочек ткани искусной
> Не знаете смерти и тлена,—
> Гуляете вы в оболочке солнечной тлени.
> Погребальная колесница трупа великого солнца:
> Умерло солнце — выросли травы,
> Умерли травы — выросли козы,
> Умерли козы — выросли шубы.
> И сладкие вишни. Мне послезавтра 33 года:
> Сладко потому мне, что тоже труп солнца,
> А спички — труп солнца древес — похороны по последнему
> разряду.
> О, ветер солнечных смертей, гонимых роком...

Вот это и есть сознание полного слияния личного с внеличным, полного тождества Я и Мира, истории и природы. Солнце здесь столько же художественный образ мировой энергии, сколько и вполне реальное светило и источник земной жизни. И вместе с тем оно — «виновник» революционных событий. В апреле 1917 года в «Воззвании Председателей Земного Шара» Хлебников провозглашал:

> Только мы, свернув ваши три года войны
> В один завиток грозной трубы,
> Поем и кричим, поем и кричим,
> Пьяные прелестью той истины,
> Что Правительство Земного Шара
> Уже существует.
> Оно — Мы.
> . . . .
> Какие наглецы,— скажут некоторые.—
> Нет, они святые,— возразят другие.
> Но мы улыбнемся, как боги,
> И покажем рукою на Солнце.
> Поволоките Его на веревке для собак,
> Повесьте Его на словах:
> Равенство, братство, свобода,
> Судите Его вашим судом судомоек
> За то, что в преддверьях
> Очень улыбчивой весны
> Оно вложило в нас эти красивые мысли,

Эти слова и дало эти гневные взоры.
Виновник — Оно.
Ведь мы исполняем Солнечный шопот,
Когда врываемся к вам как
Главноуполномоченные Его приказов,
Его строгих велений.

По всей вероятности, Хлебников не был знаком с наблюдениями историка астрономии Д. О. Святского и, конечно, не знал исследований А. Л. Чижевского, который в 1917 году еще только готовил свою диссертацию «О периодичности всемирно-исторического процесса». Тем убедительней их единомыслие. Д. О. Святский прямо сопоставлял даты революционных событий с годами наибольшей солнечной активности. И, как писал Я. Перельман, «картина соответствия получается поразительная. Нельзя, в самом деле, считать простым совпадением, что годы особенно сильной пятнообразовательной деятельности Солнца — 1830, 1848, 1860, 1870, 1905 и 1917 — были отмечены на Земле не только магнитными бурями, но и обширными общественными потрясениями: Июльская революция (1830), февральская (1848) революция в Италии (1860), Парижская Коммуна (1870), первая и вторая русские революции (1905 и 1917)»[1].

В то же время нельзя не задуматься, почему в эти годы столь разные умы, разными путями приходили к одним и тем же наблюдениям. Много позднее в книге «Земное эхо солнечных бурь» Чижевский писал: «...в науках о природе идея о единстве и связанности всех явлений в мире и чувство мира как неделимого целого никогда не достигали той ясности и глубины, какой они мало-помалу достигают в наши дни. Но наука о живом организме и его проявлениях пока еще чужда расцвету этой универсальной идеи единства всего живого со всем мирозданием. Создается впечатление, что органический мир словно вырван из природы, поставлен насильно над нею и вне ее. ⟨...⟩ Увы, оно стало весьма характерным и рушится лишь тогда, когда какие-либо стихийные катастрофы, мировые катаклизмы разражаются над живым. Только тогда, когда миллионы человеческих жизней в одно мгновение смываются раскаленной лавой или волнами океана, при землетрясениях или когда целые области гибнут от голода, только тогда человек смутно начинает сознавать ничтожество своей физической организации перед физическими силами природы»[2]. То же сознание, несомненно,

[1] Цит. по: Я г о д и н с к и й В. Н. Александр Леонидович Чижевский, с. 30.
[2] Ч и ж е в с к и й А. Л. Земное эхо солнечных бурь, с. 24—25.

пробуждают и исторические катаклизмы. Войны и революции, так же как и стихийные потрясения,— а они чаще всего и сопровождают друг друга,— открывают за спокойным ликом невозмутимой природы или разумной и мирной истории — всеобщую вражду, разрушение, смерть и непроглядную бездну. Когда срываются все покровы, когда рушатся все преграды, «когда общечеловеческие истины искажены дыханием рока», как говорил Хлебников (НП, 425), тогда-то зримой и осязаемой становится нераздельность истории и природы. Через вражду и смерть раскрываются абсолютное единство и полнота бытия. И, сознавая свое ничтожество и гибель в отдельности от природы, человек ищет слияния с нею. Оно может быть стихийным и экстатическим, как, скажем, в пушкинском «Пире во время чумы», который необычайно увлекал Хлебникова. Но это слияние может быть волевым и сознательным — путем изучения единых законов мироздания.

В революции Хлебников как раз и находил наибольшую разницу напряжений — шаг назад, к стихийно-экстатическому чувству, и шаг вперед, к «холодному умственному расчету»,— откуда, подобно разряду молнии, озарит мир свет всеобщего единства. Вот один из образов «звериного числа» революции в сверхповести «Зангези»:

17-й год. Цари отреклись. Кобылица свободы!
Дикий скач напролом.
Площадь с сломанным орлом.
Отблеск ножа в ее
Темных глазах,
Не самодержавию
Ее удержать.
Скачет, развеяв копытами пыль,
Гордая скачет пророчица.
Бьется по камням, волочится
Старая мертвая быль.
Скачет, куда и к кому?
Никогда не догоните!
Пыли и то трудно угнаться-то,
Горят в глазах огонь и темь —
Это потому
И затем,
Что прошло два в двенадцатой
Степени дней
Со дня алой Пресни.
Здесь два было временем богом.
И паденье царей с уздечкой в руке,
И охота за ними «улю-лю» вдалеке
Выла в даль увлекательным рогом.

Этот образ революции — «кобылица свободы» — в то же самое время является и образом Судьбы, древнего Рока, Мировой Необходимости, или, говоря современным языком, образом законов природы. И вместе с тем — это образ пророческого, обращенного в будущее поэтического творчества, так сказать, прирученной и взнузданной Судьбы. Недаром после вышеприведенного монолога Зангези подводят коня, он покидает свой утес и едет в город. Конь здесь — то же «живое число», что и каменный утес $V\bar{1}$.

В черновиках последней поэмы 1922 года, оставшейся незаконченной, Хлебников, вспоминая и обдумывая весь пройденный путь, говорил о великом опыте искусства своей эпохи, и это осталось его завещанием:

> Вы видели,
> Как строчка песни,
> Набор слов, сапог печати,
> Душа зачатия,
> Живой состав поезда слов,
> Дико гикнув «улю-лю»,
> Садится на коня событий
> И ей не нужны стремена
> . . . .
> Умейте отпечатки ящеров будущего
> Раскапывать в слов камнеломне
> И по костям строить целый костяк.
> Мы у прошлого только в гостях.
> Будущее наш дом.

С такой точки зрения, как бы в обратной перспективе, по-видимому, только и можно понять взгляд Хлебникова на собственное творчество. В литературной автобиографии «Свояси», там же, где он говорил о блестящем успехе предсказания 1917 года, подтверждавшем «законы времени», мы найдем и такое признание: «Я в чистом неразумии писал «Перевертень» и, только пережив на себе его строки: «Чин зван мечем навзничь» (война) и ощутив, как они стали позднее пустотой — «Пал, а норов худ и дух ворона лап»,— понял их как отраженные лучи будущего, брошенные подсознательным «я» на разумное небо. Ремни, вырезанные из тени рока, и опутанный ими дух остаются до становления будущего настоящим, когда воды будущего, где купался разум, высохли и осталось дно. ⟨...⟩ Во время написания заумные слова умирающего Эхнатэна «Манчь! Манчь!» из «Ка» вызывали почти боль; я не мог их читать, видя молнию между собой и ими; теперь они для меня ничто. Отчего — я сам не знаю. Но когда Давид Бурлюк писал сердце, через которое едут суровые пушки будущего, он был прав как толкователь вдохновения: оно — дорога копыт будущего, его железных подков» (СП, II, 8—9).

В исключительно сложной и неканонической жанровой системе Хлебникова можно наметить три основные категории или, лучше сказать, три основные жанрообразующие тенденции. Это малые формы (преимущественно стихотворения), большие формы (поэмы, драмы, рассказы, повести) и так называемые «сверхповести». Различие их, конечно, не столько в объеме (разница между большим стихотворением и маленькой поэмой почти незаметна), сколько в художественной установке. «Мелкие вещи,— считал он,— тогда значительны, когда они так же начинают будущее, как падающая звезда оставляет за собой огненную полосу; они должны иметь такую скорость, чтобы пробивать настоящее» (СП, II, 8). Другими словами, малая форма предполагает некоторое открытие, некоторое художественное изобретение, причем отнюдь не «формального» свойства, как может показаться. Наиболее ярко этот принцип «изобретения идей» реализован не только в таких известных «экспериментальных» вещах, как «Кузнечик», «Бобэоби пелись губы...» или «Заклятие смехом», но, может быть, еще существенней в стихотворениях вроде «Я и Россия».

Вспоминая о Хлебникове, Маяковский говорил, что, читая стихи, «он обрывал иногда на полуслове и просто указывал: «Ну и так далее». В этом «и т. д.» весь Хлебников: он ставил поэтическую задачу, давал способ ее разрешения, а пользование решением для практических целей — это он предоставлял другим» (ПСС, XII, 23—24). Тут, очевидно, речь идет преимущественно о малых формах, которые в первую очередь и нужны были ученикам и сподвижникам Хлебникова. Однако для самого Хлебникова гораздо важнее была установка на большую форму, в которой полностью разворачивалось бы это «и т. д.». Такова формообразующая тенденция его поэм, направленная на исчерпание или, во всяком случае, достаточно широкий охват темы и завершенное образное воплощение художественной идеи, выступающей в больших формах актуально, тогда как в малых формах она в известной мере потенциальна. (О поэтике и эстетике малой формы см. в главе 3.)

Третья категория его произведений, которую он называл

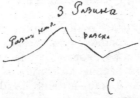

Илл. 4

и «сверхповестью», и «романом», и «драмой», является собственно хлебниковским жанровым новообразованием (хотя, конечно, этот жанр имеет свои корни и протоформы в русской и западной литературе). Это самые большие, самые значительные, в точном смысле итоговые его сочинения — «Дети Выдры» (1913) и «Зангези» (1922), представляющие собой такие сложные и принципиально открытые структуры, куда могли включаться в качестве «строительных единиц» самые разнообразные произведения «первого порядка»: стихотворения, поэмы, драмы, проза и даже научные трактаты. По существу же это какой-то сверхдраматический жанр, предназначенный для сценического воплощения (см. главу 5).

Таким образом, поэмы выступают срединным и основным хлебниковским литературным жанром, с которым так или иначе соотносятся другие жанровые образования. Отдельные стихотворения, объединяясь по тому или иному тематическому принципу, образуют у него не циклы, как, скажем, у Блока или Волошина, а особого рода составные, так сказать, сложносочиненные или сложноподчиненные поэмы. Таковы, например, «Война в мышеловке» (1919) и «Азы из узы» (1920—1922). Нередки случаи, когда отдельное стихотворение, разрастаясь и развиваясь, способно развернуться в большую поэму (так возникла поэма «Ладомир», 1920).

Или, наоборот, поэма сжимается и сокращается до размеров стихотворения, сохраняя, однако, внутреннюю энергию большой формы (такова история поэмы «Три сестры», 1920—1922).

До нас дошло более пятидесяти его поэм. Взятые вместе, начиная с самой ранней поэмы «Царская невеста» (1905) и до последней поэмы 1922 года, о которой мы уже говорили, они представляют магистраль хлебниковского творчества. Причем значительность этого жанра нарастала; в последнее пятилетие его жизни была создана почти половина поэм.

Среди бумаг Хлебникова, относящихся к 1921 году, сохранился своеобразный график или, вернее, рисунок, на котором он начертил «пейзаж» своего творчества 1919—1921 годов[1]. На нем наибольший творческий подъем означает поэму «Ладомир», написанную в мае — июне 1920 года. С этим трудно не согласиться. Эта поэма, которую Маяковский назвал «изумительнейшей книгой», действительно вершинное и характернейшее хлебниковское произведение: самое цельное во внутреннем ощущении и самое противоречивое во внешнем выражении, самое вдохновенное и самое, может быть, рациональное, самое традиционное и самое новаторское, самое признанное и известное и вместе с тем самое трудное для восприятия. Таким оно кажется нам сейчас, но поразительно, что таким оно казалось и самому поэту. Написав поэму, Хлебников в течение долгого времени не в силах был ее перечитывать. И лишь через девять месяцев, 28 февраля 1921 года, в его дневниковой записи отмечено: «Мог спокойно перечитать «Ладомир» и охватить содержание, бывшее больше меня до этого времени» (ЦГАЛИ, ф. 527, оп. 1, № 92, л. 30 об.).

[1] На «кривой» отмечены поэма «Поэт» («Русалка ⟨и⟩ поэт», первая редакция — 16—19 октября 1919 г.), поэма «Три сестры» (первая редакция — 30 марта 1920 г.), далее, вероятно, поэма «Лесная тоска» (названная «Село», первая редакция — октябрь 1919 г.), затем поэма «Ладомир» (первая редакция — 22 мая 1920 г.), поэма «Полужелезная изба...» («Сумас ⟨шедший⟩ дом», первая редакция — декабрь 1919 г.), поэма «Разин» («Разин-I», которую он называл «Разин наоборот» и «Разин в обоюдотолкуемом смысле», первая редакция — 15 июня — 2 июля 1920 г.). Что подразумевается под обозначениями «Рассказ» и «Песнь», решить трудно. Возможно, Хлебников имел в виду рассказ «Малиновая шашка», задуманный летом 1920 года, но дошедший до нас только в редакции осени 1921 года. Ниже Хлебников еще раз начертил «разинскую вершину», вписав туда «3 Разина», может быть имея в виду тот прозаический отрывок, который мы знаем как «Разин напротив. Две Троицы». Хронологические сдвиги на «кривой» объясняются, по-видимому, тем, что в 1921 году Хлебников заново переработал почти все эти произведения.

Поэма труднообозрима, разумеется, не в своем фактическом содержании. Она трудна для восприятия прежде всего эмоционально, потому что преобладающий ее тон — высочайший и беспредельный поэтический восторг, в котором поэма как бы «выходит из себя». Еще труднее охватываема она в ее смысловом, перспективном содержании. Речь тут поэт ведет обо всем мире и обо всем человечестве, обо всех временах и обо всех пространствах:

> Всегда, навсегда, там и здесь,
> Всем всё, всегда и везде! —
> Наш клич пролетит по звезде.

Поэма как будто не имеет ни начала, ни конца, начинаясь прямо с союза *И*, как бы с многоточия:

> И замки мирового торга,
> Где бедности сияют цепи,
> С лицом злорадства и восторга
> Ты обратишь однажды в пепел.

И заканчивается она так, что мы снова можем вернуться к началу, к середине или вообще к любой точке поэмы:

> Черти не мелом, а любовью,
> Того, что будет, чертежи.
> И рок, слетевший к изголовью,
> Наклонит умный колос ржи.

Это не замкнутый круг, а, наоборот, как бы множество разомкнутых и разорванных пересекающихся кругов или сфер, так что каждая часть поэмы, каждая строфа и даже строка является центром и вместе с тем направлена в бесконечную перспективу:

> И пусть пространство Лобачевского
> Летит с знамен ночного Невского.

Тут сходятся все концы и начала. И если говорить о внутренней форме поэмы, то лучше всего, видимо, воспользоваться древним парадоксальным определением Бога: «Deus est sphaera cujus centrum ubique, circumferentia nusquam» — «Бог есть сфера, центр которой везде, а край нигде»[1]. Ее вообще можно было бы назвать «Божественной

---

[1] Эта замечательная формула, восходящая к неоплатонической традиции, впервые появляется в средневековой псевдогерметической «Книге двадцати четырех философов». См. исследование Ж. Пуле «Метаморфозы круга», где прослежена история этой формулы с XII века до современности в теологии, философии и в художественной литературе (Poulet G. Les métamorfoses du cercle. Paris, 1961).

поэмой», и этому никак не должно препятствовать то обстоятельство, что вся она проникнута богоборческими и кощунственными порывами:

> Когда сам бог на цепь похож,
> Холоп богатых, где твой нож?

> Туда, к мировому здоровью,
> Наполнимте солнцем глаголы.
> Перуном плывут по Днепровью,
> Как падшие боги, престолы.

Ведь речь в поэме идет о поисках и утверждении нового абсолюта, высшего и совершеннейшего существа, которое Хлебников видел в «научно построенном человечестве». В статье «Наша основа», напечатанной почти одновременно с «Ладомиром» и во многом совпадающей с поэмой, он утверждал, что «собрание свойств, приписывавшихся раньше божествам, достигается человечеством изучением самого себя, а такое изучение и есть не что иное, как человечество, верующее в человечество» (СП, V, 242).

В этом определении мы находим самое простое и краткое выражение смысловой перспективы поэмы: «человечество, верующее в человечество».

Но эта перспектива только задана в поэме. А что же в ней дано, что является предметом изображения, или, проще говоря, о чем она? Очевидно, сказать, что это поэма о революции, еще далеко не достаточно. Вчитываясь и вдумываясь в нее, мы понимаем, что поэма говорит не только и даже не столько о социально-исторических событиях, сколько о каком-то природном, всеобще-космическом перевороте, в свете которого и социальная революция переживается как нечто абсолютное, безусловное и беспредельное. Это революция, так сказать, возведенная в бесконечную степень:

> Это Разина мятеж,
> Долетев до неба Невского,
> Увлекает и чертеж
> И пространство Лобачевского.

Таким было общее поэтическое мироощущение эпохи, хорошо знакомое нам в поэзии революционных лет. Так говорил Маяковский в стихотворении «Революция»:

> Сегодня рушится тысячелетнее «Прежде».
> Сегодня пересматривается миров основа.

Сегодня
До последней пуговицы в одежде
Жизнь переделываем снова.

Так писал Блок в статье «Интеллигенция и революция»: «Что же задумано? Переделать все. Устроить так, чтобы все стало новым; чтобы лживая, грязная, скучная, безобразная наша жизнь стала справедливой, чистой, веселой и прекрасной жизнью. Когда такие замыслы, искони таящиеся в человеческой душе, в душе народной, разрывают сковывавшие их путы и бросаются бурным потоком, доламывая плотины, обсыпая лишние куски берегов,— это называется революцией. ⟨...⟩ Размах русской революции, желающей охватить весь мир (меньшего истинная революция желать не может, исполнится это желание или нет — гадать не нам), таков: она лелеет надежду поднять мировой циклон...» (СС, VI, 12).

Об этом же читаем в поэме «Ладомир»:

Лети, созвездье человечье,
Все дальше, далее в простор
И перелей земли наречья
В единый смертных разговор.
Где роем звезд расстрел небес,
Как грудь последнего Романова,
Бродяга дум и друг повес
Перекует созвездье заново.

При всех различиях восприятия революции — преимущественно этического у Блока, социального у Маяковского, натурфилософского у Хлебникова — хлебниковская космичность и «чрезмерность» того же происхождения, что и «максимализм» Блока и «гиперболизм» Маяковского. Они коренятся в переживании революции в бесконечной перспективе.

Отсюда и происходит вся та образность «мировых циклонов», «пожаров», «потопов», «бурь» и «землетрясений», господствующая в поэзии революционных лет. Она переполняет и поэму «Ладомир». Всю ее как бы охватывает мировой взрыв:

И небоскребы тонут в дыме
Божественного взрыва,
И обнят кольцами седыми
Дворец продажи и наживы.

Почти   оксюморонное   сочетание слов — *божественный*

взрыв, — построенное в соответствии с хлебниковской поэтикой «сопряжения далековатых идей», кажется естественным и необходимым, чтобы выразить высшую степень ужаса и величия, беспощадности и всеобщности революции. *Божественный взрыв* означает одновременно разрушение и созидание, уничтожение и возрождение,— в конечном счете, хаос и космос одновременно. Более того, взрыв в хлебниковской натурфилософии оказывается «естественным» состоянием природы. (Что, заметим в скобках, согласуется с некоторыми современными космологическими представлениями. С точки зрения теории расширяющейся вселенной можно сказать, что мы живем внутри бесконечно большого взрыва и этот большой взрыв мы и называем величественным и прекрасным космосом.) Поэтому *божественный взрыв*, взятый как образ революции, должен говорить нам о единстве истории и природы, но единстве не окончательном и завершенном, а единстве самопротиворечивом и трагическом.

Следуя ключевому образу поэмы, мы только и можем охватить все ее многообразное содержание. Часто говорят о разорванности, фрагментарности и даже хаотичности ее сюжета. И это действительно бросается в глаза. Отдельные части, строфы и строки поэмы существуют как бы в разных перспективах, они как бы сталкиваются, пересекаются и разлетаются в разные стороны, так что каждый фрагмент может быть развернут в целое стихотворение, научную статью или утопический рассказ (так оно на самом деле и есть, и в значительной мере поэма «Ладомир» является «экстрактом» различных произведений Хлебникова и потому, как никакая другая его вещь, требует подробных комментариев). Однако, надо думать, подобная разорванная множественность и смысловая перенасыщенность подразумевались ее замыслом. Ведь если понимать сюжет не просто в качестве последовательного построения произведения, а видеть в нем способ художественного осмысления мира, то *божественный взрыв* мы вправе толковать не только как предмет изображения, но и как способ выражения смысла происходящего. В одной из ранних статей, написанных в связи с началом мировой войны, Маяковский говорил: «...теперь — все война ⟨...⟩ я никогда не был в Олонецкой губернии, но я достоверно знаю — сегодня ее пейзаж изменился до неузнаваемости оттого, что под Антверпеном ревели сорокадвухсантиметровые пушки. ⟨...⟩ Тот не художник, кто на блестящем яблоке, поставленном для натюр-морта, не увидит повешенных в Калише. Можно не писать *о* войне, но *надо* писать *войною*!» (ПСС, I, 309). Так неожиданно и резко сформулированный лозунг стал одним из принципов новой эстетики. И в поэме «Ладомир» он осуществлен до конца. В ней все — революция, она говорит о революции и говорит революцией как способом понимания мира.

Само собой разумеется, что это главным образом поэтическая или, вернее, мифопоэтическая точка зрения на действительность и по ней-то и следует судить о поэме. Поэтому тут важна поэтическая традиция, с которой ассоциируется художественный строй «Ладомира». С самого начала поэмы кажется, что она обращена к какому-то древнему божеству:

> Кто изнемог в старинных спорах
> И чей застенок там, на звездах,
> Неси в руке гремучий порох,
> Зови дворец взлететь на воздух.

Подобный зачин отсылает нас к одической традиции XVIII века. Можно было бы даже прямо указать на державинскую оду «Бог»:

> О ты, пространством бесконечный,
> Живый в движеньи вещества,
> Теченьем времени превечный,
> Без лиц, в трех лицах божества!

Но поэма, подхватывая и возрождая традицию, переосмысливает ее, потому что тут же выясняется, что высокое *Ты* обращено не к божеству, а, напротив, к униженному и порабощенному человеку или даже ко всему восставшему человечеству:

> Высокой раною болея,
> Снимая с зарева засов,
> Хватай за ус созвездье Водолея,
> Бей по плечу созвездье Псов.

Однако следующие строки опять смещают восприятие и как будто снова возвращают нас к божеству, но божеству иному, созданному поэтической фантазией и в то же время невыдуманному:

> Это шествуют творяне,
> Заменивши *д* на *т*,
> Ладомира соборяне
> С Трудомиром на шесте.

Посредством таких сдвигов и переключений на протяжении всей поэмы сохраняется напряжение, и мы так до конца и не можем определить тот высокий объект, к которому обращена речь поэта. Ясно лишь, что это и есть Ладомир. Но кто или что это? Божество, человек, человечество, история, природа, революция? Ведь само слово *Ладомир* может означать не обязательно только будущую гармонию мира, как чаще всего думают. Оно может быть и личным именем, и названием селения и местности[1]. В хлебниковском контексте оно может означать и строй мира, и его творение, и переустройство. Потому-то «творяне» — его «соборяне с Трудомиром на шесте». В широком значении «лад мира» включает в себя и гармонию и дисгармонию, и космос и хаос, и чет и нечет и т. д. В «Досках судьбы», как мы видели, Хлебников говорит о «ладомире духа» и «ладомире тел» и даже о «ладомире желудков». Можно сказать, что *Ладомир* в поэме означает какую-то всеобщую связь мировых явлений или единство бесконечного многообразия, настоятельно присутствующее и неуловимое.

То же самое происходит и с субъектом поэмы. В первой части ее как будто подразумевается какое-то общее «мы», от которого поэт не отделяет себя. Затем слышится собственное «я» поэта. Но и оно снова смещается, и поэт говорит о «будетлянах», то есть о себе и своих ближайших сподвижниках, в третьем лице:

> Те юноши, что клятву дали
> Разрушить языки,—
> Их имена вы угадали —
> Идут увенчаны в венки.

Речь идет о каком-то воображаемом будущем, но обращается он к читателям или слушателям в настоящем («вы угадали»), причем характерно, что имена не названы, а только угадываются, что подчеркивает особое значение местоимений. По существу же речь идет о самом Хлебникове, которому, собственно, и принадлежит идея создания единого мирового языка, призванного заменить множество отдельных национальных языков. И «те юноши» оказываются как бы размноженным «я» поэта в будущем. Тем более что в следующем четверостишии Хлебников прямо рисует собственный портрет в облике какого-то древнего пророка, словно спроецированный из прошлого в настоящее:

---

[1] См.: Г р и г о р ь е в В. П. Словотворчество и смежные проблемы языка поэта, с. 175—181.

И в дерзко брошенной овчине
Проходишь ты, буен и смел,
Чтобы зажечь костер почина
Земного быта перемен.

А дальше он говорит о себе уже опять в третьем лице. Таким образом, субъект поэмы может выступать в любом лице как множественного, так и единственного числа. Поэтому в ряде случаев просто невозможно отличить субъектное «ты» от объектного:

И он вспорхнет, красивый угол
Земного паруса труда,
Ты полетишь, бессмертно смугол,
Священный юноша, туда.

Так же и «я» может означать не личное «я», а какое-то будущее соборное «я», с которым слилось «я» поэта:

Я вижу конские свободы
И равноправие коров,
Былиной снов сольются годы,
С глаз человека спал засов.

Подобные превращения Хлебников находил и у своих современников. В статье «О современной поэзии» он писал в связи с творчеством Алексея Гастева: «Это обломок рабочего пожара, взятого в его чистой сущности, это не «ты» и не «он», а твердое «я» пожара рабочей свободы ⟨...⟩ Он соборный художник труда, в древних молитвах заменяющий слово «бог» — словом «я». В нем «я» в настоящем молится о себе в будущем» (СП, V, 223—224).

С такой точки зрения понятно, что субъект «Ладомира», как и ее объект, раскрывается динамически, в непрерывном превращении и возрастании, исходящем из ключевого образа поэмы; это «я» в состоянии «божественного взрыва», в котором оно стремится слиться с «не-я». Многообразный и бесконечный объект поэмы оборачивается столь же многообразным и бесконечным субъектом, доходя до полного тождества. И, следовательно, все местоимения поэмы могут выступать как личные «я», «ты», «он», «мы», «вы», «они», так и сверхличные, и все они являются местоимениями одного «великого многообразия», единого во всех лицах. Вот это и есть «Ладомир», «я» которого везде, а «не-я» нигде.

Он одновременно и объект поэмы и ее субъект. Не случайно *Ладомир* перекликается с литературным именем поэта *Велимир*. И вместе с тем «Ладомир», конечно, остается именем самой поэмы. Все, что мы здесь находим,— и мир, и поэт, и его творение — сама поэма,— все это и есть «Ладомир». Можно сказать, что здесь мир в лице поэта обращается с одой к самому себе же, как у Державина:

> Себя собою составляя,
> Собою из себя сияя,
> Ты свет, откуда свет истек.
> Создавый все единым словом,
> В твореньи простираясь новом,
> Ты был, ты есть, ты будешь ввек!

Но если от державинского «Бога» по существу только один шаг до «Природы» (вспомним знаменитую формулу Спинозы «Deus sive natura» — «Бог, то есть природа»), то в хлебниковском «Ладомире» этот шаг уже пройден. «Ладомир» ведь и есть не что иное, как «личное имя» Природы. И если поэт пользуется такими понятиями, как «божественный», «священный», «бессмертный», если он выводит такие образы, как, например, «Свобода идет Неувяда»,— совершенно очевидно, что они имеют сугубо п о э т и ч е с к и й смысл, означая высшую степень красоты, величия, всеобщности и т. п.

Эта ситуация удивительно напоминает начальную эпоху русской литературы, когда новое, христианское мировоззрение уже утвердилось, но старые, языческие представления были еще живы. «В «Слове о полку Игореве» — пишет Д. С. Лихачев,— упоминаются языческие боги, говорится о природе как о живом существе. Нельзя, однако, думать, что автор «Слова» верил в этих богов, что для него были действенны анимистические представления дохристианского периода, что он верил в конкретность языческих по своему происхождению образов. Автор «Слова» — христианин, старые же дохристианские верования приобрели для него новый поэтический смысл. Он одушевляет природу поэтически, а не религиозно ⟨...⟩ Языческие представления для него обладают эстетической ценностью, тогда как христианство для него еще не связано с поэзией»[1].

Мировоззрение Хлебникова было мировоззрением новой, внерелигиозной эпохи, опиравшимся уже не на веру, а на научное, в пределе, как ему представлялось, математическое знание.

> Идет число на смену верам
> И держит кормчего труды,—

---

[1] Л и х а ч е в Д. С. «Слово о полку Игореве» и культура его времени. Л., 1985, с. 81.

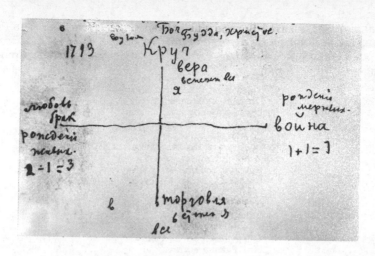

Илл. 5

писал он в поэме «Путешествие на пароходе». Тем бо́льшую поэтическую ценность приобретала древняя, овеянная устойчивой эмоциональностью и общепонятная символика, не только христианская, но символика и других «исторических» религий, которую он использовал наряду с христианской. И еще больше, как нетрудно заметить, его привлекала мифология языческих, «природных» верований, в частности мифологические образы «Слова о полку Игореве», освященные высокой поэтической традицией. Хлебниковская «Свобода Неувяда» явно перекликается, скажем, с «Девой Обидой», да и «Ладомир» кажется прямо взятым из «Слова». Даже сами «числа» получали поэтически одушевленный, мифологизированный облик, как, например, в строчках, не вошедших в окончательную редакцию поэмы:

> Дорогу путника любя,
> Он взял ряд чисел точно палку
> И, корень взяв из нет себя,
> Заметил зорко в нем русалку.

Энергия его поэтического слова, как мы уже говорили, как раз и возникала из напряжения между шагом назад, к природе стихийной и «доразумной» (зверь), и шагом вперед, к природе «разумной» и научно освоенной (число).

В такой ситуации, разумеется, старые религиозные образы полностью поэтически переосмыслялись. Особенно наглядно это можно видеть при сопоставлении поэмы «Ладомир» с поэмой Блока «Двенадцать» (тоже, кстати сказать, пронизанной космической и числовой символикой). Сравним:

Так идут державным шагом —
Позади — голодный пес,
Впереди — с кровавым флагом,
И за вьюгой невидим,
И от пули невредим,
Нежной поступью надвьюжной,
Снежной россыпью жемчужной,
В белом венчике из роз —
Впереди — Исус Христос.

Это шествуют творяне.
Заменивши *д* на *т*,
Ладомира соборяне
С Трудомиром на шесте.
Это Разина мятеж,
Долетев до неба Невского,
Увлекает и чертеж
И пространство Лобачевского.

По поводу финала своей поэмы Блок отмечал в записной книжке: «Что Христос идет перед ними — несомненно. Дело не в том, что «достойны ли они Его», а страшно, что опять Он с ними, и другого пока нет; а надо Другого —?» (СС, Записные книжки, 388—389).

Это был общий вопрос эпохи, и разные художники отвечали на него по-разному. Хлебниковский Ладомир, несомненно, Другой и вместе с тем — Тот же самый. В его образе задано такое единство человека и человечества с природой, когда человек становится всеобъемлющим, как природа, а природа — единой вселенской личностью.

Подтверждением этого может служить еще один чертеж Хлебникова, относящийся к лету 1920 года, когда поэт весь был во власти настроений «Ладомира» (ЦГАЛИ, ф. 527, оп. 1, № 89, л. 59 об.).

Чертеж изображает, по-видимому, основные мировые противоположности. На горизонтальной оси противостоят: «Любовь, брак. Рождение живых. 2—1=3» и «Война. Рождение мертвых. 1+1=1». Квазиматематические формулы этих противоположностей, вероятно, следует не «считать», а «читать». Скажем, так: «двое рождают одного, и их становится трое» — «один убивает другого, и остается один».

В сложнейших противопоставлениях, сближениях и переплетениях мотивы любви и вражды действительно пронизывают всю поэму. Вот их контрастное сопоставление:

Это ненависти ныне вести,
Их собою окровавь,
Вам, былых столетий ести,
В море дум бросайся вплавь.
И опять заиграй, заря,
И зови за свободой полки,
Если снова железного кайзера
Люди выйдут железом реки.
Где Волга скажет «лю»,
Янцекиянг промолвит «блю»,
И Миссисипи скажет «весь»,
Старик Дунай промолвит «мир»,
И воды Ганга скажут «я»,
Очертит зелени края
Речной кумир.
Всегда, навсегда, там и здесь,
Всем всё, всегда и везде!
Наш клич пролетит по звезде.
Язык любви над миром носится
И Песня песней в небо просится.

С точки зрения связанности этих мотивов весьма характерна правка в финале поэмы. Если в первоначальной редакции было:

Черти не мелом, своей кровью
Того, что будет, чертежи...,

то в окончательном тексте:

Черти не мелом, а любовью
Того, что будет, чертежи.

«Любовь» здесь не отменяет «кровь», но по правилу наибольшей разницы напряжений — шаг назад и шаг вперед — дает наибольшую энергию образа.

Еще интересней вертикальная ось мировых противоположностей. На ней противостоят: «Торговля. Всё $^{в \, степени \, Я}$» и «Вера. Я $^{в \, степени \, всё}$». Квазиматематические формулы этих противоположностей более понятны. Всё в степени Я означает бесконечное раздробление мира, так как отдельное человеческое Я, по Хлебникову, не целое число, а дробь. Поэтому, как мы помним, в «Досках судьбы» Хлебников и говорил, что «постройка человечества в одно целое ⟨...⟩ есть нахождение общего знаменателя для дробей человечества». В противоположность раздельной множественности мира — Я $^{в \, степени \, всё}$ означает единство бесконечного мирового целого во вселенской личности, в мировом Я. Или, как поясняют другие надписи у верхнего конца вертикальной оси,— «Круг. Бог. Будда, Христос». По-видимому, тут Хлебников как раз и имел в виду формулу «Бог есть сфера (или круг), центр которой везде, а край нигде», находя ей соответствие в формуле: «Я$^{в\ степени\ всё}$». Возможно также, что сюда относится и дата Французской революции — 1793, и недописанное слово «Социал⟨изм?⟩».

Как бы то ни было, но противоположные и связанные мотивы «торговли» (в широком смысле, включая «капитализм») и «веры» (опять-таки в широком смысле, включая «социализм») играют важнейшую роль в поэме. С них, собственно, начинается поэма:

> И замки мирового торга,
> Где бедности сияют цепи,
> С лицом злорадства и восторга
> Ты обратишь однажды в пепел.
> Кто изнемог в старинных спорах
> И чей застенок там, на звездах,
> Неси в руке гремучий порох —
> Зови дворец взлететь на воздух.

И этими же мотивами завершается:

> И твой полет вперед всегда
> Повторят позже ног скупцы,
> И время громкого суда[1]
> Узнают истины купцы.

Особенно интересно пересечение мировых противоположностей в одной сцене, являющейся, по существу, ядром поэмы. Сцена эта, вписанная в картину современного торгово-промышленного и военно-революционного города, рисуется в какой-то отдаленнейшей вневременной перспективе:

> Кто всадник и кто конь?
> Он город или бог?
> Но хочет скачки и погонь
> Набатный топот его ног.
>
> Туда, туда, где Изанаги
> Читала «Моногатари» Перуну,
> И Эрот сел на колени Шангти,
> И седой хохол на лысой голове
> Бога походит на снег,
> Где Амур целует Маа-Эму,
> А Тиэн беседует с Индрой,

---

[1] В первой редакции: «И время Страшного суда».

Где Юнона с Цинтекуатлем
Смотрят Корреджио
И восхищены Мурильо,
Где Ункулункулу и Тор
Играют мирно в шашки,
Облокотясь на руку,
И Хокусаем восхищена
Астарта — туда, туда!

Как филинов кровавый ряд,
Дворцы высокие горят...

На первый взгляд эта идиллия кажется инородной, «сказочной» и «заумной». Не зря А. Крученых как-то назвал ее «весьма звучистой мифологической шуткой»[1]. И, вероятно, не без влияния подобного восприятия ее, Хлебников исключил эту сцену из последней редакции поэмы. На самом деле здесь вовсе не случайный набор звучных мифологических имен разных времен и народов. «Собрание богов» символически представляет единство мировых противоположностей, где божества любви и брака — Изанаги[2], Эрот Амур, Маа-Эмо, Юнона, Астарта — встречаются с верховными божествами неба, грома и молнии, большей частью весьма воинственными,— Перуном, Шангти (Тиэном), Индрой, Цинтекуатлем, Ункулункулу и Тором. И скомпонованы они так, что как бы соединяют Восток с Западом (японская Изанаги и славянский Перун, греческий Эрот и китайский Шангти, римская Юнона и ацтекский Цинтекуатль) или Север с Югом (римский Амур и финская Маа-Эмо, африканский Ункулункулу и скандинавский Тор). При этом Юнона с Цинтекуатлем восхищаются итальянской, а ближневосточная Астарта — дальневосточной живописью, Изанаги же читает Перуну любовный роман. Нельзя не обратить внимания и на характерную игру слов: «Играют мирно в шашки» (*шашки* — игра и *шашки* — оружие). И наконец, или даже прежде всего, сам повтор «Туда, туда...», охватывающий кольцом всю сцену, несомненно, имеет символический смысл. «Туда, туда...» восходит к гётевской «Песне Миньоны» и в русской поэтической традиции означает романтический порыв в «прекрасное далеко», «на родину души».
Этот «божественный покой», «божественный мир», соеди-

---

[1] Записная книжка Велимира Хлебникова. М., 1925, с. 13.
[2] В японской мифологии Изанаги — мужчина, Изанами — женщина, но Хлебников посредством поэтической этимологии (*Изанаги — нагая*) превращает это имя в женское.

няющий мировые противоположности, противостоит в поэме «божественному взрыву». Однако все это вместе включается в смысловую перспективу Ладомира,— «одной священной и великой мысли, в которую превращались бы все остальные мысли». И тут, между прочим, самое глубокое отличие «Ладомира» от державинского «Бога». Прекрасная, завершенная, непостижимая и невыразимая, вызывающая лишь восторг и благодарные слезы державинская вселенная у Хлебникова показана в состоянии революционного взрыва, пересоздания и превращения раздельной множественности в единство. В то же время, при всех отличиях «Ладомира» от блоковских «Двенадцати», сюжет хлебниковской поэмы также можно понять как «явление Ладомира народу».

Конечно, с точки зрения гармонической уравновешенности и прекрасной ясности поэму «Ладомир» вряд ли можно отнести к лучшим произведениям Хлебникова (сам он лучшей своей вещью считал поэму «Поэт»), для этого «Ладомир» слишком перенасыщен, слишком «выходит из себя», как бы переполняемый социальными, религиозными, философскими, научными, этическими и поэтическими противоречиями. Но именно ввиду огромности того, что в поэме з а д а н о, она занимает центральное и узловое положение.

4

На примере «Ладомира», пожалуй, нагляднее всего выступает основной, магистральный хлебниковский сюжет, поскольку здесь он развернут в бесконечной перспективе. На него вполне определенно указывало и первоначальное название поэмы — «Восстание», имевшее по меньшей мере три значения. Оно прежде всего, конечно, означало революцию; затем оно, мы видели, означало не только революцию как историческое событие, но и революцию как явление природы. Вместе с тем это восстание природы, показанное не просто как разрушение и переворот, но именно как переустройство и пересоздание, означало в конечном счете вос-стание природы, ее восстановление, воскрешение и возрождение. В свете этой перспективы поэма, по-видимому, и получила окончательное название «Ладомир», являвшееся как бы продолжением «Восстания».

Сюжет «в о с с т а н и я п р и р о д ы» или вообще «я в л ен и я П р и р о д ы» можно, как кажется, рассматривать в качестве основного хлебниковского сюжета, который в различ-

80

ных вариациях и образных воплощениях проходит сквозь все его произведения и который охватывает все его творчество в целом, составляя то, что поэт называл «Единой книгой».

Речь, разумеется, идет лишь о более или менее интуитивном восприятии такого сюжетного единства. Оно должно быть изучено и проверено на материале всего хлебниковского творчества. Пока же, хотя бы предварительно и бегло, попробуем проследить его на нескольких разнохарактерных примерах.

Начнем с самой ранней из дошедших до нас поэм Хлебникова «Царская невеста» (1905). Сюжет ее (не имеющий, кстати сказать, ничего общего с сюжетом одноименной драмы Л. А. Мея) основан на предании, скорее всего легендарном, об одной из жен Ивана Грозного — Марии Долгорукой, отца которой он убил на свадьбе, а ее наутро после свадьбы, подозревая, что до брака она любила кого-то иного, приказал посадить в колымагу, запряженную дикими лошадьми, и пустить в пруд, находившийся возле Александровой слободы; об этом пруде рассказывали, что рыба в нем особенно жирна и ее подают к царскому столу, так как она питается утопленными по приказу царя людьми. На первый взгляд в поэме речь идет не о «природе», а об «истории», но в том-то и дело, что история, в лице кровожадного царя, показана как извращение самой п р и р о д ы ч е л о в е к а. Здесь нет еще никакого восстания или воскрешения природы, и героиню поэмы, безвинную и безвольную «жертву агнюю», поэт воскрешает только в художественном воображении, чисто мифопоэтическими средствами:

> Была ее душа
> Дум грустных улей,
> Когда, сомнением дыша,
> Над нею волны вход сомкнули.
>
> И вспомнился убийца отний,
> Себя карающий гордец,
> Тот, что у ней святыню отнял,
> Союз пылающих сердец.
>
> Думы воскресали,
> Бия, как волны в мель откоса.
> Утопленницы чесали
> Ее златые косы,
> Завивая;
> Княжна стояла как живая.

Уже в этой юношеской романтической поэме Хлебникова мы встречаемся с двумя основными антиномическими образами, которые в разнообразных коллизиях проходят через все его творчество. Это, во-первых, самовольный и самовластный человек, в своем безграничном самоутверждении попирающий природу. Таков Иван Грозный, таков и эрцгерцог Рудольф в поэме «Мария Вечора», относящейся, по-видимому, к тому же времени, что и «Царская невеста», и развертывающей сходную коллизию, с той разницей, что герой ее гибнет от руки обесчещенной им девушки. Далее этот ряд продолжают и образ Жреца, убивающего Рабыню — жрицу богини Афродиты — в драматической поэме «Гибель Атлантиды» (1912), и образ скифского царя в маленькой трагедии «Аспарух» (1908).

Такой сверхчеловеческий характер мог воплощаться не только в мужских образах, но и в женских, как, например, польская авантюристка, мечтающая стать русской царицей, в поэме «Марина Мнишек» (не позже 1913, более точная датировка затруднительна).

Сходные образы мы находим и в герое рассказа «Малиновая шашка» (1921) — величественном и нелепом «червонном есауле»; и в помещике, заставляющем крепостную крестьянку выкармливать грудью щенка, в поэме «Ночь перед Советами» (1921); и в главе матросского дозора Старшом, который хочет «победить бога», в поэме «Ночной обыск» (1921); и, наконец, в Степане Разине — герое целого ряда хлебниковских произведений.

Разумеется, все это характеры совершенно разные, и отношение поэта к ним также совершенно различное. Они могут вызывать отвращение и гнев, как Иван Грозный, эрцгерцог Рудольф или помещик-крепостник. Они могут вызывать более сложные чувства, как, например, Жрец или Аспарух, осуждение которых не лишено признания за ними известного величия. Они могут вызывать насмешку и жалость, как Марина Мнишек или герой «Малиновой шашки». Они, наконец, могут вызывать восхищение и преклонение перед их трагическим героизмом, как Старшой и, в особенности, Степан Разин — «единственное поэтическое лицо русской истории», по известному замечанию Пушкина.

Во всех этих многоразличных и сложных образах перед нами выступает, так сказать, «человек исторический», оторвавшийся от природы, попирающий ее и тем самым разрушающий собственную человеческую природу. (Как сказано в пьесе «Мирсконца»: «Запомни, что ворона убив, в себе

82

самом убил ты что-то».) Всякое отдельное человеческое «я», дробь, а не целое число, в своем сверхчеловеческом самоутверждении стремясь заполнить собою целый мир, ведет и человека и мир к раздроблению, распаду и самоуничтожению.

Такому самовластному человеку, отпавшему от природы, противостоят образы страдающие, жертвенные, которые, часто насильственным путем, через смерть, как бы возвращаются «в природу». Таковы Мария Долгорукая в «Царской невесте», Рабыня в «Гибели Атлантиды», персидская княжна в «Трубе Гуль-муллы» и «Уструге Разина» и др. Они чаще всего связаны с женственной стихией воды и нередко прямо превращаются в русалок, олицетворявших эту стихию. И не только ее; русалка в мифопоэтической символике Хлебникова один из самых постоянных и самых излюбленных образов, знаменующих живую душу вещей, явлений, вообще живую, очеловеченную душу природы. Причем эти образы, восходящие к народной мифологии и фольклору, как бы сохраняют память о пушкинских и гоголевских русалках (в частности, в поэмах «Лесная тоска», «Поэт», «Ночной обыск»).

Но эти же страдающие, нежные, женственные образы природы могут оборачиваться грозными и карающими образами разрушительных стихий, и тогда мы уже воочию видим «восстание природы». Так, в поэме «Гибель Атлантиды» отрубленная голова Рабыни превращается в ужасный лик змееволосой Медузы:

> Прежде облик восхищения,
> Ныне я богиня мщения.

И предводительствуемые ею волны заливают город, и вся Атлантида гибнет в морской пучине.

В других его ранних произведениях, которые в хлебниковедении принято называть «апокалипсическими», мы видим как бы внезапное, не мотивированное конкретным преступлением «явление природы». Так, в стихотворной драме «Маркиза Дэзес» (1909), действие которой происходит на выставке живописи, все мертвые вещи, картины и статуи оживают, люди же каменеют, превращаясь в какие-то кладбищенские изваяния. Так, в поэме «Змей-поезда» (1910) железнодорожный состав обращается в чудовищного дракона, пожирающего пассажиров. Так, в поэме «Журавль» (1909) — и это, может быть, наиболее впечатляющий образ «восстания природы» — вся человеческая техника, все веществен-

83

ные плоды цивилизации, соединившись с восставшими из гробов трупами, образуют исполинскую птицу, подобную вставшему из бездонного провала «великому мертвецу» из гоголевской «Страшной мести»:

О, Род Людской! Ты был как мякоть,
В которой созрели иные семена!
Чертя подошвой грязной слякоть,
Плывут восстанием на тя иные племена!
Из желез
И меди над городом восстал, грозя, костяк,
Перед которым человечество и все иное лишь пустяк...

И этому лжебожеству люди молятся и приносят в жертву детей, не подозревая, что оно есть не что иное, как извращенный образ самого человечества, утратившего свою подлинную природу, образ, как мы бы сейчас сказали, мирового капиталистического города. В нем соединялись и реальные впечатления от современного поэту Петербурга и причудливо преобразованные древние восточные, славянские, античные представления (в частности, миф о Минотавре), но ближайшим исходным пунктом было, конечно, гоголевское «Завещание»: «...соотечественники! страшно ⟨...⟩ Стонет весь умирающий состав мой, чуя исполинские возрастанья и плоды, которых семена мы сеяли в жизни, не прозревая и не слыша, какие страшилища от них подымутся...»[1]

Эта стихийная тревога и темные пророчества в эпоху Хлебникова обретали ближайшие реальные очертания и конкретный исторический облик. И тогда как в своих научно-философских работах он искал з а к о н ы истории, чтобы предвидеть будущее, в своем художественном творчестве он пытался понять п р и ч и н ы и с л е д с т в и я надвигающихся событий. Отсюда, с одной стороны, его апокалипсические видения и пророчества, с другой — иронические идиллии, в которых он рисовал картины невозмутимой и блаженной жизни природы, относя их, однако, в какое-то отдаленное доисторическое прошлое или помещая куда-то вне современной промышленной цивилизации. В таких его произведениях, как пьеса «Снежимочка» (1908), поэмы «И и Э» (1910), «Шаман и Венера» (1912), «Вила и леший» (1913), мы также видим «явление природы» (в первоначальном замысле поэмы «Вила и леший» героиня даже прямо носила имя Природа). Но и они имели характер каких-то призрачных

---

[1] О поэме «Журавль» см.: Б а ш м а к о в а Н. Слово и образ. О творческом мышлении Велимира Хлебникова. Хельсинки, 1987, с. 185—235.

видений и снов, как бы повисая в воздухе и исчезая, как в финале поэмы «Шаман и Венера»:

> И с благословляющей улыбкой
> Она исчезает ласковой ошибкой.

События мировой войны и революции повернули его творчество к самой насущной действительности, дали его вымыслам буквально плоть и кровь, когда сюжет «восстания природы» стал непосредственной реальностью. Эти события не только подтверждали его предсказания,— новое, непредвиденное и непредсказуемое было во много раз величественней и трагичней того, что он предчувствовал и предвидел. Россия сама открывалась «в своих законах». «Подлинная революция непременно космата, непременно чрезмерна, непременно хаотична. Это прекрасно предвидел, например, Достоевский. Это великолепно чувствовал и сказал нам Пушкин, да и кто из великих жрецов религии интеллигенции не содрогался заранее, лишь представляя себе вопящий концерт этой стихии. Эстетическая мораль не для революции. Можно представить себе художественный подход к революции, но он должен быть целиком динамическим, то есть человек, способный найти красоту в революции, должен любить не законченную форму, а самое движение, самую схватку сил между собою, считать чрезмерность и «безумство» не минусом, а плюсом»,— писал Луначарский в статье «Владимир Галактионович Короленко»[1].

Так строятся сюжеты большинства поздних произведений Хлебникова, в особенности сюжеты его «ночных» поэм — «Ночь в окопе», «Ночной обыск», «Ночь перед Советами», где ночь знаменует «явление природы» и где вся их сумрачная ночная образность говорит о высшей просветленности сознания. Хлебников готов был к разрушению, хаосу, чрезмерности и «безумству», потому что он знал, что без разрушения невозможно созидание, без хаоса немыслим космос, без чрезмерности непостижима мера, без безумия не бывает подлинного творчества. «Наибольший ток возможен при наибольшей разнице напряжения». Такова природа мира и такова природа человека,— во всяком случае, таким было самоощущение поэта.

Если говорить не об эстетических принципах, не о научном мировоззрении, не о нравственных основах, а о самом

---

[1] Луначарский А. В. Собр. соч. в 8 т., т. I. М., 1963, с. 386. О Хлебникове и Короленко в связи с революцией см. в гл. 6.

простом, исходном, бессознательном его жизненном порыве, который он стремился осознать научно или художественно, то, я думаю, мы не ошибемся, если скажем, что это была воля к всеобщему единству мира.

В юношеских заметках, размышляя о единстве пространства и времени, он писал: «...дух человеческий, как дитя малое, радуется и смеется светлым смехом, как дитя, нашедшее цветной камешек, когда ему удается свести два отдельных, разделенных разрывом генетической связи, понятия на одно, некоторое третье. Потому что: Единство — тебе поклонюсь! и лишь одному. ⟨...⟩ Помню, взявшись рукой за изгородь и вытянув шею, я впивался бездонным голубым взором в эти два понятия-близнеца, стоящих на страже загадки бытия. Помню, гневная морщина пересекала мой лоб и он змеился как клубок змей, и призрачная игра дум тонкой благородной корзиной запечатлевалась на моем лбу — белом челе тайновидения и огромных гневов предчувствия» (ГПБ, ф. 1087, № 31, л. 1—2).

Чем сильнее переживалась раздельность мира — будь то пространство и время, мысль и вещество, история и природа, человек и вселенная и т. д.,— тем мощнее был порыв к Единому. В нем первоначало и основной смысл хлебниковского творчества.

Лучше всего об этом он сказал в полемических набросках 1920—1921 годов о новом искусстве: «Мы знали, что вдохновение есть ⟨пробежавший⟩ ток от всего ко мне, а творчество есть обратный ток от меня ко всему, и потому относились подозрительно ко всяким чучелам этого общения со всем, как союзы, государств⟨а⟩» (ЦГАЛИ, ф. 527, оп. 1, № 118, л. 22 об.). Этим исключительно важным определением мы и будем руководствоваться в дальнейшем.

Отступление второе

О ТВОРЧЕСТВЕ И БЕЗУМИИ

Летом 1919 года Харьков, где жил тогда Хлебников, был взят Деникиным, объявившим «поход на Москву». Поэту грозила мобилизация в Добровольческую армию. И, чтобы избежать ее, ему оставалось, пожалуй, единственное средство. Так Хлебников оказался на Сабуровой даче, то есть в Харьковской губернской земской психиатрической больнице, среди пациентов профессора В. Я. Анфимова. «Собственно, это не был обычный пациент,— вспоминал профессор много лет спустя[1],— он находился в числе тех, о которых специалисты должны были дать свое заключение, позволяет ли им состояние нервно-психического здоровья быть принятым на военный учет...»

Каким он показался психиатру?

«Задумчивый, никогда не жалующийся на жизненные невзгоды и как будто не замечавший лишений того сурового периода, тихий и предупредительный, он пользовался всеобщей любовью своих соседей ⟨...⟩ Мой новый пациент как будто обрадовался человеку, имеющему с ним общие интересы, он оказался мягким, простодушно-приветливым и с готовностью пошел навстречу медицинскому и экспериментально-психологическому исследованию. Я не ошибусь, если скажу, что он отнесся к ним с интересом».

Каковы же были результаты клинического обследования?

Как ни удивительно, но даже в то скудное время «соматическое состояние» Хлебникова было «довольно удовлетворительно». В отношении же психического состояния, как убедился профессор Анфимов, «все ограничивалось врожденным уклонением от среднего уровня, которое приводило к некоторому внутреннему хаосу, но не лишенному богатого содержания».

К этому примечательному заключению мы еще вернемся, хотя и здесь нельзя не заметить, что было бы как раз удивительно, если бы сознание поэта ограничивалось средним уровнем.

С психиатрической точки зрения, справедливо признавал профессор Анфимов, поэта следовало бы отнести (например,

---

[1] А н ф и м о в В. Я. Хлебников в 1919 году. Труды третьей краснодарской клинической больницы. Вып. 1. Краснодар, 1935.

по Блейлеру) к типу импульсивных людей, оригиналов и чудаков.

Однако положение самого профессора Анфимова оказалось достаточно сложным. Ответив на вопрос quid est?, он обязан был ответить и на вопрос практический — quid est faciendum? — что в условиях гражданской войны было делом далеко не безопасным. И надо отдать должное мужеству и ответственности врача, в своем официальном заключении признавшего Хлебникова негодным к военной службе.

Он спас поэта. Более того, не будучи вообще человеком искушенным в новейшей литературе, он все же сохранил в своем архиве ценные биографические сведения, сообщенные ему поэтом, и, главное, рукописи его произведений, написанных на Сабуровой даче.

Вот теперь, наконец, мы можем перейти собственно к предмету этого отступления. Дело в том, что в ходе экспериментально-психологического обследования Хлебников написал несколько произведений на темы, заданные психиатром для «изучения способности фантазии».

Они представляют для нас исключительный интерес еще и потому, что, как мы сейчас догадываемся, эксперимент тут ставился обоюдный: с одной стороны — психологический, с другой — поэтический, и таким образом мы оказываемся свидетелями своеобразного, весьма драматического и увлекательного диалога поэта с психиатром.

В соответствии с задачей исследования предложенные психиатром темы имели откровенно провоцирующий, «безумный» или по меньшей мере «амбивалентный» характер: охота, карнавал, лунный свет; а также: чары, тоска, ангелы.

Хлебников, который в обычных условиях, по свидетельству Маяковского, «мог не только по просьбе немедленно написать стихотворение (его голова работала круглые сутки только над поэзией), но мог дать вещи самую необычайную форму» (ПСС, XII, 25), ответил на вызов психиатра с полной серьезностью и даже вдохновением. Профессора Анфимова поражало, как он «легко и без помарок, быстро покрывал своим бисерным почерком клочки бумаги, которые скоплялись вокруг него целыми грудами».

Большая часть написанного в ту сабуровскую осень известна читателям. Это и прозаическая сказка «Охота», и лирическая поэма «Карнавал», в окончательной редакции получившая название «Поэт», и стихотворение «Горные чары», и драматическая поэма «Лесная тоска» (а также немало других вещей, написанных вне диалога с психиатром, среди которых надо отметить стихотворение «Полужелезная изба...» («Гаршин»), отразившее некоторые впечатления от пребывания в Сабурке). Все это вещи поразительной поэтической мощи, не вызывающие и тени сомнения в том, что все они — плоды свободного вдохновения. Однако, зная об условиях их создания, конечно, читаешь их другими глазами.

Совершенно очевидно, что поэт намеренно сообщал им «безумный» колорит. Но за всей их невероятной изощренностью и темной фантастикой (ведь исследовалась все-таки «способность фантазии») нельзя не видеть, как настойчиво и властно встает, так сказать, сверхсюжет, развертывающий заданные темы в обратном направлении — от изощренности к простоте, от призраков к действительности, от тьмы к свету. Особенно наглядно все это в поэме «Лесная тоска» (так, по-видимому, Хлебников истолковал философско-поэтический Weltschmerz романтиков), где после ночи сказочных ужасов приходит утро:

> У т р о. Поспешите, пастушата!
> Ни видений, ни ведуний,
> Черный дым встает на хате,
> Все спокойно и молчит.
> На селе, в далекой клуне
> Цеп молотит и стучит.
> Скот мычит, пастух играет,
> Солнце красное встает.
> И как жар заря играет,
> Вам свирели подает.

Причем заданные темы так тесно и глубоко связаны с важнейшими мотивами русского фольклора, мифологии, поэзии (особенно Державина, Гоголя, Пушкина), что в конце концов становится понятной и задача самого поэта — ввести в диалог вообще поэтическое с л о в о.

Каков же смысл этого диалога? Задавая свои темы, психиатр, очевидно, стремился к познанию личности поэта, его душевного состояния. Поэт, отвечая ему, развертывая его темы в художественном произведении, говорил, однако, не столько о себе, сколько о мире, вернее — через себя о мире, стремясь к познанию, если можно так выразиться, душевного состояния мира. (На что, по-видимому, и указывала надпись, сопровождавшая поэму «Карнавал»: «Посвящаю дорогому Владимиру Яковлевичу, внушившему мне эту вещь прекрасными лучами своего разума, посвященного науке и человечеству».) Но этого-то психиатр как раз и не понимал, в недоумении останавливаясь перед внеличным словом поэта. Признавая Хлебникова «крупным художником слова» и «даровитой личностью», он тем не менее говорил о каком-то «внутреннем хаосе» и даже какой-то «печати болезненного творчества».

Согласиться с таким заключением, при всей нашей благодарности профессору Анфимову, никак невозможно, ибо суть дела тут совсем не в психологии и этике, а в филологии и эстетике. Нельзя изучать душевное состояние личности по художественным произведениям. Почему? Да потому, что даже если мы и находим в творениях того или иного поэта какой-то «хаос», какую-то «печать безумия», это еще совсем не обязательно свидетельствует о его состоянии. «Хаос» и «безумие» или, говоря точнее, алогизм неизбежно входит в диалектическую картину мира как одно из необходимых его состояний. Без стихии алогизма нет логики, как без хаоса нет космоса, как без смерти нет жизни. И никакой художник, если он рисует нам подлинную действительность, не может закрывать на это глаза. Он должен видеть тьму, он должен знать хаос, он должен пройти по всем кругам ада, чтобы вывести нас к свету. Да не это ли и есть сверхсюжет всякого искусства? И не только искусства. «Если не грешить против разума, то вообще невозможно прийти к чему-либо»,— говорил Эйнштейн, а вслед за Нильсом Бором и вообще современная наука, кажется, узаконила знаменательную формулу: достаточно ли эта теория безумна, чтобы быть верной?

В искусстве же любая теория, любой факт, любое состояние мира становится личной теорией, фактом, состоянием. А потому вещи совсем разные: бытовое сумасшествие и «поэтическое безумие» — то, что древние называли «энтузиазмом». Из них лишь первое, душевная болезнь, подлежит ведению психиатров, тогда как второе, «болящий дух,— по слову Баратынского,— врачует песнопенье, гармонии таинственная власть...». Это вещи взаимоисключающие: где есть болезнь, там не может быть творчества, а где есть творчество, там нет никакой болезни, ибо болезнь есть распад личности, тогда как творчество есть неуклонная цельность и высокое единство духа.

Речь идет, конечно, не только о профессоре Анфимове. К его времени существовала уже целая литература о так называемой психопатологии творчества, и он в значительной мере находился в зависимости от своих предшественников. А среди них были такие авторы, как доктор Е. П. Радин, выпустивший популярную книжку «Футуризм и безумие» (СПб., 1914), и такие, как профессор Н. Н. Ба-

женов, влиятельный ученый и публицист, один из осново-
положников всей этой проблематики, к которому не грех при-
слушаться и сейчас. В своем нашумевшем психиатрическом
этюде «Символисты и декаденты» (М., 1899), как считал профессор Баженов, ему «удалось с биографическими фактами
в руках доказать наличие нервно-психического расстройства,
притом в той сильной степени, которая приводит в психиат-
рическую больницу или на скамью подсудимых»,— у кого
же? — у Бодлера, Верлена, Малларме, Метерлинка, Уайльда,
не говоря уже о русских символистах. Причем, замечал
он, то же самое легко доказать и в отношении Гофмана,
Э. По, Кольриджа, Вийона, Сирано де Бержерака, Ретифа
де ля Бретона, Мюссе и многих других. Неужели своей
поэтической славой Европа обязана душевнобольным? Но не
будем торопиться, ибо заключение психиатра неожиданно и
достойно внимания.

Мозг человека и, следовательно, его сознание, по мнению
профессора Баженова, еще не сформировался окончательно,
он еще изменяется и совершенствуется, а потому, «быть
может, во многих случаях, где мы говорим о возвращении к типу пережитому, об атавизме или дегенерации, мы
правильнее поступили бы, если бы говорили о предвосхище-
нии — конечно, неполном и несовершенном — будущего типа,
об adposterism'e, о прогенерации?».

Безусловно, с этим нельзя не согласиться, но с одним
существенным уточнением. Ведь если дело идет об органи-
ческом развитии и совершенствовании, о нормальной боли
жизни, какой сопровождается, скажем, рождение, ребенка,
об естественной болезни роста, то не лучше ли вообще
отказаться от всяких разговоров о болезни там, где жизнь
являет себя в наибольшей полноте и напряжении, где происходит то чудо возрастания жизни, которое мы называем
творчеством?

С такой точки зрения, кажется, только и можно понять
диалог Хлебникова с профессором Анфимовым.

Вот одно из самых характерных произведений этого
диалога:

ЛУННЫЙ СВЕТ

Син, сын сини,
сей сонные сени и силы
на села и сад.
Чураясь дня, чаруй
чарой голубого вина меня,
землежителя, точно волна
падающего одной ногой

91

вслед другой. Мои шаги,
шаги смертного — ряд волн.
Я купаю смертные волосы
мои в голубой влаге твоего
тихого водопада и вдруг восклицаю,
разрушаю чары: площадь,
описанная прямой, соединяющей
солнце и землю, в 317 дней,
равна площади прямоугольника,
одна сторона которого — поперечник
земли, а другая — путь, проходимый
светом в год. И вот в моем
разуме восходишь ты, священное
число 317, среди облаков
неверящих в него. Струна la
делает 424 колебаний в секунду.
Удар сердца — 80 раз в минуту,
в 317 раз крупнее.
Петрарка написал 317 сонетов
в честь возлюбленной.
По германскому закону 1912 года
в флоте должно быть 317 судов.
Поход Рожественского (Цусима)
был через 317 лет после
морского похода Медины
Сидонии в 1588 году,
англичане в 1588 году и
японцы в 1905 году.
Германская империя в
1871 году основана через
317×6 после Римской империи
в 31 году до Р. Христова.
Женитьба
Пушкина
была через
317 дней после
обручения.

Стихотворение не требует особых пояснений, если иметь в виду тот литературно-полемический контекст, к которому невольно возвращал поэта психиатр, задавая эту тему (вспомним хотя бы манифест итальянских футуристов «Убьем лунный свет!» и сборник гилейцев «Дохлая луна»), и который Хлебников иронически связывал с «халдейской мудростью», тонко вписывая в русский языковой пейзаж имя древневавилонского лунного бога Сина, сына бога воздуха и земли Энлиля.

Свободный безрифменный стих, намеренно неуклюже переходящий в прозу, знаменует здесь движение темы от мифологии к истории, от луны к земле, от чар поэтического слова к трезвому числу. Но это вовсе не означает отрицания поэтического слова как такового, просто здесь в светлое поле сознания выдвигалось скрытое за словом число, единая мера мира, «одним концом волнующая небо, а другим скрывающаяся в ударах сердца»; она-то и «волхвует словом».

В этом как раз и убеждает другое стихотворение или, может быть, маленькая поэма под названием «Ангелы». Оно состоит из шести строф с очень строгой метрической организацией. Вот завершающая строфа:

> Мы мчимся, мы мчимся, тайничие,
> Сияют как сон волоса
> На призраках белой сорочки.
> Далекого мира дайничие,
> Нездешнею тайной вейничие,
> Молчебные ночери точки,
> Синеют небес голоса,
> На вице созвездия почки,
> То ивы цветут инеса.
> Разумен небес неодол
> И синего лада убава
> И песни небесных малют.
> Суровый судьбы гологол,
> Крылами сверкает небомол,
> А синее, синее тучи поют
> — Литая летает летава,
> Мластей синеглазый приют,
> Блестящая солнца немрава.

Здесь в отличие, скажем, от лермонтовского «Ангела» песням земли отнюдь не противоречит песнь небес, скорее, как в пушкинском «Пророке», душа здесь внемлет и горний полет ангелов, и прозябанье дольней лозы в единой песни песней. Она говорит о том, что в небесах совершается та же самая революция и даже та же самая гражданская война, что и на земле 1919 года, и эта новая битва небесных воинств, новое «восстание ангелов», которых Хлебников в соответствии со своей философией природы понимал как мировые энергии света, разума, добра, несет с собой новое с л о в о.

Поэтому стихотворение так насыщено неологизмами и в то же время архаизмами. Разъяснение всех этих непривычных слов потребовало бы целого исследования, но в этом, мне кажется, нет необходимости, так как все они вполне внятны в непосредственном, «музыкальном» восприятии, а его живую цельность нелегко восстановить после раздельно-логических толкований. Но вот что любопытно: достаточно заглянуть в словарь, чтобы вдруг обнаружить, что какое-нибудь слово, кажущееся нам хлебниковским новообразованием (вроде *болого, вица, сой*), на самом деле «хорошее и еще лучше забытое старое слово» (СП, I, 312), и наоборот, кажущееся нам архаизмом, на самом деле — слово-новшество. Пояснить, пожалуй, стоит только сам метод построения неологизмов в этом стихотворении, поскольку такие методы у Хлебникова разнообразны и меняются в зависимости от строя произведения.

Здесь определяющим фактором является рифма, так что все это стихотворение оказывается сплошь и насквозь прорифмованным, в соответствии с чем и неологизмы образуются здесь как рифмы к существующим словам. Вообще рифма представляет собой что-то вроде маленькой загадки, которую первое слово загадывает, а второе, рифмующееся, отгадывает, как бы раскрывая скрытое в слове другое слово (например: *морозы — розы*). Поэтому образование неологизмов здесь напоминает процесс подыскивания рифмы, с той разницей, что исходное слово может быть и не названо, а только угадывается. Так возникают целые ряды новообразований, например: *хладро, владро, младро*, заставляющие вспомнить *добро, серебро;* или *тихеса, сиеса, нагеса, любеса*, напоминающие *чудеса, небеса, словеса* и т. д. Такие призрачные, как бы полусуществующие слова вполне отвечают призрачной, мнимой природе «небесного воинства».

Точно так же соответствует «небесной иерархии» и метрическая композиция стихотворения: двенадцать сдвоенных девятистиший с тройной рифмовкой (абваавбвб) трех типов окончаний (мужских, женских и дактилических), написанных трехстопным трехсложным размером (амфибрахий). Небольшие отступления от схемы, свидетельствующие о том, что создавалось оно прямо «на слух», как естественное и вольное выражение заданной темы, только подчеркивают поразительную силу и стройность стихотворения[1].

---

[1] О возможной связи «Ангелов» с «Божественной поэмой» Скрябина см.: Г е р в е р Л. Музыкально-поэтические открытия Велимира Хлебникова.— «Советская музыка», 1987, № 9.

Глава третья

КРАТКОЕ «ИСКУССТВО ПОЭЗИИ»

Говоря о малых произведениях, Хлебников подчеркивал, что они «должны иметь такую скорость, чтобы пробивать настоящее. Пока мы не умеем определить, что создает эту скорость. Но знаем, что вещь хороша, когда она, как камень будущего, зажигает настоящее» (СП, II, 8). К таким произведениям относится стихотворение, не столь известное, как «Кузнечик», «Бобэоби пелись губы...» или «Заклятие смехом», но не менее значительное и также стоящее в ряду его «заклятий» («Заклятие двойным течением речи», «Заклятие могуществом», «Заклятие множественным числом» и др.). Его можно было бы назвать «Заклятие именем»:

> О достоевскиймо бегущей тучи.
> О пушкиноты млеющего полдня.
> Ночь смотрится, как Тютчев,
> Замерное безмерным полня.

Написано оно было, по всей вероятности, в 1907—1908 годах, а опубликовано впервые в футуристическом сборнике «Мирсконца» в 1912 году в графической интерпретации художника Н. Роговина.

Для нас оно особенно интересно тем, что позволяет на самом малом пространстве четырех строк подробно рассмотреть характернейшие особенности хлебниковской поэтики и эстетики, несмотря на то что на первый взгляд оно кажется фрагментарным и противоречивым.

Прежде всего, вместо обычной двухчастной структуры фольклорных заклинаний мы видим лишь первую (условно говоря, «эпическую») часть, а вторая («лирическая») отсутствует. Поэтому тема стихотворения, не выраженная эксплицитно, не дает ясной опоры для установления связи между «заклятием» и «именем». Какова же тема стихотворения и в каком качестве взяты Достоевский, Пушкин и Тютчев?

Для буквального прочтения достаточно лишь пояснить

примененный здесь метод неологизирования. Обычный хлебниковский метод состоит в том, что к корню (или основе) одного слова прививается формальная часть другого. В подобных словообразованиях важны не отвлеченные значения морфем, а именно ощущение гибридности, присутствия двух смыслов, дающих третий, как в нестершемся тропе. Такие словообразования принципиально метафоричны (или метонимичны) и имеют сугубо окказиональную семантику, определяемую контекстом. Самим Хлебниковым этот метод осознавался по аналогии с приемами пуантилистской живописи, где два чистых цвета, положенные рядом, на определенном расстоянии, дают колеблющееся ощущение третьего (НП, 284)[1].

Следовательно, *достоевскиймо* можно понять как сопряжение *Достоевский* и *письмо* (в значении «стиль», «литературная манера», «словесно-образная форма»), где понятие «писать» заменено именем писателя[2].

Соответственно *пушкиноты* — как сопряжение *Пушкин* и *красóты* (также в значении «словесно-образная форма»), где понятие «красота» заменено именем «творца красоты», именем поэта, «художника»[3].

Но буквальным прочтением текста мы, очевидно, не можем ограничиться. Как его следует понимать?

Вправе ли мы толковать это стихотворение как импрессионистически-метафорический «пейзаж русской литературы», скажем, в традиции бодлеровских «Маяков», продолженной в русской поэзии символистами?

---

[1] См. также с. 453, где приведено пояснение Хлебникова: «Художе ⟨ственный⟩ пр⟨ием⟩ давать понятию, заключенному в одном корне, очертание слова другого корня. Чем первому дается образ, лик второго».

[2] Ср. подобные словообразования в ранних произведениях Хлебникова: *резьмо, тисьмо, звучмо, голубьмо, ваймо, лепьмо, грезьмо, читьмо, баймо* (СП. IV, 15, 18, 31—33), *бывьмо, деймо, вводьмо* (НП, 66, 72), а также в словотворческой рукописи: *дивьмо, значмо, жильмо, женьмо, ярьмо, жармо, синьмо, зельмо, красьмо, блазмо, словьмо, мольмо, духмо, душмо* (ЦГАЛИ, ф. 257, оп. 1, № 60, л. 97), причем здесь же имеется толкование одного неологизма: «*людьмо* — следы людей, культура» и замечание общего порядка: «право работать над совершенствованием и ростом русского языка — одно из неотъемлемых прав русского». См. илл. на с. 175.

[3] Здесь очевидна ориентация на топ «пушкинская красота», в другом месте использованный Хлебниковым в полемически-ироническом виде: «пушкинианская красота». Ср. в статье Гоголя «Несколько слов о Пушкине»: «В нем русская природа, русская душа, русский язык, русский характер отразились в такой чистоте, в такой же о ч и щ е н н о й к р а с о т е, в какой отражается ландшафт на выпуклой поверхности оптического стекла» (Полн. собр. соч., т. VIII. Л., 1952, с. 50).

Основания для этого как будто бы легко найти в творчестве Достоевского, Пушкина, Тютчева и в поэтической рецепции их «сумеречности», «солнечности» и «звездности». Так (возьмем ближайшие и, несомненно, известные Хлебникову примеры), Вячеслав Иванов неоднократно говорил о «тусклых сумерках» мира Достоевского, о том, что «он такой тяжелый подземный художник, и так редко видимо бывает в его творениях светлое лицо земли, ясное солнце над широкими полями, и только вечные звезды глянут порой через отверстия сводов...»[1]. Так, Блок писал о «великой триаде» русской литературы, где «Достоевский, как падучая звезда, пролетает в летучих туманах Гоголя и Лермонтова», и о «ночной» душе русской поэзии — Тютчеве[2]. И наконец, наиболее близкий Хлебникову Андрей Белый: «Развитие русской поэзии от Пушкина до наших дней сопровождается троякой переменой ее первоначального облика. Три покрова срываются с лица русской музы ⟨...⟩

Проникновенное небо русской природы, начертанное Пушкиным, покрывается серыми облаками у Некрасова. Исчезают глубокие корни, связывающие природу Пушкина с хаотическим круговоротом: в сером небе Некрасова нет ни ужасов, ни восторгов, ни бездн,— одна тоскливая грусть; но зато хаос русской действительности, скрывающийся у Пушкина под благопристойной шутливой внешностью, у Некрасова обнаружен отчетливо.

Наоборот: пушкинская природа у Тютчева становится настолько прозрачной, что под ней уже ясно:

Мир бестелесный, страшный, но незримый...

Тютчев указывает нам на то, что глубокие корни пушкинской

[1] И в а н о в В. Борозды и межи. М., 1916, с. 9. См. также с. 17, 31.

[2] Б л о к А л е к с а н д р. Собр. соч. в 8 т., т. V, с. 76—80 (там же творчество З. Гиппиус и Ф. Сологуба — как пейзаж) и с. 25, 26. Ср. в статье Фета «О стихотворениях Ф. Тютчева»: «...в тихую осеннюю ночь стоял я в темном переходе Колизея и смотрел в одно из оконных отверстий на звездное небо. Крупные звезды пристально и лучезарно глядели мне в глаза, и по мере того как я всматривался в тонкую синеву, другие звезды выступали передо мною и глядели на меня так же таинственно и так же красноречиво, как и первые. За ними мерцали в глубине еще тончайшие блестки и мало-помалу всплывали в свою очередь. Ограниченные темными массами стен, глаза мои видели только небольшую часть неба, но я чувствовал, что оно необъятно и что нет конца его красоте. С подобными же ощущениями раскрываю стихотворения Ф. Тютчева» (цит. по кн.: П и г а р е в К. Жизнь и творчество Тютчева. М., 1962, с. 266).

поэзии непроизвольно вросли в мировой хаос; этот хаос так страшно глядел еще из пустых очей трагической маски древней Греции, углубляя развернутый полет мифотворчества»[1].

Однако подобное метафорически-импрессионистическое толкование стихотворения Хлебникова все-таки недостаточно. Главным образом потому, что предметом созерцания здесь является не литература, не мир слова, а мир природы. И *Достоевский*, и *Пушкин*, и *Тютчев* взяты для описания сумерек, полдня, ночи.

Может быть, естественнее рассматривать его в традиции натурфилософской лирики, прежде всего лирики Тютчева?

Для этого имеются не менее веские основания. Строки:

> Ночь смотрится, как Тютчев,
> Замерное безмерным полня,—

прямо восходят к стихотворению Тютчева «Как океан объемлет шар земной»:

> ...Прилив растет и быстро нас уносит
> В неизмеримость темных волн.
> Небесный свод, горящий славой звездной,
> Таинственно глядит из глубины,
> И мы плывем, пылающею бездной
> Со всех сторон окружены[2].

На образную систему тютчевской лирики ориентирована и рифма *тучи — Тютчев*. Впервые это звуковое сближение использовано Хлебниковым в реплике Рыжего поэта в пьесе «Маркиза Дэзес» для косвенного описания месяца, восходящего к тютчевской метафоре «месяц-поэт»[3]:

> О Тютчев туч! какой загадке,
> Плывешь один, вверху внемля?
> Какой таинственной погадка
> Тебе совы, моя земля?

Несомненно, Тютчев был для Хлебникова исходным моментом, той ступенью, на которой он основывал свое построение.

---

[1] Белый А. Луг зеленый. М., 1910, с. 231—233.
[2] Ср. также в стихотворении Тютчева «Песок сыпучий по колени»:
> Ночь хмурая, как зверь стоокий,
> Глядит из каждого куста!

[3] См. стихотворения «Ты знал его в кругу большего света», «В толпе людей, в нескромном шуме дня». К этой метафоре восходит и пастернаковский «близнец в тучах».

В таком случае не вправе ли мы толковать наше стихотворение как **а н т р о п о м о р ф н ы й   п е й з а ж**?

Свойственное вообще поэзии «одушевление» в крайнем выражении дает два основных типа антропоморфного пейзажа. Условно их можно определить: пейзаж-душа и пейзаж-лик. Первый преимущественно ориентирован на музыку, второй — на изобразительное искусство[1]. Например, у Пастернака, в основном разрабатывавшего (развивая принцип Верлена) антропоморфный пейзаж первого типа, мы найдем и весьма яркие образцы второго типа.

Пейзаж-лик часто встречается у Хлебникова. Например, в стихотворении «На родине красивой смерти Машуке»:

> И в небесах зажглись, как очи,
> Большие серые глаза.
> И до сих пор живут средь облаков,
> И до сих пор им молятся олени,
> Писателю России с туманными глазами,
> Когда полет орла напишет над утесом
> Большие медленные брови.

Примерно в том же плане хлебниковское «Заклятие именем» было воспринято и усвоено Маяковским, вообще усиленно применявшим антропоморфный пейзаж, особенно в ранний период. Непосредственным резонансом (осложненным эпатажной функцией) можно считать его стихотворение «Еще Петербург»[2].

Однако, возвращаясь к стихотворению Хлебникова, нельзя не увидеть, что оно выпадает из этого плана, никоим образом не укладываясь в рамки антропоморфного пейзажа. *Достоевский, Пушкин, Тютчев* в том смысле, в каком они даны здесь, лишены всякой антропоморфности, даже самой отвлеченной, необходимой для такого пейзажа. *Достоевский, Пушкин, Тютчев* здесь только и м е н а. И пейзаж, созерцаемый здесь, увиден как бы сквозь призму этих имен.

Что же увидено? Во-первых, не одна неподвижная картина, а три последовательно сменяющиеся картины, являющие три состояния видимого мира в зависимости от положения Земли относительно Солнца. Несколько огрубляя, можно сказать, что в первой Земля погружена в тень тучи, закрывающей Солнце, во второй Солнце в зените, полная освещенность, в третьей

---

[1] Ср. антропоморфный пейзаж в маньеристской (Д. Арчимбольди, Й. де Момпер) и сюрреалистической живописи (М. Эрнст, С. Дали).

[2] Строки из этого стихотворения Хлебников сочувственно цитировал в статье «!будетлянский» (см. СП, V, 193).

Солнце в надире и Земля погружена в собственную тень, открывающую звездное небо.

Во-вторых, последовательность этих картин дана не линейно, а иерархически, как три ступени восхождения, как три степени «просветленности». Последовательное «снятие завес» открывает за тучей солнце, за «дымом палящих солнечных лучей» звезды, и — тютчевская «бездна нам обнажена».

В-третьих, эти диалектически сменяющиеся картины интегрируются в единую картину видимого мирового пространства, взятого вне времени, в чистом становлении. Поэтому термин «пейзаж» здесь нужно понимать весьма широко — как весь космос, доступный непосредственному созерцанию.

Итак, не импрессионистический пейзаж русской литературы, не антропоморфный пейзаж, а интегральная картина видимого космоса сквозь призму «собственных имен русской литературы». Как это можно понять? По-видимому, так, что перед нами к о с м о с в е г о э с т е т и ч е с к о м а с п е к т е.

2

Рассматривая проблему эстетического в природе, Владимир Соловьев писал, что порядок «явления красоты в мире соответствует общему космогоническому порядку ⟨...⟩ Говоря об этой красоте, мы разумеем собственно лишь световые явления, происходящие в пределах доступного нашим взглядам мирового пространства ⟨...⟩ Этот общий смысл раскрывается более определенно в трех главных видах небесной красоты — солнечной, лунной и звездной»[1].

В отличие от него Хлебников, в своей трихотомии космоса исходивший из естественно-физического соотношения источника света и преграды, исключал из этой системы луну, хотя ассоциативно она присутствует в картине ночи (*Тютчев туч*).

В системе Хлебникова три степени «просветленности» порождают соответственно три мира — земной, солнечный и звездный и, следовательно, три эстетические сферы. Им соответствуют три имени. Метаморфоза имен (*достоевскиймо — пушкиноты — Тютчев*) также дана как три фазы, три ступени восхождения имени: в первом остро ощущается его составной, связанный характер, во втором центр тяжести перемещается на первую часть, в третьем — чистое имя.

[1] С о л о в ь е в В. С. Красота в природе.— Собр. соч., изд. 2-е, т. VI. СПб., 1912, с. 47 и след. Характерно, что почти все иллюстрации в этой статье взяты из Тютчева.

В каком же значении нужно понимать эти имена? Очевидно, не в личностном, не в портретном, а в мифопоэтическом. *Тютчев,* скажем, знаменует здесь не имя этого человека, а имя мира, созданного его творчеством. В мифопоэтической эстетике имя писателя есть символ его мира, понимаемого как миф. Таким образом, мир Достоевского здесь тождествен миру земному, мир Пушкина — миру солнечному, мир Тютчева — миру звездному.

Словарь русских писателей внешне использован Хлебниковым в той же функции, что и мифологический словарь в классической поэзии. Например, у Тютчева:

> Тогда густеет ночь, как *хаос* на водах,
> Беспамятство, как *Атлас,* давит сушу,
> Лишь *Музы* девственную душу
> В пророческих тревожат боги снах!

Но эстетический смысл хлебниковского мифологизирования гораздо глубже, и словарь писателей взят не просто в качестве высокой лексики, соответствующей объекту описания. Устанавливая прямые соответствия между поэзией и космосом, Хлебников, безусловно, исходил из мифологической концепции искусства. В таком контексте Достоевский — не что иное, как «бог» земного мира, Пушкин — «бог» солнечного мира, Тютчев — «бог» звездного мира. Но за этим стоит второй, более важный момент. Почему, скажем, здесь не использован словарь художников, словарь музыкантов и т. п.? По-видимому, ответ должен заключаться в том, что имя писателя — это имя мира, построенного из слов, это с л о в о с л о в, и м я и м е н. Только таким способом и мог быть выдержан принцип соответствия и иерархическая цельность конструкции.

Перед нами, следовательно, интегральная картина космоса, воплощенного в имени в его предельном выражении. Или, другими словами, о н о м а т о м о р ф н ы й пейзаж.

Но это еще не все. Перед нами ономатоморфный пейзаж в ф о р м е з а к л я т и я. Теперь легко увидеть, что противоречия здесь нет. Наоборот, заклятие как раз и является адекватным выражением такого понимания имени. Магический акт, как мы его сейчас «поэтически» понимаем, как раз и состоял в назывании имени, ибо древние «в знании истинных имен полагали основу своей власти над природой»[1]. Вот на это магическое отношение к слову, на эти живые языческие пласты в совре-

---

[1] И в а н о в В. Борозды и межи, с. 127. См. также известную статью Блока «Поэзия заговоров и заклинаний».

менном поэтическом сознании и ориентировался Хлебников. Речь, разумеется, идет не о реставрации (что невозможно) и не о стилизации. Нет, речь идет о самом актуальном понимании сущности поэзии как и с к у с с т в а с л о в а в духе мифопоэтической эстетики.

Для поэта нет никакого другого средства познать и выразить мир, кроме слова. Потому-то для поэтического сознания весь мир есть слово, имя (как для живописца — цвет, для музыканта — звук и т. д.); все бытие с точки зрения его осмысленности и выраженности есть разная степень смысловой напряженности слова. Для поэта понять мир означает «найти» слово, «подняться» до имени; как писал Хлебников, для поэта «все лишь ступог[1] к имени, даже ночная вселенная» (СП, IV, 16). Но единство и полнота мира, понятого и выраженного в слове, и есть миф. Общаясь посредством слова, человек вступает в круг единого языкового сознания, в круг в з а и м о п о н и м а н и я. Называя «собственные имена русской литературы», призывая имена «богов слова», поэт вступает в круг всеобщего мифопоэтического взаимопонимания человека, культуры и природы. В мифопоэтическом слове, в магически-поэтическом «заклятии именем» и заключается акт такого взаимопонимания[2].

---

[1] С т у п о г — неологизм, образованный из *ступать* и *порог*.

[2] Комментарием к «О достоевскиймо...» может служить одно место в статье Хлебникова «Закон поколений», где, говоря о том, что Тютчеву «присуща высокая вера в высокие судьбы России», Хлебников сближает его с В. Ф. Одоевским: «Конечно, Тютчев и Одоевский должны были родиться в одном году. На это указывает особая, более не встречающаяся т а й н а и м е н. В этом уходе на остров веры спутником Тютчева был и Одоевский. И м е н а Т ю т ч е в а и О д о е в с к о г о, может быть, самое лучшее, ч т о о н и о с т а в и л и. Странно, что «Белая ночь» звучало бы настолько плохо, насколько хорошо «Белые ночи». Белыми ночами как зовом к северному небу скрыто предсказание на рождение через 28 ⟨лет⟩ Бредихина, первого русского, изучавшего хвостатые звезды, и брошено указание на родство 2-го знания с звездным» (Х л е б н и к о в В. Битвы 1915—1917 гг. Новое учение о войне. Пг., 1915, с. 19. Везде разрядка моя.— *Р. Д.*). Здесь нужно обратить внимание на несколько моментов: во-первых, мысль о роли и м е н и («тайна» имен Тютчева и Одоевского, по-видимому, заключается в том, что ввиду неясности этимологии они не вызывают предметных ассоциаций. Ср. имя Пушкина, которое Хлебников неоднократно обыгрывал. Например: «Из Пушкина трупов кумирных пушек наделаем сна»), во-вторых, любопытная контаминация В. Ф. Одоевского, автора «Русских ночей», и Ф. М. Достоевского, автора «Белых ночей»; в-третьих, сопоставление поэтов и ученого (Ф. А. Бредихин — крупнейший русский астроном XIX века, изучавший кометы), перекликающееся с хлебниковским сравнением стихотворения и кометы, и, наконец, в-четвертых, указание на «родство 2-го (т. е. поэтического) знания с звездным», которое Хлебников позже подробно развивает в статье «Наша основа».

До сих пор речь шла лишь о трех строках четверостишия, устанавливающих сетку соответствий мира природы и мира слова. Теперь следует поставить вопрос об объединяющем принципе, на котором основаны эти соответствия. В чем принцип гармонии, или «согласие разногласного?». Как нужно понимать заключительную строку «Замерное безмерным полня»?

В ее истолковании мы можем опереться на заключительные строки другого стихотворения Хлебникова, также построенного на соответствиях, но в более откровенном, даже демонстративном виде:

> Боги, когда они любят,
> *Замыкающие в меру трепет вселенной,*
> Как Пушкин жар любви горничной Волконского.

Итак, мера, ритм, число, уравнивающее творческую силу бога и поэта, вселенную и Наташу, горничную старухи Волконской. Мера управляет космосом и «волхвует словом», потому-то и возможно сопоставление космических явлений и искусства, мира действительного и мира воображаемого. Мера и есть принцип гармонии, «лад мира», его «ось», «одним концом волнующая небо, а другим скрывающаяся в ударах сердца» (СП, V, 243)[1].

Замерное и *безмерное*, очевидно, предполагает наличие *мерного*. В таком случае земной мир *(Достоевский)* — мерный; солнечный мир *(Пушкин)* — замерный, то есть обладающий д р у г о й мерой[2]; звездный мир *(Тютчев)* — безмерный. Это характеристики предельно обобщенные. Следовательно, можно уточнить наш вывод: перед нами космос, в аспекте своей раздельности понятый и выраженный как имя, а в аспекте своей цельности — как мера, число.

3

Сказанного достаточно для общего понимания стихотворения. Но перед нами не отвлеченная конструкция, а живой организм, малый мир слова, существующий в каких-то отношениях с миром природы. Как же устроен микрокосм этого четверостишия?

---

[1] Ср. Блок: «Наука и мечта подают друг другу руки, оправдывая и воскрешая первобытную силу земли — р и т м, обручающий друг с другом планеты и души земных существ» (СС, V, 95).

[2] Ср. разъяснение понятия «заумный» в статье Хлебникова «Наша основа» (СП, V, 235).

Для ритмической структуры стихотворения прежде всего существенно ямбическое распределение ударений и отсутствие изосиллабизма. I и II стихи можно интерпретировать как пятистопный ямб, III стих — как трехстопный, а IV — как четырехстопный ямб. Но самое существенное в этом стихотворении — и з о т о н и з м (трехударность), играющий конструктивную роль, что подчеркивается сверхсхемным ударением на первом слоге III стиха *(ночь)*.

I	— — — — — — ´/— ´ — —/´ —	11 слогов
II	— — — — — —/´ — ´ — —/´ —	11 слогов
III	´/´ — — —/— ´ —	7 слогов
IV	— ´ — — —/— ´ — —/´ —	9 слогов

При всей цельности четверостишия, объединенного перекрестной рифмовкой (ABAB) и общим для всех стихов акцентом на шестом слоге, можно заметить противопоставленность «длинных» стихов (общий акцент на десятом слоге) стихам «коротким» (общий акцент на втором слоге) и перекличку первого и четвертого стихов (общий акцент на восьмом слоге). Следует также отметить любопытное передвижение общего акцента на шестом слоге: в I стихе — первое ударение, во II — второе, в III — третье, в IV — снова второе. Если взять за ось симметрии шестой слог, то окажется, что II и IV стихи (рифмующие) лежат в центре, I стих сдвинут вправо, а III — влево, образуя с т у п е н ч а т о е п о с т р о е н и е.

Еще более семантизирована фонетическая структура четверостишия. Что касается консонантизма, то он, не играя здесь конструктивной роли, по-моему, даже несколько ослаблен в сравнении с обычным хлебниковским уровнем. Но зато вокализм обнаруживает совершенно поразительные свойства.

Под ударением встречаются только три гласных: [э] — 3 раза, [у] — 3 раза, [о] — 6 раз. Они же дают около 70 процентов общего количества гласных в стихотворении. Этот ряд [э] — [о] — [у], по-видимому, можно рассматривать как гармонический ряд, в котором центральное положение занимает [о]. Причем [э] и [о] объединяются как гласные среднего подъема, [о] и [у] — как гласные заднего ряда. Каждый стих состоит из 1+2 гласных, причем сочетание [э] — [у] не встречается:

о	у	у
о	э	о
о	о	у
э	э	о

Прежде всего необходимо отметить симметрию первых трех стихов («зеркальность» I и III) и параллелизм III и IV стихов, одинаковых по схеме и различных по составу, затем перекличку рифмующихся стихов, одинаковых по составу, но различных по схеме.

Еще более убедительно выглядит органическая цельность вокалической структуры стихотворения в динамической развертке.

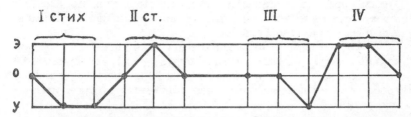

Схема движения гласных представляет почти полную обратную симметрию, центр которой — первая гласная III стиха, то есть [о] в слове *ночь,* на которое падает единственное сверхсхемное ударение! Таким образом, на этом односложном слове как бы сконцентрирована вся ритмическая и фонетическая энергия стихотворения. И это понятно, ибо *ночь* как раз и является его образным центром[1].

Об отношении Хлебникова к фонетической структуре поэтической речи можно судить хотя бы по его статьям 1913 года «Воин ненаступившего царства...» и «Разговор Олега и Казимира», где говорится об «остове мысли внутри самовитой речи» — «лучах звука, сквозящего сквозь слова» (СП, V, 187) и разбираются закономерности звукового строения некоторых его собственных стихов.

И особенно значительна в этом отношении его статья «Второй язык» (1916), специально посвященная проблеме соответствия фонетической и семантической структур поэтического текста. Наблюдая числовой закон звукового построения пушкинского «Пира во время чумы» и лермонтовских «Тамары» и

---

[1] Ср. аналогичную конструкцию у Тютчева:

Нам не дано предугадать,   о а
Как слово наше отзовется,—   о а о
И нам сочувствие дается,   а у о
Как нам дается благодать.   а о а

Но здесь смысловой центр — *сочувствие* — выделен еще резче: один гласный [у] на однообразном фоне пятикратного чередования [о] — [а].

«Демона», Хлебников выдвигал гипотезу о «втором языке песен», то есть о системе звуковой символики. Переход от количественных отношений в стихе (ритмический уровень) к качественным (словесно-образный уровень) осуществляется на звуковом уровне, который с этой точки зрения является центральным моментом стиха. «Простые имена языка» (согласные и гласные) в стихе живут как бы двойной жизнью — числá и слóва, поэтому Хлебников и называл их «числоимена». Таким образом, всякая стихотворная структура, по Хлебникову, членится на три основных уровня: числовой, числоименной и именной (словесный).

В «О достоевскиймо...» трихотомический принцип отчетливо наблюдается на всех уровнях структуры: трехударность на ритмическом уровне, троегласие на фонетическом уровне и троесловие на лексическом[1], что соответствует трем именам «заклятия».

Следовательно, само стихотворение принципиально тождественно космосу в его актуальном смысле. Подобно античному мифологическому космосу микрокосм стихотворения «устроен числом и явлен в своем имени»[2].

4

Проблема космоса в его эстетическом аспекте получает последовательное разрешение в мифопоэтическом слове. Такое слово основано на художественном тождестве микрокосма стихотворения, космоса поэзии и макрокосма природы.

Именно поэтому остановиться на трех именах «заклятия» невозможно. Здесь требуется выход в иной мир, требуется новая ступень восхождения и соответствующее ей новое имя. Имя это не названо, но оно должно угадываться в перспективе построения. Если *Достоевский, Пушкин* и *Тютчев* — это имена имен, то продолжить этот ряд должно, так сказать, имя имен имен. Понятно, что таким именем «третьего порядка» может быть лишь имя самого автора, как, например, в стихотворении «Единая книга»:

> И на обложке — надпись творца,
> Имя мое, письмена голубые.

[1] В каждом стихе три слова. То же и на синтаксическом уровне: четверостишие состоит из трех предложений, границы которых совпадают с границами стихов; первое и второе соответствуют I и II стихам, а третье обнимает III и IV стихи, причем само имеет трехсоставную структуру.

[2] Л о с е в А. Ф. Античный космос и современная наука. М., 1927, с. 13.

Правильность такой перспективы подтверждается историей текста «Заклятия именем». Оно дошло до нас в четырех последовательных вариантах:

1. О достоевскиймо идущей тучи.
   О пушкиноты млеющего полдня.
   Ночь смотрится, как Тютчев,
   Замерное безмерным полня.

   ⟨1907—1908⟩

2. О достоевскиймо бегущей тучи.
   О пушкиноты млеющего полдня.
   Ночь смотрится, как Тютчев,
   Замерное безмерным полня.

   ⟨1912⟩

3. О достоевскиймо бегущей тучи,
   О пушкиноты млеющего полдня,
   Ночь смотрится, как Тютчев,
   Безмерное замирным полня.

   ⟨1919⟩

4. О достоевскиймо идущей тучи.
   О пушкиноты млеющего полдня.
   Ночь смотрится, как Тютчев,
   Замирное безмирным полня.

   1921

В раннем тексте, сохранившемся в рукописи (ГММ $\frac{100\ 38/1/}{P\ 64\ 86}$, илл. 6), очевидна непосредственная связь стихотворения со словотворческими разработками на — *мо*. Ему предшествует запись: «белый носит белого начала бельмо», где *белый*, по всей вероятности, означает имя писателя *Андрея Белого* (Хлебников нередко писал собственные имена и фамилии со строчной буквы). Отсюда только шаг к началу стихотворения: «*Белый — бельмо — Достоевский — достоевскиймо*[1]. И первые полторы строки:

О достоевскиймо идущей тучи
О пушкиноты —

записаны, по-видимому, сразу же, теми же чернилами и почерком, а следующие две с половиной строки — позже и карандашом. Причем в первом слове последней строки над ятем

---

[1] Ср. в описании петербургского небесного пейзажа из черновиков 1917 года: «Густой и белый Достоевский» (СП. V, 54).

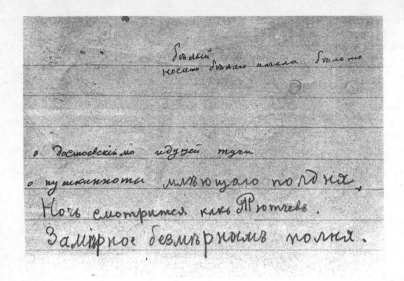

поставлена точка, позволяющая читать эту своеобразную лигатуру и как ять и как і десятиричное. Поэтому и всю строку можно читать двояко:

Замерное безмерным полня

и

Замірное безмерным полня

Таким образом здесь уже содержится два варианта стихотворения.

В первопечатном тексте сборника «Мирсконца» Хлебников, сделав лишь небольшую правку в первом стихе (*идущей* заменено на *бегущей*), остановился в последнем стихе на первом варианте.

Зато в третьем варианте, дошедшем до нас в передаче Р. Якобсона,[1] частично вернувшись ко второму варианту, Хлеб-

---

[1] См.: Я к о б с о н Р. Новейшая русская поэзия. Набросок первый. Виктор Хлебников. Прага, 1921, с. 60.

ников, по существу, дал не столько вариант, сколько продолжение:

Безмерное замирным полня.

В самом деле, если земной мир *(Достоевский)* — *мерный,* солнечный мир *(Пушкин)* — *замерный,* звездный мир *(Тютчев)* — *безмерный,* то следующей ступенью должен быть выход за пределы этого мира, в *замирное.* Изменение корня *мер* — *мир* как раз и знаменует переход в иное состояние, которому должно отвечать четвертое, подразумеваемое имя. Оно подразумевается здесь так же, как вторая, отсутствующая «лирическая» часть заклинания.

Имя это и не может быть названо, потому что переход от *безмерного* в *замирное* есть не просто следующая ступень восхождения, поскольку подняться выше бесконечного, очевидно, никак невозможно, но полное переворачивание извне вовнутрь. Если *Достоевский* — *Пушкин, Тютчев* знаменуют три стадии просветления, то четвертая стадия может быть только переходом за видимое мировое пространство, за внешний свет к свету внутреннему, на оборотную, невидимую, мнимую его сторону. И вместе с тем — поворот от имени, от слова к числу. Об этом Хлебников писал в своей первой декларации «Курган Святогора» (1908): «слова суть лишь слышимые числа нашего бытия. ⟨...⟩ И не в том ли пролегла грань между былым и идутным, что волим ныне и познания от «древа мнимых чисел»? Полюбив выражения вида $\sqrt{-1}$, которые отвергали прошлое, мы обретаем свободу от вещей. Делаясь шире возможного, мы простираем наш закон над пустотой, то есть не разнотствуем с богом до миротворения» (НП, 321—322)[1]. В отличие от слова, число — это «мир в себе. Это тот же мир, что кругом нас, но в себе» (ЦГАЛИ, ф. 527, оп. I, № 91, л. I об.). Поэтому так важно в «Заклятии именем» его числовое устройство — «игра количеств за сумраком качеств»,— как говорил Хлебников о сверхповести «Дети Выдры» (СП. II, 10). В то же время и слово с такой точки зрения, обретая «свободу от вещей», получало новый творческий смысл.

Еще интереснее четвертый вариант стихотворения в рукописи 1921 года, где «Заклятие именем» включено в композицию стихов о современности, революции и гражданской войне (ЦГАЛИ, ф. 527, оп. I, № 64, л. 8 об). В таком контексте

---

[1] Ср. стихотворение «Умночий сияний межзвездных...» и сопровождающий его рисунок «чертеж домира». — Отступление 4 и Приложение 1, илл. 2.

прекрасный поэтический космос приобретал совершенно иную окраску, еще более величественную и трагическую.

С одной стороны, в первой строке Хлебников вернулся к первоначальному варианту, возвратив туче более тяжелое и медленное движение. С другой стороны, последняя строка давала новое продолжение стихотворения:

Замірное безмирным полня.

Надо заметить, что при неустойчивости и своеобразии хлебниковской орфографии (так, *достоевскиймо* и *пушкиноты* в первом и третьем вариантах писались со строчной буквы, во втором и четвертом — с прописной, а *пушкиноты*, кроме третьего варианта,— через два *н*) и при том, что с 1919 года он перешел на новое правописание, здесь, несомненно намеренно, использовано і десятиричное, чтобы указать на различие значений корня в словах *замірное* и *безмирное*. Если *мір* раньше везде означал вселенную, то здесь появлялся *мир* в значении — покой, противоположность войне. И это тем более значимо, что *безмирный* как раз и означает войну, всеобщий раздор и вражду.

Следовательно, мы получаем продолжение ряда: *мерное — замерное — безмерное — замірное — безмирное,* где последняя стадия означает не новую ступень просветления, а напротив, омрачение, хаос и гибель. В этой картине мира имена *Достоевского, Пушкина, Тютчева* и, конечно, подразумеваемое имя самого *Хлебникова* оборачиваются своей пророческой, страшной, героической стороной (ср. стихотворение «Усадьба ночью, чингисхань...»). Однако, включая свое «нечеловеческое время», современную историю в картину бесконечной и вечной природы, поэт, по-видимому, все-таки сознавал это необходимой ступенью восхождения к полноте и единству мира. Трагический хаос и даже смерть, как свидетельствуют многие его произведения, непременно входят в общую космическую гармонию.

Каждый последующий вариант стихотворения не отменяет предыдущих, оно как бы растет, расширяется, «полня» заклятие всё новым и новым содержанием. И мы со всей наглядностью видим развитие художественного организма, во всех изменениях остающегося самим собой, во всей своей полноте и единстве. Перед нами каждый раз совершенно законченное произведение и в то же время — творение незаконченное, чреватое изменениями,— пример, может быть, единственный в своем роде и вместе с тем являющий самую суть поэзии вообще.

Тем более что на этом история текста заклятия опять-таки не кончается. В рукописи 1921 года непосредственно за четвертым вариантом следует его новое продолжение, совсем уж неожиданное:

Когда пою, мне звезды
Хлопают в ладоши.
И за-за сине-белых туч,
И вэ-ва мощных солнц,
И го созвездий, черных и великих.

Подразумеваемое «лирическое» начало здесь откровенно выходит на первый план. А далее, в следующих трех стихах мы видим не что иное, как перевод «Заклятия именем» на «звездный язык». Вернее, та же картина видимого мирового пространства рисуется не с помощью «словаря писателей», не посредством имен имен, а, как бы возвращаясь к первоначалам и первоистокам,— прямо на «языке азбуки», отдельных звуков, которые Хлебников называл «простыми именами языка».

В этом «звездном», или «мировом», языке, над изобретением которого Хлебников работал с 1915 года[1], каждый согласный звук является пространственным образом. В сверхповести «Зангези» мудрец читает «звездные песни», разъясняя их слушателям: «Слышите ли вы мои речи, снимающие с вас оковы слов? Речи — здания из глыб пространства. Частицы речи — части движения. Слова — нет, есть движения в пространстве и его части — точек, площадей. Вы вырвались из цепей ваших предков. Молот моего голоса расковал их — бесноватыми вы бились в цепях. Плоскости, прямые площади, удары точек, божественный круг, угол падения, пучок лучей прочь из точки и в нее — вот тайные глыбы языка. Поскоблите язык — и вы увидите пространство и его шкуру».

На этом языке, в частности, *З* означает «отражение луча от зеркала», *В* — «вращение одной точки около другой», *Г* — «движение точки под прямым углом к основному движению, прочь от него. Отсюда вышина». Поэтому в «звездном заклятии» *за-за* соответствует земному миру *(Достоевский)*, *вэ-ва* — солнечному миру *(Пушкин)*, *го* — звездному миру *(Тютчев)*. И таким образом содержание заклятия еще больше расширяется, с одной стороны, в микрокосм языка, с другой — в макрокосм природы. Причем все эти «имена пространств» —

---

[1] См. его статьи и заметки *«З и его околица»*, ⟨*«Разложение слова»*⟩, *«О простых именах языка»*, *«Перечень. Азбука ума»*, *«Художники мира!»*, *«Наша основа»*, а также *«Словарь звездного языка»*, приложенный к поэме *«Царапина по небу»*.

за-за, вэ-ва, го, весь этот детский лепет «звездного языка» оказывается, так сказать, естественным языком природы, объединяющим человека с космосом. Но в отличие от первых вариантов заклятия перспектива здесь полностью переворачивается, это не взгляд с земли на небо, а наоборот — с неба на землю, на человека, на его язык и поэзию.

Древнему акту заклинания как бы возвращался его изначальный смысл — называния «истинных имен». В полемических заметках 1919 года Хлебников писал: «почему заговоры, заклинания так называемой волшебной речи, священный язык язычества, эти «шагадам, магадам, выгадам, пиц, пац, пацу» — суть вереницы набора слогов, в котором рассудок не может дать себе отчета, и являются как бы заумным языком в народном слове? ⟨...⟩ Мы их пока не понимаем. Честно сознаемся. Но нет сомнения, что эти звуковые очереди — ряд проносящихся перед сумерками нашей души мировых истин» (СП. V, 255). И для того, чтобы сделать этот заумный язык разумным, чтобы раскрыть эти мировые истины, он и изучал значения отдельных звуков и разрабатывал «звездную азбуку». А затем как бы возвращал эти «истинные имена» в поэзию. Так, например, построено его известное стихотворение «Слово о Эль», где *Эль*, в семитских языках означающее «божество», а оттуда попавшее в средневековую христианскую мистику в качестве имени одного из демонов, раскрывается как простое *Л-имя:*

> На широкую площадь
> Направленный путь —
> Эля душа мировая —
> Путь силовой, свою высоту
> Променявший на поперечную площадь.

Кроме того, а может быть даже в первую очередь, в создании «звездного языка» Хлебников видел насущную практическую задачу, разрешение которой должно способствовать объединению человечества. Когда-то, считал он, язык соединял людей в один «разумный мир», теперь же множество языков на земном шаре ведет к взаимонепониманию и вражде народов. «Мы спрашиваем,— писал он в заметках 1921 года,— что лучше — всемирный язык или всемирная бойня?» (ЦГАЛИ, ф. 527, оп. I, № 88, л. 5). «Звездный язык» представлялся ему «грядущим мировым языком в зародыше» (СП. V, 236).

Таким образом, перевод заклятия на «звездный язык» продолжал восходящий ряд: *мерное — замерное — безмерное — замiрное — безмирное,* где следующей ступенью можно было бы представить *всемирное,* в обоих значениях корня: *мір* и *мир.*

5

И наконец, последний вопрос: каков же историко-литературный смысл хлебниковского «Заклятия именем»?

Для того чтобы его понять адекватно, необходимо принять во внимание не только его утверждающий аспект, но и его скрытую полемичность. В поле зрения нужно включить и еще одно имя — Верлен, но уже под знаком отрицания.

Отношение Хлебникова к Верлену, как и вообще к новой французской поэзии, было достаточно сложным. С одной стороны, в его творчестве видны следы пристрастного изучения французских поэтов (кроме Верлена, особенно Бодлера и Верхарна), с другой — везде присутствует оттенок неприятия всего, что «сделано в Париже». И тем более враждебным было его отношение к русским эпигонам. В сатире «Карамора № 2-й», изображая выступление поэта П. Потемкина в редакции «Аполлона», он доводил описание до фантастического гротеска:

> Смотрите! приподнялись длинные губы
> И похотливо тянут гроб Верлена.
> Мертвец кричит: «Ай-яй,
> Я принимаю господ воров лишь в часы от первого письма
> до срока смерти.
> Я занят смертью, господа. И мой окончен прием.
> Но вы идите к соседу. Мы гостей передаем!
> Дэлямюзик»[1].

Отрывок этот во многом близок пьесе «Маркиза Дэзес», где в реплике Рыжего поэта дан намек на «О достоевскиймо бегущей тучи...». Здесь же другой намек угадывается в реплике Верлена. *Дэлямюзик* — это, конечно, начало первого стиха знаменитого верленовского «Искусства поэзии»:

> De la musique avant toute chose,

бывшего знаменем целой поэтической эпохи.

А основой, своего рода канвой для хлебниковского словотворческого пейзажа «Заклятия именем», надо думать, был «импрессионистически-метафорический» пейзаж третьей строфы:

---

[1] См. комментарий Н. Харджиева (НП, 418—422).

C'est des beaux yeux derrière des voiles,
C'est le grand jour tremblant de midi,
C'est, par un ciel d'automne attiédi,
Le bleu fouillis des claires étoiles![1]

Отталкиваясь от нее, Хлебников и строил свое «и с к у с-
с т в о   п о э з и и». Верленовской поэтике намека, поэтике невы-
разимого, противополагалась поэтика полного выражения, вер-
леновскому требованию «музыки прежде всего» — «число» и
«слово» в их максимальной смысловой напряженности.

Понятно, что хлебниковское «искусство поэзии» было не
столько антиверленовским, сколько вообще антисимволист-
ским. Ассоциация с верленовским «Искусством поэзии» должна была указывать прежде всего на принципиально-програм-
мный характер стихотворения. Достоевский, Пушкин, Тютчев,
взятые на первый взгляд вполне в духе символистских рецеп-
ций, в такой ассоциации противопоставлялись Верлену и в то
же время получали иной, не «символистский», а с и м в о л и-
ч е с к и й смысл. Вместо иррационального «выражения невы-
разимого» они становились символическим выражением последовательного восхождения к раздельной цельности мира.

Хлебниковское мифопоэтическое слово, тождественное
природе, должно было преодолевать антиномию явления и
смысла, бывшую еще живой и плодотворной в позднероманти-
ческой традиции, но доведенную в символистской эстетике до
абсолютного, непреодолимого дуализма. В его эстетике, напротив, весь бесконечный, раздельно-цельный, насквозь пронизанный смыслом мир «устроен числом и явлен в своем имени», он
принципиально открыт и выразим во всей полноте, со всеми
«безднами» и «страхами», и «мглами».

Проходя «сквозь» символизм, Хлебников оказывался ближе к Достоевскому, Пушкину, Тютчеву, чем к своим непосредственным предшественникам и «учителям». Он, как и Пушкин, по ироническому определению Вячеслава Иванова,—
«великий словесник, ибо убежден, что всё в поэзии разрешимо
словесно»[2]. Но слово его уходит корнями еще глубже, проходя
«сквозь» литературу к фольклору и мифологии, и вместе с тем
как бы прорастает в будущее. Если Пушкин, как говорил

---

[1] Ср. в пер. Брюсова:

То — взор прекрасный за вуалью,
То — в полдень задрожавший свет,
То — осенью, над синей далью,
Вечерний, ясный блеск планет!

[2] И в а н о в В. По звездам. СПб., 1909, с. 161.

Гоголь, явил миру, что такое «в существе своем поэт», то у Хлебникова мы видим прежде всего с л о в о в его чистой сущности.

Ни скрытый полемический смысл, ни пафос новых «поэтических убеждений» хлебниковского заклятия «собственными именами русской литературы» не были по достоинству оценены современниками и даже попросту остались незамеченными. Между тем «Заклятие именем», вместе с «Заклятием смехом», по существу открывало новую литературную эпоху.

Своеобразие, трудность и вместе с тем убедительность этого стихотворения заключаются в том, что перед нами одновременно и поэтическая декларация и поэтическое творение, и эстетический принцип и его полное воплощение в слове, и философия слова и сам живой организм слова в его противоречивом самодвижущемся единстве. Со всей наглядностью видим мы здесь осуществление хлебниковского метода «изобретения идей», когда поэтическое произведение так же «начинает будущее, как падающая звезда оставляет за собой огненную полосу». Самосознательное, «самовитое» слово здесь лишь подражает космосу, являющемуся и предметом изображения и принципом изображения одновременно.

Возникшее в «лоне символизма», явившееся в печати на самом подъеме будетлянского движения, несущее в себе и вечную красоту природы и трагизм социальных потрясений современности, это стихотворение сопровождало поэта в течение всей его творческой жизни. Оставаясь прежде всего «искусством поэзии», оно может читаться и как лирическая «биография поэта», и как эпическая «история слова» — от древнего магического «имени» до какого-то будущего «научно построенного мирового языка».

Отступление третье

О ФУТУРИЗМЕ И БУДЕТЛЯНСТВЕ

Понятия футуризма в Европе и футуризма в России не совпадают ни по эстетическому содержанию, ни по объему. Русский футуризм, в отличие от итало-французского или английского, но ограничивался рамками какой-то группы или школы, не очень рано приобрел характер широкого художественного и даже общеэстетического движения, захватывавшего множество разноречивых групп, школ и отдельных художников и распространявшегося почти на все виды искусства. В связи с чем и то общее, что безусловно связывало это движение с европейским футуризмом, получило на русской почве иной смысл и отклик.

> Россия расширенный материк
> И голос запада громадно увеличила,
> Как будто бы донесся крик
> Чудовища, что больше в тысячи раз,—

писал Хлебников в стихотворении «Бурлюк».

Сама множественность направлений и группировок, зачастую отрицавших друг друга (а равно и европейских собратьев) и утверждавших собственное исключительное право представлять «идею футуризма», как нельзя лучше свидетельствовала о том, что дело шло не просто о выражении той или иной художественной концепции, но о воплощении какого-то общего духа времени, в отношении к которому каждый, конечно, имеет исключительное право голоса и каждый может подобно Маяковскому провозглашать:

> Из меня
> слепым Вием
> время орет:
> «Подымите,
> подымите мне
> веков веки!»

Поэтому как раз для русского авангарда так характерна была программа «всёчества», выдвинутая художниками ларионовского круга, но изначально и внутренне свойственная всему движению. Всякая школа, всякая группа, заметил Тынянов в связи с Хлебниковым, живет запретом и ограничением. Суть же футуристического движения состояла прежде всего в отрицании всяческих эстетических запретов и любых художественных ограничений, вплоть до отрицания искусства вообще как системы правил и условностей. Но только вплоть. Ибо это движение, несмотря на весь свой художественный произвол, все-таки оставалось искусством, хотя бы только с собственной точки зрения. Оно могло как угодно перестраивать любые художественные системы, как угодно раздвигать границы эстетического,— настолько, что некоторые открытия, скажем, Хлебникова или Малевича до сих пор остаются какими-то геркулесовыми столпами современной эстетики,— тем не менее оно не покидало эстетических пределов (как это произошло позже, например, в конструктивизме). И это очень точно выразил Маяковский в старой династической формуле, взятой эпиграфом к одной из его статей 1914 года, но которую можно отнести ко всему движению: «Искусство умерло... Да здравствует искусство!» (ПСС, I, 302). Вот этот промежуток, вот это эстетическое многоточие, когда прежняя «бедная красота» уже распалась, а новая еще не воплощена и лишь сама идея или какой-то категорический императив прекрасного витает, как дух над бездной,— вот это и есть исходное самоощущение русского футуризма.

Конечно, оно давало художнику чувство небывалой свободы, но, как и всякое подлинное чувство свободы, оно было окрашено трагически; уже тогда было совершенно ясно, что жить и развиваться в таком состоянии довременного хаоса искусство не может, однако избежать его тоже было невозможно.

> Когда пространство Лобачевского
> Сверкнуло на знамени,
> Когда стали видеть
> В живом лице
> Прозрачные многоугольники,
> А песни распались, как трупное мясо,
> На простейшие частицы
> И на черепе песни выступила
> Смерть вещего слова...
> Вещи приблизились к краю,
> А самые чуткие горят предвидением,—

свидетельствовал Хлебников в драматической поэме «Взлом вселенной» (СП, III, 93—94). Дело шло о жизни и смерти искусства вообще. И вопрос стоял не о путях его развития и совершенствования, но о коренном перевороте эстетики, об очищении ее через разрушение и возвращение к изначальной природе. Можно сказать, что в футуризме искусство выходило из себя, оставаясь самим собой.

Вопрос ставился так: что есть чистая живопись? чистая поэзия? чистая музыка? чистый театр? наконец, чистый кинематограф?[1] И в свете таких «последних» вопросов вполне понятно, почему футуристическое движение не останавливалось ни перед какими эстетическими (или антиэстетическими) крайностями. Больше того, в них-то для общественного мнения, а в значительной мере и для самих участников движения, как раз и заключается едва ли не единственный признак футуристичности. Однако и критики и апологеты крайностей равно неправы, когда забывают о двуединстве формулы футуристического движения. Крайности были неизбежны, ибо сами «вещи приблизились к краю»[2]. Но распад какой-то эстетической системы еще не есть конец искусства вообще, а потому — «самые чуткие горят предвидением». Все это движение как раз и было порождено переживанием алогического единства прошлого и будущего, жизни и смерти, отчаяния и энтузиазма, и оно необходимо совмещало в себе эти исходные крайности. Можно сомневаться в позднем признании Бенедикта Лившица: «Спали же будетляне с Пушкиным под подушкой, хотя и сбрасывали его с парохода современности»[3]. Но ведь для всякого чуткого современника уже тогда было понятно истинное значение той же самой «Пощечины общественному вкусу» — она попросту воспроизводила ту пощечину, которую пушкинский Руслан дает старой голове, добывая себе волшебный меч, и таким образом утверждала Пушкина через отрицание «Пушкина»[4]. Такова вообще логика переворота. Чем глубже отрицание, тем мощнее утверждение, и то, что казалось движением за искусство будущего, на самом деле оказывалось возвращением, но не вспять, а вглубь, к вечным первоначалам и первоистокам искусства, и то, что казалось борьбой за чистое искусство, за самовитое слово, самоценную линию и т. п., на самом деле оказывалось обращением к «стихийной космической сущности» (по выражению Лившица). Недаром Маринетти называл подобные

---

[1] Последнее особенно интересно, так как кинематограф — совершенно новое искусство — возникал одновременно с футуризмом и мог служить наглядной моделью новых эстетических переживаний. Не случайно, что именно Маяковскому принадлежит один из первых в мире опытов эстетики кино, убедительный главным образом тем, что опирался на опыт новейшей живописи и поэзии (см.: Дуганов Р., Радзишевский В. Неизвестные статьи Маяковского.— «Вопросы литературы», 1970, № 8, с. 157—203).

[2] Ср. так называемое «восстание вещей» в «Трагедии» Маяковского.

[3] Лившиц Б. Полутораглазый стрелец. Л., 1989, с. 482.

[4] См.: Хлебников В. СП, V, 134.

устремления русского будетлянства метафизикой, ничего общего не имеющей с футуризмом[1].

Поэтому, очевидно, следует различать футуризм в узком значении и футуризм в широком значении, или, так сказать, физику и метафизику футуризма, имея в виду в первом случае определенную х у д о ж е с т в е н н у ю   к о н ц е п ц и ю, стоящую в одном ряду с кубизмом, фовизмом, рондизмом, орфизмом, примитивизмом, симультанизмом, лучизмом, супрематизмом и т. п. общеевропейскими школами и течениями, а во втором случае — о б щ е э с т е т и ч е с к у ю   к о н ц е п ц и ю и широкое движение, опиравшееся на единое переживание мира, но принципиально открытое любым системам выразительности и даже требовавшее их множественности, поскольку всякая иная система есть необходимая крайность относительно других. В этом случае футуризм уже оказывается в одном ряду с такими явлениями, как символизм или конструктивизм[2], но в отличие от них принадлежит почти исключительно России. При этом весьма показательно, что собственно футуристической живописи, как указывал еще Н. Харджиев, в России, по существу, не было, тогда как центральное место в движении занимало такое противоестественное соединение крайностей, как кубофутуризм[3].

Что же касается самого термина, то здесь перед нами редкий в истории искусства случай, когда термин соответствует не узкому, а как раз широкому и сколь угодно широкому его толкованию (в противоположность, например, таким терминам, как импрессионизм или кубизм). По существу ведь всякое искусство, да и вообще всякое творчество обращено к будущему, оно, по слову Хлебникова, «родина творчества» и в этом смысле всякое творчество — футуризм[4]. С другой стороны,

---

[1] См.: Л и в ш и ц Б. Полутораглазый стрелец, с. 488.

[2] См., например, сопоставление футуризма с символизмом, с одной стороны, а с другой — футуризма с барокко в кн.: С м и р н о в И. П. Художественный смысл и эволюция поэтических систем. М., 1977.

[3] Х а р д ж и е в Н., Т р е н и н В. Поэтическая культура Маяковского. М., 1970, с. 29—30. Ср.: С а р а б ь я н о в Д. Новейшие течения в русской живописи предреволюционного десятилетия.— Сб. «Советское искусствознание, 1980», № 1. М., 1981, с. 151—152.

[4] Ср. рассуждение В. Оствальда, основателя философии энергетизма, в некоторых чертах близкой футуристической эстетике: «...способность прозревать будущее есть наиважнейшее из свойств человека, потому что только благодаря ей может продолжаться жизнь. Мы не имеем власти над прошедшим; оно совершенно неизменно, и на него нельзя повлиять. Мы можем располагать только будущим ⟨...⟩ И всеми науками, до самых высших и абстрак-

конечно, было бы удобно обозначать русское движение хлебниковским термином «будетлянство»», предложенным в ответ на итальянский «футуризм», тем более что уже в ранней декларации Хлебникова «Курган Святогора», написанной в 1908 году, еще до соответствующего манифеста Маринетти, была не только в основных чертах осознана эстетика будетлянства, но и само это слово почти произнесено. Провозглашая новое искусство, он призывал «приветствовать ⟨...⟩ и заклинать его восход возгласами: буди! буди!» (НП, 332). Однако русский термин не получил достаточного распространения и остается в связи только с ближайшим хлебниковским окружением.

В свете такого разграничения становится яснее, во-первых, отношение русского футуризма к европейскому: в качестве художественной концепции он был прямо заимствован с Запада, тогда как в качестве общеэстетической концепции он вполне самостоятелен и зародился значительно раньше. «Нам незачем было прививаться извне, так ⟨как⟩ мы бросились в будущее ⟨...⟩ от 1905 г.»,— писал Хлебников в связи с визитом Маринетти в Россию (НП, 368). А во-вторых, становится яснее и отношение футуризма к национально-культурной и социально-исторической действительности: в качестве общеэстетической концепции футуризм несравненно глубже обусловлен и резче ограничен, как по своему смыслу, так и фактически, десятыми годами, то есть поворотной эпохой войн и революций в России.

Именно поэтому при всех очевидных крайностях, при всем стремлении к, казалось бы, неограниченной свободе искусства русское движение тем не менее было ответом на вполне определенные и даже жесткие требования. Хлебников прямо утверждал, что «свобода искусства слова всегда была ограничена истинами, каждая из которых частность жизни. Эти пределы в том, что природа, из которой искусство слова зиждет чертоги, есть душа народа. И не отвлеченного, а вот этого именно» (НП, 334). Но как раз исходя из этой природы слова он и настаивал на свободе словотворчества: «Словотворчество — враг книжного окаменения языка, и, опираясь на то, что в деревне около рек и лесов до сих пор язык творится, каждое мгновение создавая слова, которые то умирают, то получают право бессмертия, переносит это право в жизнь писем. Новое слово не только должно быть названо, но и быть направленным

тных проблем, мы занимаемся с единственной целью иметь возможность с большей уверенностью созерцать будущее» (О с т в а л ь д В. Философия природы. СПб, 1903, с. 15).

к называемой вещи. Словотворчество не нарушает законов языка» (СП, V, 233—234).

Ни о каком искусстве для искусства, ни о каком бессодержательном формотворчестве тут, конечно, и речи не могло быть, поскольку в футуризме искусство выходило из себя, а не замыкалось на себе. Все эти новые слова, все эти новые формы, о которых так много говорили и которых так много изобретали футуристы, напротив, были призваны к тому, чтобы выразить, закрепить, овеществить художественно новые ощущения, переживания, осмысление мира. «Нам слово нужно для жизни,— говорил Маяковский.— Мы не признаем бесполезного искусства. Каждый период жизни имеет свою словесную формулу. Борьба наша за новые слова для России вызвана жизнью. Развилась в России нервная жизнь городов, требует слов быстрых, экономных, отрывистых, а в арсенале русской литературы одна какая-то барская тургеневская деревня. Мы же берем каждый живущий сейчас предмет, каждое вновь родившееся ощущение и смотрим — правильное ли отношение между ними и именами. Если старые слова кажутся нам неубедительными, мы создаем свои. Ненужные сотрутся жизнью, нужные войдут в речь» (ПСС, I, 324). Новое содержание не только наполняло, но зачастую переполняло эти новые формы, не находя в них устойчивого и завершенного выражения. Отсюда-то и возникали все те крайности, которые, по сути дела, вернее было бы назвать творческой избыточностью, происходящей от неравноправных отношений искусства и действительности, от преобладания внехудожественных, первичных жизненных переживаний над художественными. Мотивировки творческой избыточности могли быть какими угодно, даже взаимоисключающими (как рустицизм Хлебникова и урбанизм Маяковского в приведенных цитатах), что с несомненностью указывает на их относительное значение. Суть же дела состоит в том, что вся эта избыточность, переполненность и незавершенность искусства в конечном счете вполне отвечала переполненности и незавершенности самой действительности. Искусство выходило из себя и, казалось бы, отрывалось от жизни именно потому, что сама жизнь становилась неравной самой себе и сама выходила из себя, в частности — в искусстве.

С такой точки зрения, чтобы ответить на занимающий нас вопрос о специфике этого искусства и вообще этой эстетики, нужно прежде всего понять, что вся эта действительность в целом переживалась здесь особым образом, а именно как живая, безличная, стихийная, творящая сила, так сказать, natura naturans. И следовательно, как ни странно это может показаться, эстетика футуризма с его машинностью, урбанизмом, национализмом и т. д. и т. п. в конечном счете или, вернее, в своем первоначале была э с т е т и к о й п р и р о д ы. Но природа здесь — не храм и не мастерская, то есть не символ иного мира и не косный неоформленный материал, природа здесь вполне и окончательно субстанциальна. Все есть природа, и человек со всей его историей, культурой и искусством не противостоит природе, а продолжает ее в новых формах. «Иду к новой природе,— говорил Малевич,— но не вырывает ли меня природа, и   не я ли раньше расцветал зеленым миром и всем, что вижу, и не я ли новый земной череп, в мозгу которого творится новый расцвет, и не мой ли мозг образует собой плавильную фабрику, из которой бежит новый железный преображенный мир и как с улья универсальности летят жизни, которые мы называем изобретением? Мы не можем победить природу, ибо человек — природа, и не победить хочу, а хочу нового расцвета ⟨...⟩ Искусство должно расти вместе со стеблем организма, ибо его дело украшать стебель, придавая ему форму, участвовать в целесообразности его назначения»[1]. О том же постоянно напоминал Хлебников: «Как за зеленой травиной следует белый блестящий упругий корень, так и, осознавая человечество, должно не порвать, не нарушить его связи с вселенной...» (СП, V, 265—266). Но если в новой живописи субстанциальность природы постепенно осознавалась уже с Сезанна и Ван Гога (да живопись и всегда сохраняла более непосредственную связь с природой, хотя бы в качестве натуры, и потому естественно, что новая эстетика утверждалась прежде всего в живописи), то в литературе это происходило гораздо позже, труднее и драматичней, и лишь в творчестве Хлебникова природа впервые полностью вошла в художественное сознание. Откровение природы, ее грозное явление и торжество в столкновении с историей стало магистральным сюжетом основных хлебниковских произведений от ранних романтических драм вроде «Гибели Атлантиды» до последних революционных поэм вроде «Ночи перед Советами» и «Ладомира», в которых не только какие-то баснословные события, но и живая современная история выступает в качестве функции природы (в противоположность, например, христианскому сознанию, где природа — только функция священной истории). Тот же сюжет прямо или косвенно разрабатывался почти всеми футуристами. Не говоря о Маяковском, мы найдем его и

---

[1] М а л е в и ч К. О новых системах в искусстве. Витебск, 1919, с. 4. Дальше ссылки на это издание (ОНСВИ) в тексте.

у Асеева, и у Пастернака, и у Крученых, и у Каменского, и даже у Игоря Северянина, с той разницей, что у большинства из них он дан лирически и фрагментарно, тогда как у Хлебникова он развернут с эпической полнотой и объективностью. Так что сюжет «восстания природы», по-видимому, можно рассматривать как архетип всей футуристической поэзии.

Что же это значит, если вся без исключения действительность переживается как единая творящая сила? Это значит, что природа открывается не в вещественном и не в духовном, а в каком-то более общем аспекте, в котором снимается их противопоставленность, это значит, что природа открывается как энергия. «Энергия — по Оствальду — есть самая общая субстанция, ибо она есть существующее во времени и в пространстве, и она же есть самая общая акциденция, ибо она есть различимое во времени и в пространстве»[1]. Вот тут, наконец, мы подходим к самой сути футуристической эстетики. Хлебников учил о «молнийно-световой природе мира» (молния в его терминологии — энергия) и, следовательно, об энергийной природе истории и культуры, этики и эстетики: «Нужно помнить, что человек в конце концов молния, что существует большая молния человеческого рода — и молния земного шара» (СП, V, 231, 240). В его мистерии «Сестры-молнии» энергия — основа и источник, начало и конец всего многообразия мировых явлений, предстающая в качестве единой общей меры, сохраняющейся во всех бесконечных взаимопревращениях материи и духа (подробнее см. в главе 4).

Так же последовательно взгляд на природу как «энергийное действо», которое в то же время является и «эстетическим действом», утверждал и Малевич. Он писал: еще Ван Гог «увидел движение и устремленность каждой формы. Форма была для него не чем иным, как орудием, через которое проходила динамическая сила. Он увидел, что все трепещет от единого вселенского движения, перед ним было действо — преодоление пространства и все устремлялось в его глубины ⟨...⟩ Его пейзажи, жанры, портреты служили ему формами выражения динамической силы, и он спешил в растрепанных иглообразных живописных фактурах выразить движение динамизма; в каждом ростке проходил ток, и его форма соприкасалась с мировым единством» (ОНСВИ, 22). Футуризм (как художественная концепция) сделал следующий шаг, стремясь уже выразить «динамику через разлом и пробег вещей, бросаемых

---

[1] О с т в а л ь д В. Философия природы, с. 106.

123

энергийной силой на пути вселенского единства движения к преодолению бесконечного. Футуризм отказался от всех знаков земного мира, мяса и кости и обнаружил формы динамичного выражения в новом железном мире, обнаружил новый знак — символ скорости машины» (ОНСВИ, 23).

В свою очередь футуризм в широком смысле, как общеэстетическая концепция, в реализации которой так или иначе принимали участие столь разные художники, как, скажем, Ларионов и Якулов, Филонов и Татлин, вообще может быть понят как стремление к «постижению законов энергии, заложенной в материи, и переводу их в плоскость красоты» — по замечательному определению С. Исакова, высказанному по частному поводу, по применимому ко всему движению в целом[1]. Прекрасное с такой точки зрения есть творящая сила природы, безначальная и бесконечная, вечно меняющаяся, воздвигающая, рушащая и вновь рождающая все новые и новые формы, которые прекрасны не сами по себе, а лишь в той мере, в какой они направлены органической энергией жизни, наполняющей и переполняющей все эти преходящие формы в своем возрастающем движении.

Но если, например, В. В. Розанов, развивавший учение об органически-энергийной природе красоты, говорил о прекрасном как «вечно завершающемся»[2], то эстетика футуризма, напротив, утверждала представление о прекрасном как вечно возникающем. «Сколько бы мы ни старались удержать красоту природы, остановить ее нам не удается, и не удается по той причине, что мы сами природа и стремимся к скорейшему уходу, к преобразованию видимого мира. Природа не хочет вечной красоты и потому меняет формы и выводит из созданного новое и новое»,— говорил Малевич (ОНСВИ, 3), невольно заставляя вспоминать пушкинские строки:

И пусть у гробового входа
Младая будет жизнь играть
И равнодушная природа
Красою вечною сиять.

В новой эстетике природа не равнодушна (ср. исследование Эйзенштейна по эстетике кино, прямо названное «Неравнодушная природа») и красота ее не вечна именно потому, что человек не оторван от природы, не противостоит ей, а продол-

---

[1] И с а к о в С. К контр-рельефам Татлина.— «Новый журнал для всех», 1915, № 12, с. 50.

[2] Р о з а н о в В. В. Красота в природе и ее смысл.— В его кн.: Природа и история, изд. 2-е. СПб., 1903, с. 54.

жает ее, хотя «младая жизнь» отнюдь не забывала о «гробовом входе». Не случайно, что этот момент ухода, преобразования как в движении природы, так и в движении искусства всячески подчеркивался буквально всеми участниками движения, несмотря на все их разногласия: «Мы выдвигаем вперед свои произведения и свои принципы, которые непрерывно меняем и проводим в жизнь» (Манифест лучистов-будущников[1]); «Поэзия — ежедневно по-новому любимое слово» (Маяковский, ПСС, I, 307); «Нет ничего в мире ужаснее повторяемости, тождественности... Нет ничего в мире ужаснее неизменного лика художника... Каждый миг настоящего не похож на миг прошедшего, и миги будущего несут в себе неисчерпаемые возможности новых откровений!» (О. Розанова[2]). Объясняется все это, конечно, особым переживанием насущной реальности, что хорошо понял еще в 1916 году Н. Пунин: «Реальность, но не та, что существует лишь как видимость, реальность как с т а н о в л е н и е, как нечто познаваемое всеми силами нашего организма — вот что считаю я содержанием нового искусства. И я бы расширил это содержание до тех границ, где сотворенный мир, переставая удовлетворять в к у с художника, уступает свое место созданной, не повторенной, не скопированной с природы вещи»[3]. Художнику нет необходимости подражать бесконечно изменчивым формам природы, поскольку он сам природа в ее становлении и через него самого проходит путь движения этой единственной нерушимой реальности — энергии мира, которую он познает и выражает в своем творчестве, продолжая природу в «энергийном действе».

Итак, в самом общем виде можно было бы предложить следующую формулу эстетики русского футуризма: это э с т е т и к а б е с к о н е ч н о г о м а т е р и а л ь н о-э н е р г и й н о г о с т а н о в л е н и я. Но это действительно всего лишь самый общий, так сказать, онтологический аспект футуризма, который еще требует проверки и разработки на конкретном художественном материале, открывающем массу увлекательных возможностей.

Так, если искусство является выражением и оформлением мировой энергии, то из всех способов такого выражения, очевидно, предпочтительнее будет наиболее простой и непосредственный (экономный, по Малевичу). Из подобного умо-

---

[1] Сб. «Ослиный хвост и Мишень». М., 1913, с. 13.
[2] Р о з а н о в а О. Основы нового творчества и причины его непонимания.— Сб. «Союз Молодежи», № 3. СПб., 1913, с. 22.
[3] П у н и н Н. Н. Русское и советское искусство. М., 1976, с. 145.

заключения, по всей вероятности, и возникло стремление к прямому выражению, то есть так называемая заумная поэзия и беспредметная живопись — характерные крайности футуристического искусства. Возьмем, к примеру, знаменитый черный квадрат Малевича. Часто говорят, что квадрат этот попросту ничего не выражает, и даже по недоразумению называют его «нуль формой», хотя сам художник говорил о «лице квадрата», о квадрате как «иконе своего времени», подчеркивая вместе с тем, что на этом «квадрате никогда не увидите улыбки милой Психеи»[1]. Можно не сомневаться, что художник тут стремился что-то выразить и более того — нечто прямо изобразить. Разумеется, можно не принимать этого искусства, но нужно понять его логику. Скажем так: если «Дорифор» Поликлета изображает мир как божественное тело, как мировое тело, если «Джоконда» Леонардо изображает мир как индивидуальность, как мировую личность, то «Квадрат» Малевича есть изображение мира как бестелесной и внеличной энергии. А поскольку этот лик мировой энергии по замыслу художника является к тому же первоначалом и первоосновой, «на которой должны развиваться формы всех творческих усилий изобретений и искусств», то, следовательно, тут не только произведение искусства, но одновременно и его теория, то есть в известном смысле канон нового искусства, то же, чем для своего времени был канон Поликлета. Статую Дорифора, передает Плиний, «художники зовут каноном и получают от нее, словно из какого-нибудь закона, основания своего искусства и Поликлета считают единственным человеком, который из произведения искусства сделал его теорию»[2]. И естественно, что теория эта оформлена в виде живого человеческого тела, поскольку именно человек в античной классике выступал в качестве меры всех вещей, как естественно и то, что канон Малевича является беспредметным «умным» знаком, поскольку единой мерой всех вещей тут уже становится смысловая энергия. Основоположения эти как будто совершенно несовместимы, но нельзя не заметить, что тот же Плиний говорит о какой-то «квадратности» всех произведений Поликлета, сделанных по одному образцу, и именно квадрата.

Супрематизм вообще можно, по-видимому, считать философией искусства на языке самого искусства, и его универ-

[1] Малевич К. Письмо к А. Бенуа.— Цит. по: Дьяконицын Л. Ф. Идейные противоречия в эстетике русской живописи конца 19 — начала 20 века. Пермь, 1966, с. 214—215.
[2] См.: Лосев А. Ф. История античной эстетики, т. I. М., 1963, с. 306 и след.

сальность оказывается более наглядной в сопоставлении с эстетикой совсем иных традиций. Например, среди рисунков известного дзенского мастера Сэнгая (1750—1837) мы найдем композицию из круга, треугольника и квадрата, имеющую к тому же и название «Первооснова дзен». В толковании Судзуки это изображение природы, где круг — бесформенная форма — представляет высшую реальность, основу всего сущего; треугольник — начало всех материальных форм — символизирует человека в трех его аспектах (физическом, умственном и духовном); квадрат — первоформа, из которой возникает все бесконечное множество вещей — означает объективный мир с его четырьмя стихиями (земля, вода, воздух, огонь), причем круг превращается в треугольник, треугольник в квадрат, а тот порождает все многообразие форм реального мира[1]. И таким образом в этой композиции дан принцип и метод развертывания художественного мира в соответствии с монистической философией дзенбуддизма.

С другой стороны, имеем ли мы право говорить об изображении мировой энергии в таких произведениях, как контррельефы Татлина, где в противоположность запредметному миру Малевича мы видим мир в его допредметном, неоформленно-материальном состоянии? Очевидно, нет, ибо энергия есть полная выраженность смысла, ясная заданность меры и ритма смыслового движения. Однако в контррельефах мы все-таки находим уже не просто бессмысленный материал, а именно «материальный подбор», то есть соотношение, столкновение и как бы завязь материальных стихий, в результате чего возникает в о з м о ж н о с т ь материально-энергийного становления. Это еще не живая смысловая энергия, но уже как бы оплодотворенная материя, земля, в которую брошено семя. Поэтому тут мы должны, вероятно, говорить об изображении мировой п о т е н ц и и, или, вернее, об изображении мировой энергии в ее потенциальном состоянии. (См. Приложение 1, илл. 15).

Иное дело не менее знаменитая, чем квадрат Малевича, татлинская башня, непосредственно вырастающая из этих контррельефов, но несущая в себе уже вполне осуществленный образ «энергийного действа», законченное выражение материально-энергийного становления. Правда, как раз в ее монументальной завершенности скрыто глубокое противоре-

---

[1] См.: S u z u k i D. T. Sengai. London, 1971, p. 37. Ср. в толковании Пунина: квадрат — актуальная форма человеческой инициативы, круг — пассивная форма природы (см.: П у н и н Н. Обзор новых течений в искусстве Петербурга.— «Русское искусство», 1923, № 1, с. 22).

чие, знаменовавшее завершение и конец всей футуристической эстетики, так что можно даже сказать, что башня явилась последней футуристической энергемой и первым конструктивистским проектом.

Потенция и энергия в некотором отношении, по-видимому, соотносятся, как число и имя: число есть только возможность выражения сущности, тогда как имя ее уже фактически выражает. На этом построено одно из программных стихотворений Хлебникова:

> Бобэоби пелись губы,
> Вээоми пелись взоры,
> Пиээо пелись брови,
> Лиэээй — пелся облик,
> Гзи-гзи-гзэо пелась цепь.
> Так на холсте каких-то соответствий
> Вне протяжения жило Лицо.

Лицо здесь, несомненно, то же самое, что и на квадрате Малевича, но оно взято еще более отвлеченно, и сказать о нем можно лишь то, что оно есть, что оно существует «на холсте каких-то соответствий». Но что это за соответствия? Хлебников разъяснял следующим образом: «...как треугольник, круг, восьмиугольник суть части плоскости, так и наши слуховые, зрительные, вкусовые, обонятельные ощущения суть части, случайные обмолвки этого одного великого, протяженного многообразия ⟨...⟩ Есть величины, с изменением которых синий цвет василька (я беру чистое ощущение), непрерывно изменяясь, проходя через неведомые нам, людям, области разрыва, превратится в звук кукования кукушки или плач ребенка, станет им. При этом, непрерывно изменяясь, он образует некоторое протяженное многообразие, все точки которого, кроме близких к первой и последней, будут относиться к области неведомых ощущений, они будут как бы из другого мира. Осветило ли хоть раз ум смертного такое многообразие, сверкнув, как молния соединяет две надувшихся тучи...?» (НП, 319—320). Отсюда можно понять, что «холст соответствий» означает не что иное, как числовое устройство мира, где все точки закономерно связаны, где все превращается во все, где, собственно, все есть все, но только в виде чистой возможности смыслового становления. Как же рисуется оно здесь? Как вообще можно изобразить в стихотворении лик мировой энергии — молнии — по Хлебникову? «Мое мнение о стихах,— говорил он,— сводится к напоминанию о родстве стиха и стихии ⟨...⟩ **Вообще молния (разряд) может пройти во всех** направлениях, но на самом деле она пройдет там, где соединит две стихии» (НП,367). Как раз в этом стихотворении мы видим такое соединение и превращение одной материальной стихии в другую, в данном случае — цветовой в звуковую, причем данные цвето-звуковые соответствия (б — красный, в — зеленый, м — синий, п — черный, л — белый, г — желтый, з — золотой) не имеют, разумеется, всеобщего значения. Здесь важен, во-первых, сам принцип соответствий, дающий возможность взаимопревращений при сохранении незыблемого единства, и, во-вторых, метод таких превращений. Они осуществляются посредством «пения», то есть не хаотически, не случайно, а ритмически, закономерно и стройно, и это-то «пение молний» (ср. хор сестер-молний) и есть стих, поэзия, вообще искусство, задача которого и состоит в том, чтобы найти и выразить вот эту единую общую меру мира, дать ей имя. В результате перед нами возникает картина материально-энергийного становления, но данная вне пространственной и временной протяженности, как чисто смысловое становление.

Возьмем теперь эстетику русского футуризма совсем с другой точки зрения, а именно в социально-историческом плане. Наше общее понимание этой эстетики предполагает, что такое искусство, для которого прежде всего прекрасна динамика мира, где все вещи и формы, в том числе и социально-культурные, находятся в непрерывном движении и изменении, когда одна форма не остается самой собой и когда все это не просто течет и изменяется, но катастрофически гибнет и возникает вновь, когда дело идет о жизни и смерти, очевидно, могло с необходимостью возникнуть только на почве революционного переживания действительности. Причем связи действительности с искусством тут устанавливались самые непосредственные. Нас не удивляет, что для Маяковского высшей оценкой художественного произведения было определение «катастрофа», то есть буквально — конец, гибель, переворот, но ведь то же самое мы находим, к примеру, даже у такого спиритуалистически настроенного художника, как Кандинский: «Живопись есть грохочущее столкновение различных миров, призванных путем борьбы и среди этой борьбы миров между собою создать новый мир, который зовется произведением. Каждое произведение возникает и технически так, как возник космос — оно проходит путем катастроф»[1]. Что же касается Хлебникова, то вся его философия вообще, и в частности философия истории, была не чем иным, как учением о мировых

---

[1] Кандинский В. В. Ступени. М., 1918, с. 34.

катастрофах, более того — учением о закономерности мировых войн и революций. «Мировой рокот восстаний страшен ли нам, если мы сами — восстание более страшное?» — писал Хлебников в 1917 году. Об этом же позже говорил и Малевич: «Кубизм и футуризм были движения революционные в искусстве, предупредившие и революцию в экономической, политической жизни 1917 года» (ОНСВИ, 10). Однако, понимая, что вся футуристическая эстетика была прежде всего эстетикой природы, мы сейчас ясно видим, что и революционность ее имела характер по преимуществу с т и х и й н ы й   и   у т о п и ч е с к и й. А потому ее стремление прямо отождествить «энергийное действо» с эстетическим очень скоро привело, наоборот, к несовпадению этого искусства с наличной социально-исторической действительностью.

Наиболее непосредственно и ярко эта эстетика в ее социально-историческом и даже социально-антропологическом аспекте воплощалась, конечно, в Маяковском. В нем не было той всеобщности и космичности, что отличала, скажем, Хлебникова и Малевича, но зато тут на первый план выступала эстетика личности и судьбы. Свое вступление на это поприще он описывал так: «У Давида ⟨Бурлюка⟩ — гнев обогнавшего современников мастера, у меня — пафос социалиста, знающего неизбежность крушения старья. Родился российский футуризм» (ПСС, I, 19). И чем меньше тут было объективной истории будетлянского движения, тем больше сказывалось верное самоощущение. Маяковский был не просто одним из участников движения и даже не просто одним из ведущих,— он занимал совершенно особое место именно в эстетической системе футуризма. Если рассматривать это движение как «энергийное действо», как своего рода театр жизни (а для этого у нас есть основания), то именно Маяковский — не как поэт, художник или публицист, а как живой человек со своей судьбой, в данной исторической обстановке, во всей цельнораздельности своей личности, со своей желтой кофтой и бархатным голосом, с неотразимым полемическим даром и естественным демократизмом, со всей разносторонностью устремлений в живопись, поэзию, театр, кино и т. д.— окажется в центре такого театра, корифеем этой трагедии. И в то же время этот человек-катастрофа, человек-переворот был столько же действующим лицом, сколько и ареной «энергийного действа» природы, совершавшегося в нем самом.

Эпический хлебниковский сюжет выворачивания природы сквозь историю дан в нем лирически, как внутренний конфликт. В чем он заключался? Человек не равен самому себе; он меньше природы, потому что он сотворен ею, и вместе с тем он больше ее, потому что он сам творит новую природу, и, вырастая сам из себя, он умирает и рождается вновь. Таков сквозной сюжет его лирики и его судьбы:

> ...чувствую
> — «я» для меня мало.
> Кто-то из меня вырывается упрямо.

Причем выход из себя в нового себя с неизбежностью осуществлялся через искусство. В той же поэме «Облако в штанах» есть чудовищный образ:

> ...как в гибель дредноута
> от душащих спазм
> бросаются в разинутый люк —
> сквозь свой
> до крика разодранный глаз
> лез, обезумев, Бурлюк.

Это образ рождения нового видения, нового искусства, вообще новой эстетики.

Так строится сюжет его первой трагедии, которую Хлебников называл «хвалой молнии». Здесь нет буквально ни одного момента, который бы многократно не переворачивался и не выворачивался наизнанку, начиная с ее титула «Владимир Маяковский» (что здесь автор и что здесь название?) и кончая ее постановкой на сцене петербургского «Луна-парка» в декабре 1913 года, где Маяковский выступал в качестве режиссера собственной трагедии, в которой сам же исполнял роль самого себя (что здесь искусство и что здесь жизнь?). Обратим внимание на самый, пожалуй, характерный момент: в соответствии с поэтикой монодрамы все действующие лица трагедии суть различные ипостаси его личности, в которых он как бы выходил из себя, и в то же время это не живые люди и даже вообще не люди, а говорящие картины (актеры носили перед собой картонные щиты, на которых был изображен соответствующий персонаж). Но этого мало. Те же проекции его личности вместе с тем были в некотором отношении и портретами его ближайших соратников по футуристическому движению, но портретами опять-таки вывернутыми наизнанку. Например: Человек без уха (то есть музыкант) — М. Матюшин; Человек без головы (то есть заумный поэт) — А. Крученых; Человек без глаза и ноги (то есть художник-футурист) — Д. Бурлюк; Старик с черными сухими кошками (то есть мудрец) — Хлебников. И т. д.

В итоге всех этих превращений перед нами вырисовывается имя в своем конкретном и одновременно всеобщем значении. «Владимир Маяковский» означает не только имя автора, не только название художественного произведения, не только имя какого-то собирательного «я» футуризма, а гораздо шире — это, подобно квадрату Малевича или хлебниковскому Лицу, имя мировой энергии, но в отличие от них это имя собственное, имя живого человека, имя осуществления смысла в реальной личности и судьбе. И точно так же, как личность здесь тождественна миру («юноша Я-Мир» — по формуле Хлебникова), искусство в трагедии совпадает с действительностью. А потому Маяковского можно и даже необходимо рассматривать в качестве живого воплощения эстетики энергийного становления, и с такой точки зрения он предстает едва ли не самым замечательным и убедительным «произведением» футуристического искусства. Тут даже можно было бы говорить о своего рода каноне, если понимать канон как самопорождающую эстетическую модель. Ведь во всем этом движении дело шло в конечном счете не только об искусстве, а вообще о новом сознании, о новом человеке. «Будетляне,— говорил Маяковский,— это люди, которые б у д у т. Мы накануне» (ПСС, I, 329). Недаром вся его трагедия пронизана образами беременности и рождения:

> На улицах,
> где лица
> — как бремя
> у всех одни и те ж,
> сейчас родила старуха-время
> огромный
> криворотый мятеж!

И, таким образом, в социально-антропологическом аспекте эстетику русского футуризма можно было бы определить как э с т е т и к у т р а г и ч е с к о г о р о ж д е н и я, что, по-видимому, вполне согласуется с ее стихийной и утопической революционностью в социально-историческом аспекте и с ее утверждением материально-энергийного становления в аспекте онтологическом.

Глава четвертая

ПРИРОДА СЛОВА,
ЭПОС, ЛИРИКА, ДРАМА

1

Всякому, кто задумывался над жанровой природой хлебниковского творчества, не могло не броситься в глаза то странное обстоятельство, что в художественном наследии поэта, по общему мнению эпического, которого современники называли «нашим единственным поэтом-эпиком» и сравнивали с автором «Слова о полку Игореве», «чудом, дожившим до нашего времени», собственно эпические произведения не только не преобладают, но количественно даже уступают лирическим и драматическим. Из полусотни его поэм можно выделить не более десятка — полутора, к которым без особых оговорок применима категория эпического. С точки зрения чистых жанровых констант, назвав такие вещи, как «Марина Мнишек», «Сельская дружба», «Ночь в окопе», «Ночь перед Советами», «Ночной обыск», «Уструг Разина», «Переворот в Владивостоке», мы едва ли не исчерпаем перечень его эпических поэм. Даже в прозе, казалось бы заведомо предрасположенной к развертыванию объективного действия, эпические произведения вроде «Смерти Паливоды», «Николая», «Есира» составляют не более трети. Не слишком ли это скудно для эпического поэта? Не следует ли вообще усомниться в эпической природе хлебниковского творчества?

Однако у нас нет оснований говорить и о каком бы то ни было решительном преобладании в его наследии лирических или же драматических произведений. Чистая лирика или чистая драма почти так же редки, как и чистый эпос.

Чаще всего в творчестве Хлебникова мы сталкиваемся с тем, что на первый взгляд можно было бы назвать смешанными жанровыми образованиями. Среди его драматических сочинений мы встречаем и большую эпическую драму («Девий бог»), и малую драму типа пушкинских «маленьких трагедий» («Аспарух»), и лирическую монодраму («Госпожа Ленин»), и лиро-эпическую драму («Маркиза Дэзес»). В поэмах смешение или комбинация жанровых форм еще сложнее и запутанней. Нередко даже не знаешь, считать ли это произведение, скажем, драматической поэмой или же стихотворной драмой («Взлом вселенной»). Здесь вообще возможна самая различная степень драматизации, начиная от сравнительно простого двухголосья (5-й парус «Детей Выдры») до сложнейшего, почти оперного многоголосья («Настоящее»).

Не менее сложно соотношение лирического и эпического. Между чистыми формами лирики и эпоса у Хлебникова целая лестница различных степеней: с одной стороны, эпизация лирики — от «Вилы и лешего» до «Синих оков», с другой стороны, так сказать, лиризация эпоса — от «Немотичей и немичей.:.» до «Берега невольников».

В поэмах вроде «Войны в мышеловке» с ее особой «кубистической» композицией лирическое и эпическое представлены как будто бы в одинаковой, грубо говоря, пропорции, но конструктивно они даны не в равновесии, а в контрастном столкновении лирики и эпоса.

Эта поэма, возникшая под сильным воздействием поэтики раннего Маяковского[1], впоследствии (вместе с поэмой «Настоящее») оказала не менее сильное воздействие на поэму «Хорошо!» и таким образом как бы вернулась к Маяковскому. Причем если влияние Маяковского сказалось на ритмо-интонационной системе, то влияние Хлебникова заметно главным образом в конструктивном оформлении. Однако, относя поэму «Война в мышеловке» и поэму «Хорошо!», ввиду их несомненного конструктивно-стилистического родства, к одному лиро-эпическому жанру, мы не можем не замечать существенного и даже принципиального различия их жанровой природы. Тогда как главы поэмы «Хорошо!», существуют ли они в качестве связанных частей поэмы или в качестве самостоятельных вещей, в любом случае сохраняют неизменной свою внутреннюю форму, отдельные стихотворения, объединенные в поэме «Война в мышеловке», получают в контексте целого совершенно иной смысл. В резком смещении масштабов композиционных единиц, в пересечении планов изображения, в совмещении разных точек зрения изменение семантики идет вплоть до полного переосмысления жанровой природы отдельных частей поэмы.

Со всей очевидностью мы наблюдаем такую относительность категории жанра в поэме «Азы из узы». Нижеследующие

---

[1] Харджиев Н., Тренин В. Поэтическая культура Маяковского. М., 1970, с. 122—124. Здесь же важное указание на поэму Блока «Двенадцать», к которой восходят некоторые конструктивные моменты поэм Хлебникова и Маяковского.

строки, вне всякого сомнения, воспринимаются как самостоятельное лирическое стихотворение:

> О, Азия! Себя тобою мучу.
> Как девы брови я постигаю тучу,
> Как шею нежного здоровья —
> Твои ночные вечеровья.
> Где тот, кто день свободных ласк предрек?
> О, если б волосами синих рек
> Мне Азия обвила бы колени,
> И дева прошептала бы таинственные пени,
> И тихая, счастливая рыдала,
> Концами кос глаза суша.
> Она любила. Она страдала,
> Вселенной смутная душа.
> И вновь прошли бы в сердце чувства,
> Вдруг зажигая в сердце бой,
> И Махавиры, и Заратустры,
> И Саваджи, объятого борьбой.
> Умерших снов я стал бы современник,
> Творя ответы и вопросы,
> А ты бы грудой светлых денег
> Мне на ноги рассыпала бы косы,
> — Учитель,— ласково шепча,
> Не правда ли, сегодня
> Мы будем сообща
> Искать путей свободней?

Но в контексте поэмы, куда входит это стихотворение, лирическое «я» наполняется более сложным содержанием, получая как бы дополнительное измерение.

Поэма «Азы из узы», написанная в разгар гражданской войны, когда поэт готовился осуществить свое давнее желание совершить паломничество на Восток, к «прародине человечества», представляет собой нечто вроде мифопоэтической панорамы Азии. В ней отразились непосредственные впечатления русской революции и вести об освободительных движениях на Востоке, в которых Хлебников видел истоки будущего единства освобожденного человечества. Поэтому название поэмы нужно читать не только как «Азия, освобождающаяся из уз рабства», но гораздо шире. В частности, «аз» — по Хлебникову — освобожденное «я», самосознательная личность, свободная от уз духовного рабства.

Путем актуализации всей истории развития прометеевского мифа от Гесиода и Эсхила до Шелли и Вячеслава Иванова и поэтической интеграции на этой основе некоторых образов западных и восточных мифологий современные события представлены в поэме как осуществление древнего мифа об освобождении закованного богоборца.

Перед нами оказывается, так сказать, прометеевская лирика. Что это значит? В давней философской и поэтической традиции, особенно развитой в новой европейской литературе, Прометей символизирует единое свободное человечество или, как говорил Хлебников, «человечество, верующее в человечество». В интегральном «я» Прометея происходит слияние личного «я» поэта и внеличного «я» человечества. Перед нами тождество личного и внеличного, где личное «я» совершенно растворено во внеличном и одновременно внеличное полностью воплощено в личном.

В результате формально мы можем квалифицировать эту поэму, смонтированную из отдельных лирических партий, и как лирическую, и как эпическую, и как смешанную лироэпическую.

Как можно, например, понять адекватный смысл развернутой метафоры в другом отрывке из той же поэмы?

> Я, волосатый реками...
> Смотрите! Дунай течет у меня по плечам
> И — вихорь своевольный — порогами синеет Днепр.
> Это Волга упала мне на руки,
> И гребень в руке — забором гор
> Чешет волосы.
> А этот волос длинный —
> Беру его пальцами —
> Амур, где японка молится небу,
> Руки сложив во время грозы.

В чисто лирическом аспекте мы вряд ли увидим здесь что-нибудь большее, чем субъективную экстравагантность. Но в том-то и дело, что субъект здесь не что иное, как Земной Шар.

Более того, лирический субъект может раскрываться как сама Природа. Возьмем одно из значительнейших стихотворений Хлебникова последнего периода, отмеченное могучим и сумрачным пророческим пафосом.

> Баграми моров буду разбирать старое строение народов,
> Чернилами хворей буду исправлять черновик, человеческий
> листок рукописи.
> Крючьями чум после пожара буду выбирать бревна и сваи народов
> Для нового сруба новой избы.
> Тонкой пилою чахотки
> Буду вытачивать новое здание, выпилю новый народ
> Грубой пилой сыпняка.
> Выдерну гвозди из стен, чтобы рассыпалось Я, великое Я,
> То надевающее перстнем ваше это солнце,
> То смотрящее через стекло слез собачонки.

Здесь «я» Природы противостоит человеческому «я», но не так, как внеличное противостоит личному, а как абсолютное, внелично-личное противостоит личному.

Какая угодно широкая, даже всеобщая внеличная данность — и народ, и человечество, и природа — в мифопоэтическом сознании могут представать в качестве живой, мыслящей, чувствующей, стремящейся личности. И в этом смысле можно говорить о лирике Народа, Человечества, Природы, вообще — о лирике Мира. Подобно тому как мы (вслед за Гегелем) говорим об особом эпическом состоянии мира, здесь мы можем говорить о л и р и ч е с к о м с о с т о я н и и м и р а.

И наоборот, живая человеческая индивидуальность, отдельная личность вполне вообразима не только вместилищем различных мыслей, чувств, стремлений, но и целым собранием самостоятельных личностей, целым народом, государством, миром. И здесь уже мы, очевидно, должны говорить об особом э п и ч е с к о м с о с т о я н и и л и ч н о с т и. Из множества хлебниковских текстов, художественно реализующих этот принцип, нужно вспомнить стихотворение «Я и Россия», где он воплощен со всей иронической наглядностью:

Россия тысячам тысяч свободу дала.
Милое дело! Долго будут помнить про это.
А я снял рубаху...

2

«Юноша Я-Мир» — вот кратчайшая хлебниковская формула этой эстетики. В ее свете совершенно ясно, что лирическое и эпическое в своих высших состояниях слиты до полного неразличения, это две стороны единого целого.

Таков, например, автопортрет в лирической поэме «Поэт»:

Стоял у стены вечный узник созвучия
В раздоре с весельем и жертвенник дум.
Смотрите, какою горой темноты,
Холмами, рекою, речным водопадом
Плащ, на землю складками падая,
Затмил голубые цветы,
В петлицу продетые Ладою.
И бровь его на сон похожая,
На дикой ласточки полет,
И будто судорогой безбожия
Его окутан гордый рот.
С высокого темени волосы падали
Оленей взбесившимся стадом,
Что в небе завидев врага,
Сбегает, закинув рога,

Волнуясь, беснуясь морскими волнами,
Рогами друг друга тесня,
Как каменной лирой на темени,
И черной доверчивой мордой.
Все дрожат, дорожа и пылинкою времени,
Бросают сердца вожаку
И грудой бегут к леднику
. . . .
О, девушка, рада ли,
Что волосы падали
Рекой сумасшедших оленей,
Толпою в крутую и снежную пропасть,
Где белый белел воротничок?
В час великий, в час вечерний
Ты, забыв обет дочерний,
Причесала эти волосы,
Крылья белого орлана,
Наклонясь, как жемчуг колоса,
С голубой душою панна.
И, как ветер делит волны,
Свежей бури песнью полный,
Первой чайки криком пьяный,
Так скользил конец гребенки
На других миров ребенке...

Это не просто автопортрет и не просто антропоморфный пейзаж, это личность в единстве ее внешнего и внутреннего облика, данная как целый развернутый мир с горами, реками, водопадами, ледниками, несущимися оленями, кричащими чайками и т. д.— разнообразная, бурная, напряженная жизнь природы. Второй, метафорический план настолько конкретизирован, что уже как бы захлестывает первый план, выходя из рамок автопортрета. Только контекст поэмы дает нам опору, чтобы рассматривать этот образ именно в качестве лирики. Но достаточно сравнить этот отрывок, скажем, со стихотворением «На родине красивой смерти Машуке», где горный пейзаж написан как портрет, и не просто портрет, а именно портрет Лермонтова, чтобы понять всю относительность лирики и эпоса, личного и внеличного. Природа может являться как личность, и личность — как природа, в зависимости от смыслового строя.

Точно так же обстоит дело и с драмой, где становление личности, ее воля, стремление, борьба могут разворачиваться как во внеличном, так и во внутриличном «пространстве». В первом случае мы имеем эпическую драму, во втором — лирическую драму или монодраму. Но в большинстве пьес Хлебникова эти внешние и внутренние драматические пространства вполне отождествляются. И мы оказываемся в положении Ученого из его шуточной «фаустианской» драмы «Чертик» (1909):

«Ужас! Я взял кусочек ткани растения, самого обыкновенного растения, и вдруг под вооруженным глазом он, изменив с злым умыслом свои очертания, стал Волынским переулком, с выходящими и входящими людьми, с полузавешенными занавесями окнами, с читающими или просто сидящими друг над другом усталыми людьми; и я не знаю, куда мне идти: в кусочек растения под увеличительным стеклом или в Волынский переулок, где я живу. Так не один и тот же я там и здесь, под увеличительным стеклом в куске растения и ⟨в⟩ вечернем дворе? Вселенная на вопрошания мои тиха».

В этом отношении наиболее показательна стихотворная драма (или драматическая поэма) Хлебникова «Взлом вселенной» (1921). Исходный мотив ее мы находим в той же драме «Чертик»:

«А вот девушка, подходящая к пропасти, чтобы кинуть нечто, лежащее на ладони. Но! Это живое не только живое, но и целый народ. Да, он несом к пропасти, раздираемый междуусобиями».

В отличие от драмы Брюсова «Земля» и «Мистерии-буфф» Маяковского, с которыми «Взлом вселенной» постоянно перекликается, эта драма развертывается в нескольких пространствах, которые в одно и то же время вполне тождественны и совершенно различны. Если у Брюсова и Маяковского при всей фантастичности содержания художественная конструкция все же сохраняет предметную объективность и абсолютность данного драматического пространства, то здесь перед нами какая-то сплошная относительность: внешнее путем непрерывного перехода становится внутренним, а внутреннее внешним, как на ленте Мебиуса. Сутью сюжета как раз и оказывается это непрерывное переворачивание и выворачивание наизнанку драматических пространств.

Основное действие происходит одновременно в голове Ученика и в голове Девушки, но Девушка эта — не что иное, как Вселенная. Смысл драмы заключается в том, что чистым усилием мысли можно воздействовать на Мировую Волю. Мыслью, персонифицированной в драме в образах Воинов, берущих приступом «замок звезд» — «умный череп вселенной», можно выйти из себя и изменить судьбы мира.

Пришелец! ты ворвался
В этот мир
И, если ручку повернешь,

Спасешь любимую тобой коровку божью.
Может быть, красное существо — ваш народ
И ваша родина. Тогда умом и только мыслью
Спасение народу принесешь.
. . . .

Повернул. Готово.
Опять все то же в мире теневом.
Но жук положен на цветок,
И если это родина моя,
Она вновь спасена.

. . . .

Мама! у меня был сон тяжелый
И кто-то был сильней меня,
И волю мою изменил.
И божию коровку я спасла...

Вся эта мифопоэтическая фантастика, конечно, заставляет вспомнить и гераклитовскую Вечность — играющее дитя, и платоновскую Ананку — Необходимость, между колен которой вращается ось мира, и трех мойр, держащих в руках человеческие судьбы, и всю вообще пространственно-смысловую структуру античного космоса. Но главное, на что нужно обратить здесь внимание,— это сам принцип, который движет всей этой драматической машиной мифологического сознания.

В самом деле, как возможны все эти переходы, превращения, все эти «совмещения несовместимого»?

Все это возможно только потому, что перед нами чисто смысловые, умные пространства, чисто смысловым образом проникающие друг друга,— всеобщая мыслимая и мыслящая пластика бытия.

Я верю: разум мировой
Земного много шире мозга
И через невод человека и камней
Единой течет рекой,
Единою проходит Волгой,—

читаем мы в поэме «Синие оковы». *Синие оковы* — это сияющий круг умного неба, внешнего и внутреннего, это всеобщая небесная, световая, умная связь всех и всего, это, так сказать, свободная необходимость Природы, единая цепь превращений вселенского разума.

Для поэта весь мир есть единый, всепроникающий и всеохватывающий мировой Ум. В нем нет ничего внешнего, что не было бы в то же самое время внутренним, нет ничего объективного, что не было бы субъективным, ничего материального, что одновременно не было бы идеальным. И наоборот. Здесь всё есть всё, всё субъект-объектно, лично-внелично и т. д., короче говоря, всё есть Единое.

И это Единое — высшая, последняя, абсолютная реальность поэтического сознания. Перед нами как бы сам себя мыслящий, сам себя раскрывающий, сам себя рассказывающий мир. С какой бы стороны поэт ни подходил к изображению этого мира — то ли со стороны внеличного бытия, то ли со стороны личного существования, то ли со стороны становления личного во внеличном, предмет изображения не может быть дискретным и исключающим. Вопрос никогда не стоит так: или «я», или «не-я»; или внутренний мир человека, или внешний мир общества и природы. Эстетический объект всегда один и тот же — это весь мир во всей его принципиальной полноте и единстве. Эта простая истина должна была быть продумана и прочувствована до конца, чтобы возникла такая органическая эстетика и такая поэтика, поражающая интуитивной мощью и высочайшей сознательностью. В эстетической системе Хлебникова поэтическое выражение «я» всегда есть выражение «не-я», выражение «не-я» — всегда есть выражение «я», потому что поэт всегда говорит об Едином, но взятом с разных сторон или в разных его состояниях: лирическом, эпическом или драматическом.

3

Как же с такой точки зрения следует квалифицировать жанровую природу хлебниковского творчества?

Ввиду того, что у нас нет оснований говорить о каком-либо преобладании того или иного чистого жанра, казалось бы, сам собой напрашивается вывод о смешанном жанре его произведений. Но помимо теоретических возражений, возникают соображения историко-литературного порядка.

В самом деле, смешанный жанр был бы возможен тогда, когда бы существовала более или менее устойчивая традиция чистых жанров. Но к началу XX века в русской поэзии (в отличие от прозы) как раз такой отчетливой жанровой дифференцированности давно уже не было. Если, скажем, в эпоху романтизма смешанный жанр переживался с крайней остротой, воспринимаясь именно как нарушение жанровых констант, характерных для поэтики XVIII века, то уже после «Полтавы» и «Медного всадника» смешение эпического и лирического, напряженность переключения из плана в план потеряли актуальность. Смешанный жанр стал нормой. К началу же XX века русская поэма (за немногими исключениями) редуцировалась до неопределенной лирически-повествовательной формы, которая развивалась не за счет эпизации, а за счет прозаизации материала, с постоянной оглядкой на современную прозу. Поэтому указание на смешанный жанр хлебниковских поэм, как кажется, только увело бы в сторону от существа вопроса.

Новая русская поэзия рождалась на фоне авторитетнейшей прозаической, и прежде всего романной культуры XIX века. Недаром Блок всерьез говорил, что само присутствие в литературе Льва Толстого мешает ему писать. Для поэзии XX века несравненно важнее ее отношения с прозой, чем с предшествовавшей поэзией. Каждая поэтическая школа по-своему строила эти отношения, но задача у всех была одна: максимальная поэтизация. Хлебниковская эстетика определилась очень рано. Уже в декларативной статье «Курган Святогора» (1908) мы видим вполне сформированную общую эстетическую установку на мифологический синкретизм и, соответственно, «магическое» слово. В отличие от эстетики символизма, где поэтическое слово мыслилось полярным слову прозаическому и ориентировалось на музыку, мифопоэтическая эстетика Хлебникова требовала синкретического слова, не только не противопоставленного прозаическому слову, но включающего в себя все возможные языковые диалекты — и поэтический, и прозаический, и научный, и бытовой.

Основание для такого слова Хлебников видел в теории мнимых чисел:

«Конечно, правда взяла звучалью уста того, кто сказал: слова суть лишь слышимые числа нашего бытия. Не потому ли высший суд славобича всегда лежал в науке о числах? И не в том ли пролегла грань между былым и идутным, что волим ныне и познания от «древа мнимых чисел»?

Полюбив выражения вида $\sqrt{-1}$, которые отвергали прошлое, мы обретаем свободу от вещей.

Делаясь шире возможного, мы простираем наш закон над пустотой, то есть не разнотствуем с богом до миротворения» (НП, 321—322).

Наличный, существующий язык представлялся частным случаем языка мнимого, воображаемого, подобно тому как геометрия Эвклида является частным случаем «воображаемой геометрии» Лобачевского:

«И если живой и сущий в устах народных язык может быть уподоблен доломерию Эвклида, то не может ли народ русский

142

позволить себе роскошь, недоступную другим народам, создать язык — подобие доломерия Лобачевского, этой тени чужих миров?» (НП, 323).

Перед нами, конечно, не что иное, как ф и л о с о ф и я а б с о л ю т н о г о с л о в а. Над ней Хлебников много размышлял и неоднократно ее растолковывал. Вот одно из его разъяснений в статье «Наша основа» (1919):

«Слово делится на чистое и бытовое. Можно думать, что в нем скрыт ночной звездный разум и дневной солнечный. Это потому, что какое-нибудь одно бытовое значение слова так же закрывает все остальные его значения, как днем исчезают все светила звездной ночи. Но для небоведа солнце — такая же пылинка, как и все остальные звезды ⟨...⟩ Отделяясь от бытового языка, самовитое слово так же отличается от живого, как вращение земли кругом солнца отличается от бытового вращения солнца кругом земли. Самовитое слово отрешается от призраков данной бытовой обстановки и на смену самоочевидной лжи строит звездные сумерки ⟨...⟩ Можно сказать, что бытовой язык — тени великих законов чистого слова, упавшие на неровную поверхность» (СП, V, 229—230).

Астрономические и математические аналогии в учении о слове, разумеется, не случайны. Астрономия и математика или, вернее сказать, космология была моделью для хлебниковской теории слова, где космос слова мыслился вполне подобным космосу мира. Слово есть выражение мира, и поэтому оно не просто рассказывает о мире, но самой своей структурой изображает мир, оно изоморфно миру. Слово, собственно, и есть сам мир с точки зрения его осмысленного выражения. Но что такое этот бесконечный, разнообразный и единый мир, включающий в себя и живое, и неживое, и человека, и общество, и природу, содержащий в себе все, что было, и все, что будет, и все, что только можно вообразить; что такое этот мир, понятый, осмысленный и выраженный в слове? Очевидно, это и есть не что иное, как миф. И такое «чистое», «самовитое», абсолютное слово есть слово мифопоэтическое. Мифопоэтическое слово является выражением единства и полноты мира. И потому-то всякое художественное произведение принципиально содержит в себе все и раскрывается как актуальная бесконечность.

Совершенно ясно, что эпос, драма, лирика — это лишь разные стороны мифа. А следовательно, в общей эстетике Хлебникова нужно говорить не о раздельном эпическом, драматическом или лирическом слове и не о их смешении, а о разных сторонах, разных состояниях единого Слова. Если поэт берет мир со стороны единства и цельности, мы получаем его выражение в формах эпоса и лирики. В первом случае это будет внеличное единство, во втором — личное единство. Если же поэт берет мир не со стороны единства и цельности, а со стороны его множественности, раздельности, мы получаем драматические формы. С одной стороны, это будет лично становящаяся раздельная множественность, с другой — внелично становящаяся раздельная множественность[1]. Но все эти стороны или состояния мира существуют сразу все вместе, в нерушимом единстве. Каждый данный момент, выдвинутый на первый план, подразумевает и все остальные моменты.

Эстетика абсолютного слова неизбежно порождала о т н о с и т е л ь н о с т ь категории жанра. Никаких строгих дефиниций, незыблемо определяющих тот или иной жанр, в произведениях Хлебникова провести невозможно, наоборот, жанры свободно переходят путем непрерывного изменения один в другой во всех мыслимых сочетаниях. Так что любое произведение принципиально представляет собой какой-то о б р а т и м ы й ж а н р, который в зависимости от тех или иных условий оказывается и лирикой, и драмой, и эпосом.

С теоретической точки зрения все это нисколько не удивительно.

Такова и должна быть всякая мифопоэтическая эстетика и, в частности, теория жанров. Еще Новалис, как поэт и, в особенности, как мыслитель чрезвычайно близкий Хлебникову, писал: «Не являются ли эпос, лирика и драма только тремя различными элементами, которые присутствуют в каждом произведении,— и не там ли мы имеем собственно эпос, где всего лишь преобладает эпос, и так далее?»[2] Однако с точки зрения реального художественного конструирования вряд ли мы найдем еще у кого-нибудь с такой последовательностью и с такой пластикой осуществленный принцип жанровой обратимости. Здесь специфическая черта хлебниковской поэтики, в которой обратимые жанровые формы можно считать преобладающими и даже типовыми.

---

[1] Ср.: Л о с е в А. Ф. Диалектика художественной формы. М., 1927, с. 102, 103.
[2] Литературная теория немецкого романтизма. Л., 1934, с. 130.

Тем не менее все это отнюдь не снимает вопроса, почему же все-таки поэзия Хлебникова была воспринята именно как эпическая.

Попробуем подойти к этой проблеме с другой стороны. Возьмем для сравнения двух ближайших и значительнейших литературных современников, которых вместе с Хлебниковым можно рассматривать как своего рода эстетическую систему. Возьмем Блока и Маяковского.

Какова, прежде всего, основа для такого сравнения?

Когда мы читаем у Блока: «Я привык сопоставлять факты из в с е х о б л а с т е й ж и з н и, доступных моему зрению в данное время, и уверен, что в с е о н и в м е с т е создают е д и н ы й музыкальный напор» (СС, III, 297), то мы находим замечательное и совершенно точное определение не только блоковского, но и вообще мифопоэтического сознания, абсолютно законченное понимание мифа как концепции полноты и единства мира. Эту формулу (если понимать «музыку» в качестве всеобщего принципа единства) можно полностью отнести и к Хлебникову и к Маяковскому. В основе всех трех поэтических систем лежит одна и та же мифопоэтическая эстетика. Но реализации общей эстетической установки у них, разумеется, совершенно различны.

Поэтическое сознание, стремясь охватить мир во всей его полноте и единстве, приближается к нему с какой-то одной определенной стороны, выдвигая на первый план какой-то специфический момент, рассматривая его с какой-то доминирующей точки зрения. Или другими словами: поэтическое слово, стремясь выразить мир во всей его полноте и единстве, выражает его полностью, но с разной степенью выраженности различных его сторон и состояний. Иначе просто-напросто поэты ничем не отличались бы друг от друга. (Хотя здесь уместно вспомнить старый парадокс: чем крупнее поэты, тем больше они похожи друг на друга.) Ясно также и то, что охватить фактическую полноту мира невозможно.

Какова же специфика каждого из этих трех поэтов?

Не входя в детали и по необходимости огрубляя, в самом общем виде можно сказать так. Маяковский берет мир со стороны его вещественной определенности и качественной отчетливости, в момент его фактической завершенности, где субъект и объект, личное и внеличное предстают во всей своей самостоятельности и расчлененности. Это ощутимый, действенный, вещественно-фактический, ставший мир. У Блока в отличие от Маяковского мир взят в динамическом состоянии, в момент его алогического становления, иррационального воплощения, диалектического отрицания отрицания. Именно отсюда вырастало то «трагическое сознание неслиянности и нераздельности всего — противоречий непримиримых и требовавших примирения», о котором говорил поэт в предисловии к поэме «Возмездие» (СС, III, 296). В самом деле: что такое неслиянность? — Раздельность, множественность. Что такое нераздельность? — Слиянность, цельность. Формально как будто одно и то же, по существу же совсем иное. Та же самая раздельная цельность, что и у Маяковского, то же утверждение, но данное посредством двойного отрицания. На первый план выдвинуты не противоречия и не их примирение, а само требование примирения, «мужественное веяние», воля, стремление.

В противоположность и Блоку и Маяковскому Хлебников берет мир в его первозданной цельности, предшествующей всякому становлению и всякой завершенной раздельности, мир в его изначальном (или, что то же, в окончательном) всеобщем единстве. Это воображаемый, представляемый, потенциально возможный, энергийно-смысловой мир.

Потенция, то есть принципиальная возможность смыслового выражения мира, и энергия, то есть само это смысловое выражение, мыслятся в эстетике Хлебникова в полном единстве. Отсюда хлебниковская диалектика числа и слова и, в частности, его теория «числоимен».

Число и слово, как потенция и энергия, неотделимы друг от друга; слова — «звукомые числа», слышимые «числа бытия», числа — особый эстетически выразительный язык, «числовое письмо», сам поэт — «художник числа вечной головы вселенной».

Если у Маяковского мы видим отчетливое расчленение субъекта и объекта, если у Блока мы видим становление субъекта в объекте, личного во внеличном, то у Хлебникова — единство субъекта и объекта, субъект-объектное тождество. Если у Маяковского — простые и определенные «да» и «нет», если у Блока — ни «да», ни «нет», то у Хлебникова они слиты до полного неразличения.

Короче говоря, если Маяковский берет мир в его факти-

146

ческой осуществленности, если Блок берет мир в его иррациональном осуществлении, то Хлебников — в его принципиальной осуществимости.

Соответственным образом эстетическая специфика получает выражение в поэтическом слове. «Весомое, грубое, зримое» слово Маяковского властно требует еще большего воплощения в живом голосе поэта, в декламации, как бы стремясь выйти из себя в жест, в реальное действие. Двойственному «мерцающему» слову Блока всякая качественная определенность, всякая грубая материализация прямо противопоказана (недаром И. Анненский говорил о «белом голосе» Блока). А слову Хлебникова это совершенно безразлично, ибо ему достаточно самой возможности и чеканной оформленности и текучей неопределенности, и бесплотного движения и вещественного действия. Слово Хлебникова принципиально словесно и не стремится покинуть свою чисто смысловую стихию, тогда как слово Маяковского рвется в засловесное пространство, а слово Блока хочет вернуться в чистую длительность, в дословесную стихию.

Подобно тому как говорят о яркой живописности и монументальной скульптурности слова Маяковского или о напряженной музыкальности слова Блока, в отношении Хлебникова можно говорить о словесности слова, как бы погруженного в собственную глубину. Если словесное выражение, в отличие от живописного или музыкального, есть прежде всего внутреннее представление, то хлебниковское слово — это, так сказать, внутреннее внутреннего представления, слово слов, имя имен.

Прямым следствием особого типа поэтического слова является, конечно, так называемая литературная личность. Попытаемся представить себе образ Хлебникова по его художественным произведениям, и нам едва ли удастся свести его разнообразные ипостаси к одному «лицу». В то же время литературная личность или, как еще говорят, лирический герой Блока или Маяковского предстает перед нашим воображением с легкостью; более того — образы этих поэтов со временем выступают еще рельефней, существуют уже почти независимо от их литературного дела.

Хлебникова трудно отделить от его слова, рассказать о нем «своими словами», тогда как литературная личность Блока или Маяковского (при всем их различии) свободно выходит из текста, и в этом, конечно, особая сила их воздействия на читателя. «Но,— как писал Тынянов,— это и опасно. Может произойти распад, разделение,— литературная личность выпадет из стихов, будет жить помимо них; а покинутые стихи окажутся бедными»[1].

Для Хлебникова всегда существовала другая опасность: смысловая насыщенность его слова, не освещенная живым человеческим голосом, личным чувством, всегда затрудняла непосредственное восприятие даже тех произведений, в которых, несмотря на высокую степень объективации, лирическое содержание предстает совершенно наглядно,— достаточно вспомнить поэму «Поэт».

Таким образом, тип поэтического слова, с одной стороны, сказывается на характере литературной личности. С другой стороны, он определяет художественную символику поэта.

Если Блок берет мир со стороны его становления, осуществления, то совершенно естественно, что центральным моментом блоковского выражения является символ *пути*[2]. Если Маяковский берет мир как ставшее, осуществленное, то так же естественно, что центральным моментом у него оказывается символ *вещи*. Причем *вещь* (и все ее модификации) символизирует всякую материально-телесно оформленную единичность, подразумевающую разную степень воплощенности, материализованности смысла от простого предмета до живой личности.

Как же можно понять в этом ключе центральный момент хлебниковской эстетики? Очевидно, что это должна быть не *вещь* с ее материально-телесным принципом и не *путь* с его динамическим принципом, а нечто предшествующее всякому осуществлению и всякой осуществленности и вместе с тем содержащее в себе и осуществление и осуществленность, но только в виде возможности. Значит, мир, взятый со стороны его принци-

---

[1] Т ы н я н о в Ю. Архаисты и новаторы. Л., 1929, с. 545.

[2] Этот символ описан с исчерпывающей обстоятельностью и глубиной в исследовании Д. Е. Максимова «Идея пути в поэтическом сознании Ал. Блока» («Блоковский сборник». II. Тарту, 1972). Собранный им материал, охватывающий все творчество поэта, и сделанные им необходимые оговорки дают право прямо говорить, что «именно п у т ь Блока, содержание и смысл его пути и представляют собой главную, развивающуюся, динамическую идею» (с. 51). Но я бы все-таки говорил не об и д е е пути, а о с и м в о л е пути. Поскольку речь идет о мифопоэтическом сознании, то вернее и по существу и терминологически говорить именно о символе пути, а потому, разумеется, и обо всех его «идеальных» и «реальных», «формальных» и «содержательных» модификациях, и о пути как судьбе, и о пути как конструктивно-эстетическом принципе. Говоря лишь об идее пути, мы рискуем отвлечься от его конкретно-жизненного смысла. Уточнение это необходимо ввиду того, что исследование Д. Е. Максимова посвящено как раз символике мифопоэтического сознания.

пиальной осуществимости, должен получить выражение в каком-то потенциально-энергийном символе. Такой всеобщий символ мира, вполне соответствующий *пути* Блока и *вещи* Маяковского, мы находим в хлебниковской *молнии*. Если у Блока мир есть *путь*, если у Маяковского мир есть *вещь*, то хлебниковский мир есть *молния*. «Нужно помнить, что человек в конце концов молния, что существует большая молния человеческого рода — и молния земного шара» (СП, V, 240). *Молния* (со всеми ее мифопоэтическими модификациями: *огонь, свет, луч, взрыв* и т. п.) является у него и первообразом мира, и принципом всеобщего единства, и архетипом поэтического слова. В этом символе в свернутом, концентрированном виде содержится едва ли не все богатство хлебниковской эстетики. В конечном счете все его творчество было поэтическим постижением, художественным исследованием, творческим выражением молнийно-световой, или потенциально-энергийной, природы мира. Особенно важна в этом отношении сверхповесть «Сестры-молнии», где молния выступает не только как тема, не только как конструктивно-эстетический принцип, но и как действующее лицо. Хор сестер-молний представляет собой нечто вроде мирового фона трагедии человеческой истории или какой-то всепорождающей и всепоглощающей энергийно-смысловой стихии:

> — Сестры, сестры, вот мы, нагие,
> Снимем людей, бросимся вплавь.
> Синяя вечная молнии вьюга!
> Мы равны, мы похожи друг на друга.
> Кого я одену, какую судьбу?
> Судьей с законами в руке,
> Казненным юношей
> И с дерзкой песней
> Красивой жницей
> С серпом усталым на плече,
> Иль молотом, разбившим
> Седые глаза у божницы,
> Иль много любившим,
> Иль смехом волос на мече?
> Иль дурнем, что шепчет «бу-бу»?
> Где я небесней? где я чудесней?
>
> . . . .
>
> — Мы — молнии,
> Люди — молний лохани.
> Разнообразные ткани,
> Одежды, молитесь телам,
> Вечного моря волнам.
>
> . . . .

> — Мы — равенство миров, единый знаменатель.
> Мы ведь единство людей и вещей.
> Мы учим узнавать знакомые лица в корзинке овощей,
> Бога лицо.
> Повсюду единство мы — мира кольцо.
> Мыслители, нате!
> Этот плевок — миров столица,
> А я — веселый корень из нет-единицы.

В этой сверхповести иронически-насмешливый, шутовской V-1 — ее смысловой центр. Все разнообразие мира как бы выходит из единого, неразличимого, абсолютного центра и возвращается в него.

Это безумно-веселый, трагически-жестокий и божественно-блаженный, безначальный и бесконечный древний космос, прежде всего — пифагорейско-гераклитовский, где «всем правит Молния», заново открывающийся глазам XX века. Это тот же мир Блока и Маяковского, но увиденный не со стороны воплощающейся или воплощенной человеческой индивидуальности, а со стороны внеличного всеобщего единства. Скажем так: мир Маяковского — героический, мир Блока — демонический, мир Хлебникова — божественный. Мир Маяковского — это осязаемо-телесный, вещный мир действий и чувств личности, мир Блока — это динамический, самоотрицающийся мир воли и стремления «вочеловечивающейся» личности. Мир Хлебникова — внеличный энергийно-смысловой мир. Или проще: мир Маяковского — чувственный, мир Блока — волевой, мир Хлебникова — умный.

Все эти характеристики, разумеется, не имеют оценочного смысла. Во-первых, они в значительной мере относительны; если бы мы взяли те же имена в других сопоставлениях, то их характеристики соответственно были бы иными[1]. Во-вторых, мы не должны забывать, что перед нами разные стороны одного и того же мира, так сказать, тройственный лик единой эстетической эпохи. И в-третьих, мы стремились опре-

---

[1] Ср., например, статью Цветаевой «Эпос и лирика современной России. Владимир Маяковский и Борис Пастернак». Если взять в этом же ряду и Цветаеву (а это, несомненно, подразумевается), то, конечно, можно говорить об эпичности Маяковского, лиричности Пастернака и драматичности Цветаевой. Но в каком смысле? Очевидно, только относительно лирики, только в сфере чувства и чувствования. Поэтому с более общей точки зрения нужно говорить об эпической лирике Маяковского, драматической лирике Цветаевой и, так сказать, лирической лирике Пастернака.

делить доминирующие, но не исключающие других черты каждого поэта. Задача ведь состоит в том, чтобы возможно рельефнее выделить специфику каждой эстетической системы.

Как же выглядит жанровая природа поэта в свете его эстетической специфики?

В художественном наследии Блока и Маяковского точно так же, как и у Хлебникова, мы найдем и эпос, и лирику, и драму в их чистом виде и в различных комбинациях. Так что внешне и формально никакой разницы жанровой природы в произведениях этих поэтов как будто и нет. С этой точки зрения, очевидно, решить проблему жанра в поэзии XX века невозможно. Напротив, с точки зрения внутренней, в аспекте эстетической специфики различия поэтических систем выступает наглядно.

Следовательно, жанровая проблема требует изучения, во-первых, с точки зрения общей эстетики, во-вторых, с точки зрения специальной эстетики, то есть поэтики. В первом случае мы получаем ж а н р о в ы й п р и н ц и п, во втором — конкретное ж а н р о в о е о ф о р м л е н и е, или воплощение принципа.

Такой подход заставляет в некоторых случаях отказываться от привычных, но поверхностных представлений. Так, например, несмотря на то что в жанровом конструировании Блока безусловно преобладают лирические формы, тем не менее основное с о д е р ж а н и е его лирики, как и всего творчества вообще, драматично. Не случайно свою лирику Блок называл «трилогией вочеловечивания», то есть историей становления личности, ее воли и стремления. А это и есть жанровый принцип драмы. Высшее состояние мира, когда и мир и человек раскрываются во всей полноте, для Блока всегда драматическое состояние, момент «нераздельности и неслиянности всего». В этом отношении наиболее характерна его поэма «Двенадцать», где драматический принцип парадоксально реализуется в отрицании и эпоса и лирики. С внешней точки зрения в этой поэме находили даже целый жанровый синтез, тогда как на деле структура поэмы антитетична.

У Маяковского реализация жанрового принципа прямее и определеннее. Высшее состояние мира для него — это всегда лирическое состояние. Какой бы степени эпизации ни достигало его слово, оно редко выходило за пределы лирических жанров. Тынянов писал, что «стихия его слов враждебна сюжетному эпосу», что «своеобразие его большой формы как раз в том и состоит, что она не «эпос», а «большая ода», и что

151

«самый гиперболический образ Маяковского... — сам Маяковский»[1].

В сравнении с Блоком и Маяковским со всей очевидностью выступает эпический принцип Хлебникова. Независимо от того или иного жанрового оформления содержанием его поэзии в конечном счете всегда оказывается эпическое состояние мира, то есть внеличная данность, чистая взаимосвязанность и взаимоотнесенность смысла.

В целом к Хлебникову вполне применима характеристика, которую дает Гегель раннефилософским поэтам античности: «Содержанием здесь является Единое, которое в противоположность всему становящемуся и ставшему, особенным и отдельным явлением, есть нечто непреходящее и вечное. Ничто особенное уже не удовлетворяет дух, стремящийся к истине и представляющий ее мыслящему сознанию вначале в ее абстрактнейшем единстве и первородности»[2].

Хлебниковское слово, изначально эпическое, всегда тяготело к эпическому жанровому оформлению. Но именно в силу его отвлеченно-смысловой природы и потенциально-энергийной неистощимости оно редко оформлялось в чистый жанр. «Жанр создается тогда,— писал Тынянов,— когда у стихового слова есть все качества, необходимые для того, чтобы, усиливаясь и доводясь до конца, дать замкнутый вид. Жанр — реализация, сгущение всех бродящих, брезжущих сил слова. Поэтому новый убедительный жанр возникает спорадически. Только иногда осознает поэт до конца качество своего слова, и это осознание ведет его к жанру. (Этим и был силен Пушкин. В «Евгении Онегине» вы видите, как своеобразие стихового слова проецируется в жанр, как бы само создает его.) Незачем говорить, что это качество стихового слова, которое, сгущаясь, осознаваясь, ведет к жанру, не в метре, не в рифме, а ⟨в⟩ том смысловом своеобразии слова, которым оно живет в стихе. Поэтому XVIII век мог создать только шуточную стихотворную повесть, поэтому XIX век мог дать только пародическую эпопею»[3].

Чем богаче внутренние силы слова, тем труднее конструируется замкнутый и однозначный жанр. Хлебниковское абсолютное слово потому и порождало относительный жанр, что в нем свободно являлась его универсальная природа. Однако,

[1] Тынянов Ю. Ук. соч., с. 555, 556.
[2] Гегель Г. В. Ф. Эстетика, т. III. М., 1971, с. 424.
[3] Тынянов Ю. Ук. соч., с. 574.

когда эпический принцип находил соответствующее эпическое жанровое воплощение, это давало исключительную энергию выражения. Так возник хлебниковский эпос эпохи войн и революций. Но для этого нужно было не только особое поэтическое сознание, но и отвечающая ему действительность. (См. главу 6.)

Жанр вообще оказывался у Хлебникова не готовой и замкнутой формой, а прежде всего творческим процессом, смыслообразующим движением. Первостепенное значение в его поэтике получал метод построения сюжета как процесс реализации жанрового принципа, что особенно наглядно в его драматических произведениях.

О РИСУНКЕ И СЛОВЕ

«У художников глаза зоркие, как у голодных»,— заметил однажды Хлебников. Но у него самого глаза были иные. «У него глаза,— говорил Давид Бурлюк,— как тернеровский пейзаж». И хотя Хлебникова рисовали Б. Григорьев, В. Бурлюк, П. Филонов, В. Татлин, П. Митурич, этот пристальный и в то же время сквозящий и как бы невидящий или, вернее сказать, ясновидящий взгляд поэта лучше всего, кажется, передает его автопортрет 1909 года. Он занимает центральное положение в хлебниковской графике. Лишь соотносительно с ним найдем мы ту точку зрения, с которой можно понять его рисунки. Даже если бы у нас был один только этот автопортрет, мы вправе были бы говорить о графике Хлебникова. Перед нами не просто самоизображение, но именно автопортрет поэта, в котором поразительно внешнее и еще больше внутреннее сходство. Через «образ поэта» нам открывается и особый строй хлебниковской поэзии. В этом смысле его можно было бы назвать автопортретом поэтического слова.

Такое сближение изображения и слова свойственно было многим современникам Хлебникова (вспомним хотя бы рисованные дневники Ремизова, «стихокартины» Каменского, идеографические плакаты Маяковского), да и вообще всей эпохе, которая, по убеждению поэта, ознаменована была «победой глаза над слухом»[1]. Никогда в истории русского искусства живопись и поэзия не сходились так тесно. Причем ведущая роль тут принадлежала изобразительному искусству, и, может быть, раньше других это осознал Хлебников. «Мы хотим, чтобы слово смело пошло за живописью» (НП, 334),— писал он. Искусствовед Б. Денике вспоминал, как в 1912 году вместе с ним и Маяковским, рассматривая картины щукинского собрания, «Хлебников проводил аналогии между новой французской живописью и своими формальными исканиями в области поэтического языка»[2].

И нередко источник замысла тех или иных его литературных произведений мы находим именно в изобразительном искусстве, разумеется, не только в новом и не только во французском. Так, стихотворение в прозе «Искушение грешника»

---

[1] См.: Д у г а н о в Р. Рисунки русских писателей XVII — начала XX века. М., 1988.

[2] «День поэзии. 1975». М., 1975.

(1908) связано с разработкой того же сюжета в искусстве (М. Шонгауэр, И. Босх, П. Брейгель, Ж. Калло). Так, замысел его сверхповести «Дети Выдры» (1913) восходит к картине А. Савинова «Купание», а замысел драматической поэмы «Гибель Атлантиды» (1912) — к картине Л. Бакста «Древний ужас». И так далее. Конечно, пока еще далеко не всегда мы можем определить прямой живописный источник некоторых его произведений, хотя их зрительная основа совершенно очевидна, как, скажем, в его стихотворении, построенном на звуко-цветовых соответствиях, «Бобэоби пелись губы...» (см. Отступление 3).

Имеется ли тут в виду какой-то определенный портрет или же перед нами вообще Лицо Природы, то «великое многообразие», которое было постоянным предметом его размышлений,— «оно подняло львиную голову и смотрит на нас, но уста его сомкнуты»? (НП, 30). Ответа на этот вопрос у нас пока нет. Но в тех случаях, когда мы знаем исходные живописные впечатления, мы можем оценить адекватность изображения и слова, как, например, в стихотворении «Бурлюк» (1921), где через слово мы видим сразу и художника и его живопись и получаем даже целую концепцию его творчества:

Перед невидящим глазом
Ставил кружок из стекла
Оком кривой, могучий здоровьем, художник.
Разбойные юга песни порою гремели
Через рабочие окна, галка влетала, увидеть в чем дело.
И стекла широко звенели
На бурлюков «хо-хо-хо!».
Горы полотен могучих стояли по стенам.
Кругами, углами и кольцами
Светились они, черный ворон блестел синим клюва углом.
Тяжко и мрачно багровые и рядом зеленые висели холсты,
Другие ходили буграми, как черные овцы волнуясь,
Своей поверхности шероховатой, неровной.
В них блестели кусочки зеркал и железа.
Краску запекшейся крови
Кисть отлагала холмами, оспой цветною.
То была выставка приемов и способов письма
И трудолюбия уроки.
И было все чарами бурлючьего мертвого глаза.

Большую часть сознательной жизни Хлебников провел среди художников. С ними он был связан несравненно ближе и дружественней, чем с литераторами. Художницей была его младшая сестра Вера; в разные годы он был близок с Борисом Григорьевым, братьями Бурлюками, Еленой Гуро и Михаилом Матюшиным, Натальей Гончаровой, Павлом Филоновым, Вла-

Илл. 7

димиром Татлиным, Марией Синяковой; его последним другом был Петр Митурич. Да и Маяковский и Крученых, ближайшие его литературные соратники, были профессиональными художниками. Сама обстановка мастерской, где работа неотделима от дружеского общения, а искусство от быта, отвечала его характеру больше, чем обстановка литературного салона или поэтического диспута. Он не любил городской жизни и всегда лучше чувствовал себя в лесу, в горном ущелье, на берегу моря. А живопись, да и сами художники гораздо больше, чем литераторы или музыканты, сохраняли непосредственную связь с природой, с натурой. И мастерские художников казались ему, вероятно, какими-то заповедниками вольной природы в чужом и враждебном городе.

Творчество вообще, и в первую очередь живопись, было для него «явлением природы». Недаром такое «явление» и даже «восстание» природы в его стихотворной драме «Маркиза Дэзес» (1909) начинается с того, что на вернисаже оживают картины и статуи, а люди, наоборот, каменеют и превращаются в какие-то потусторонние изваяния. Превращение или, вернее сказать, выворачивание наизнанку и как бы обнажение сущности из-под внешней видимости является важнейшим свойством его поэтического слова. И то же самое «оборотничество» мы угадываем в его изобразительных опытах. В книге воспоминаний Б. Лившица «Полутораглазый стрелец» есть замечательная сцена, действие которой происходит зимой 1913—1914 годов в мастерской Ивана Пуни, женой которого — Ксенией Богуславской — Хлебников был молчаливо и мучительно увлечен: «Вдруг ⟨...⟩ Хлебников устремился к мольберту с натянутым на подрамок холстом и, вооружившись кистью, с быстротою престидижитатора принялся набрасывать портрет Ксаны. Он прыгал вокруг треножника, исполняя какой-то заклинательный танец, меняя кисти, мешая краски и нанося их с такой силой на полотно, словно в руке у него был резец. Между Ксаной трех измерений, сидевшей рядом со мной, и ее плоскостным изображением, рождавшимся там, у окна, незримо присутствовала Ксана хлебниковского видения, которою он пытался овладеть на наших глазах. Он раздувал ноздри, порывисто дышал, борясь с ему одному представшим призраком, подчиняя его своей воле, каждым мазком закрепляя свое господство над ним ⟨...⟩ Наконец Велимир, отшвырнув кисть, в изнеможении опустился на стул. Мы подошли к мольберту, как подходят к только что отпертой двери. На нас глядело лицо, довольно похожее на лицо Ксаны. Манерой письма портрет отдаленно напоминал — toutes proportions gardées* — Ренуара, но отсутствие «волюмов» — результат неопытности художника, а может быть, только его чрезмерной поспешности,— уплощая черты, придавало им бесстыдную обнаженность. Забывая о технике, в узком смысле слова, я видел перед собою ипостазированный образ хлебниковской страсти. Сам Велимир, вероятно, уже понимал это

---

* При всей условности такого сравнения *(франц.)*.

157

Илл. 8

и, как бы прикрывая внезапную наготу, прежде чем мы успели опомниться, черной краской густо замазал холст»[1].

Если оставить в стороне излишнюю беллетристичность мемуариста, сцена эта многое объясняет в хлебниковском творчестве. Между поэтом и его моделью присутствовало некоторое внутреннее представление, как бы оборотная сторона медали, и это «видение» оказывалось ближе к «натуре», чем ее внешний облик. В его лирике тех дней образ Ксении Богуславской настойчиво связывался с образом Мавы — злого духа славянской мифологии (по разъяснению Хлебникова — «спереди это прекрасная женщина или дева, лишенная одежд, сзади — это собрание витых кишок» — НП, 448). И, как мож-

---

[1] Л и в ш и ц Б. Полутораглазый стрелец. Л., 1989, с. 524—525.

но догадываться, именно эту страшную обнаженность призрака Хлебников замазал черной краской.

Некоторое представление о характере такого «оборотнического» образа может дать рисунок, находящийся в черновиках последней хлебниковской поэмы начала 1922 года, изображающий Маву, причем сразу в двух ее обликах — прекрасном и страшном, и замечателен тем, что схватывает сам момент «оборачивания».

Вообще же случай, рассказанный Б. Лившицем, напоминает о судьбе других, не дошедших до нас, «неведомых шедевров» Хлебникова. Современники высоко ценили его рисунки, собирали и по-своему даже «канонизировали» их. Уже в 1910 году на выставке «Треугольник» экспонировалась рукопись и рисунки Хлебникова из собрания Д. Бурлюка. Его работы были также в собраниях Н. Евреинова, Ю. Анненкова, Ю. Соколова и других, и почти все они по разным причинам были утрачены, или, во всяком случае, местонахождение их неизвестно. (Одна из таких утрат — великолепный рисунок Хлебникова 1915 года к его повести «Ка». См. на форзаце.) И те несколько десятков его работ, которые сохранились, не скрытые, так сказать, черной краской времени и которые мы сейчас знаем,— только часть его изобразительного наследия, и, может быть, не лучшая.

Серьезные и систематические занятия Хлебникова рисунком и живописью относятся к 1901—1903 годам, то есть ко времени его пребывания в последних классах гимназии. Его домашними учителями были художники П. Беньков и Л. Чернов-Плесский; тогда же он, по-видимому в качестве вольнослушателя, посещал рисовальный класс Казанской художественной школы. Об этом периоде можно судить по его учебным работам: рисованной с гипса голове старика и портрету кучера, служившего у его отца Владимира Алексеевича Хлебникова (см. Приложение 1, илл. 4). По окончании гимназии, летом 1903 года, он особенно увлеченно занимался живописью в деревне Белой неподалеку от Казани. Сохранившиеся в семье небольшие пейзажные этюды свидетельствуют о его склонности к мелкому и тонкому письму (что впоследствии он называл «мелкопись» и «невеличкопись»), передающему мягкую наполненность как бы рассредоточенного пространства. В них чувствуется пристальное и несколько рассеянное вглядывание в натуру[1].

В то же время в заметках о «детском рисовании в живопи-

[1] См. сб. «Панорама искусств», вып. 10. М., 1987, с. 352—353.

си» он размышлял о других возможностях изобразительного искусства: «Стилизованное направление в живописи с перенесе⟨нными⟩ в не⟨го⟩ детскими приемами рисования. Об иллюстрациях детских книг первого возраста. Проводится мысль, что ребенок воспринимает в рисунке лишь самое существенное, остальное для него — излишний балласт. ⟨Минимум энергии⟩ как общие ⟨правила⟩ иллюстратор⟨а⟩. Сходство с живописью дикарей, первобыт⟨ных⟩ народов, доисторического человека» (ГПБ, ф. 1087, № 34).

К тому же времени относится и большой, представительный, «репинский» портрет отца, задуманный, очевидно, для демонстрации собственных живописных успехов[1]. Отец, несомненно, поощрял эти занятия. Он и сам не чужд был прикладного рисования (сохранились его этнографические зарисовки, сделанные в Калмыкии), много занимался составлением орнитологических коллекций и выделкой чучел, что, конечно, требовало известного пластического чувства. Эти навыки он стремился передать сыну, готовя его к работе натуралиста. Орнитология с раннего детства стала одним из самых сильных увлечений Хлебникова. Ей посвящены и его первые научные публикации и его самостоятельная экспедиция на Урал, в Павдинский край. В заметках о жизни «среди северных гор», где «старинные села времен Иоанна Грозного рассеяны в ущельях», сохранился прекрасный пейзажный набросок, зрительно закреплявший эти впечатления (см. Приложение 1, илл. 5).

Неудивительно, что уже в раннем полудетском рисунке 1900 года, явно подражающем ходовым журнальным иллюстрациям конца века, зарисовки птиц заметно выделяются точностью и знанием дела (см. Приложение 1, илл. 3). Если в его учебных рисунках видна несомненная одаренность, но не чувствуется самостоятельного художественного задания, то во всех хлебниковских изображениях птиц мы угадываем наблюдательный взгляд натуралиста и, что для нас еще важнее, органическое понимание всей этой мелкой, порхающей, щебечущей, мимолетной и вечной жизнедеятельности. Тут начало и исток его самостоятельности — и как исследователя природы и как поэта. В конце жизни в сверхповести «Зангези» (1922), возвращаясь к своему детству, он вспоминал себя мальчиком-птицеловом с клеткой. Да и сам он, как почти единодушно вспоминают современники, похож был на большую задумчивую птицу.

---

[1] См. сб. «Панорама искусств», вып. 10. М., 1987, с. 352—353.

Илл. 9

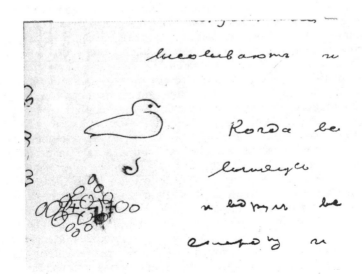

Илл. 10

И как нахохленная птица,
Бывало, углублен и тих,
По-детски Хлебников глядится
В пространство замыслов своих,—

писал Сергей Спасский.

Поэтому его рисунок совы, восседающей на книгах, сделанный с какой-то особой впечатляющей значительностью, можно считать чем-то вроде эмблемы хлебниковского творчества, соединявшего мудрость природы с мудростью культуры. Нечто подобное он, вероятно, представлял себе, когда в наброске статьи о памятниках, которые следует поставить на Руси, предлагал воздвигнуть в Киеве памятник Русскому Языку — «в виде мирно сидящих орла и соловия, и лебедя на престоле из мраморных изваяний книг Пушкина, Льва Толстого».

К началу десятых годов Хлебников далеко уже отошел от естественнонаучных занятий, оставил университет и полностью отдался своему поэтическому призванию. Для отца его это был, надо думать, жестокий удар. Тем более что после выхода «Пощечины общественному вкусу» (1912) имя Хлебникова вместе с именами Бурлюков, Крученых и Маяковского замелькало почти во всех газетах в сопровождении весьма нелестных оценок, а часто и откровенных издевательств. Складывавшиеся из-за этого в семье тяжелые отношения, доходившие до полного разрыва, отражает, по-видимому, портретный набросок отца, сделанный карандашом по памяти в записной книжке (см. Приложение 1, илл. 6). Если сравнить его с ранним отцовским портретом, вся разница изменившихся отношений будет совершенно наглядна. В несобранности черт карандашного наброска мы видим не только облик постаревшего отца, но и угадываем сложность и смятение чувств самого поэта, о чем свидетельствуют и его дневниковые записи (май 1914) «...почувствовал жалость к отцу и встал на семейную точку зрения» (СП, V, 328).

Самым близким в семье человеком для него была сестра Вера. Она единственная, кто не присоединялся к «семейной дрожи за потрясение основ» (СП, V, 293). И в ее портрете чувствуется эта особая душевная и домашняя близость. Он рисовал сестру с любовным вниманием, подчеркивая в ее облике столь милые его сердцу восточные черты, так что Вера Хлебникова здесь даже чем-то напоминает образ юной калмычки из повести «Есир»: «Вот она повернула голову, и вся миловидность Китая сказалась на темном лице ⟨...⟩ Она помнила,

162

Илл. 11

что девушка должна быть чистой, как рыбья чешуя, и тихой, как степной дым».

Вообще портретные рисунки Хлебникова часто позволяют восстановить и его отношение к портретируемому, и всю ситуацию, в которой возник рисунок. Таков, например, портрет Алексея Крученых, относящийся к 1913 году, то есть к поре наибольшего их сближения, когда совместно ими была издана поэма «Игра в аду» (первое издание с иллюстрациями Н. Гончаровой, 1912) и готовилось ее второе издание (вышло в 1914 году с иллюстрациями О. Розановой и К. Малевича). Вспоминая об этом времени, Хлебников писал в стихотворении «Алеше Крученых»:

> Игра в аду и труд в раю —
> Хорошеуки первые уроки.
> Помнишь, мы вместе
> Грызли, как мыши,
> Непрозрачное время —
> Сим победиши!

Стихотворение это, датированное 26 октября 1920 года, было написано в Баку, куда Хлебников незадолго перед тем приехал из Харькова. В Баку он встретился с Крученых и Сергеем Городецким, с которыми не виделся несколько лет, и они, надо думать, вместе вспоминали начальную эпоху футуризма и первое издание «Игры в аду», к которому имел отношение и Городецкий — ему принадлежала единственная одобрительная рецензия на эту поэму. Вслед за Хлебниковым Городецкий также обращался к Алексею Крученых:

> Хоть не сторонник я круч оных,
> Где разгулялись вы, Крученых,
> Но, затащивший в ели мир,
> Мне люб лохматый Велимир.
> Есть в футуристах furor истый
> И турят пошлость футуристы,
> Взыскуя будущего тлю.
> Я ж настоящее люблю.

К последним строкам Хлебников сделал очень точное ироническое примечание: «Из Крылова — «а я, приятель, сед»[1]. Дело в том, что, несмотря на дружескую встречу и приятные воспоминания, несмотря на помощь, которую ему оказывали (Городецкий заведовал художественным отделом Бакроста, где сотрудничал и Крученых и где нашлась работа и для Хлебникова), Хлебников ясно понимал, что их человеческие и литературные судьбы разошлись достаточно далеко. Между 1913 и 1920 годами пролегла целая эпоха, и подвижнический путь в поэзии увел его от прежних друзей. Об этом как раз и говорил двойной портрет Городецкого и Крученых, сделанный в те же дни и, по всей вероятности, там же, в Бакроста.

Собственно, это был портрет Городецкого, к которому пририсован «подвернувшийся» Крученых. Но в таком сосед-

---

[1] Записная книжка Велимира Хлебникова. М., 1925, с. 9.

Илл. 12

стве очень верно схваченный размашистый, самолюбивый и лукавый характер Городецкого и неверный, ускользающий и почти призрачный облик Крученых как бы взаимно освещали друг друга. (См. Приложение 1, илл. 8.)

Еще более откровенный и даже прямо беспощадный портрет Крученых мы находим в стихотворении Хлебникова конца 1921 года, написанном одновременно со стихотворением «Бурлюк».

Лондонский маленький призрак.
Мальчишка в 30 лет, в воротничках,
Острый, задорный и юркий,
Бледного жителя серых камней
Прилепил к сибирскому зову на «чоных».
Ловко ты ловишь мысли чужие,
Чтоб довести до конца, до самоубийства.
Лицо энглиза крепостного
Счетоводных книг,
Усталого от книги.
Юркий издатель позорящих писем,
Небритый, небрежный, коварный,
Но девичьи глаза.
Порою нежности полный.
Сплетник большой и проказа,
Выгоды личной любитель.
Вы очаровательный писатель —
Бурлюка отрицательный двойник.

Здесь, как и всегда, поэт мыслил не отдельными образами, а их соотношениями и неслучайными связями, и образ Крученых оказывался как бы оборотной стороной Бурлюка.

Летом 1920 года Хлебников, живший тогда в Харькове, вдали от ближайших литературных друзей, размышляя о природе этих связей, задавался вопросом: «Существуют ли правила дружбы? Я, Маяковский, Каменский, Бурлюк, может быть, не были друзьями в нежном смысле. Но судьба сплела из этих имен один веник. И что же?» (СП, V, 269). Ответ на этот вопрос, как явствует из сопровождавших его вычислений, он искал в числовых закономерностях дат их рождений, чтобы понять не бытовую, а поэтическую, «звездную», как он говорил, их связь. И тут же, в той же записной книжке, рисовал профиль Маяковского. Внешне он мало похож и, если бы не строки из стихотворения «Наш марш», записанные под рисунком, мы, пожалуй, узнавали бы его не без труда. Перед нами, конечно, не столько портрет Маяковского, сколько образ его «весомой, грубой, зримой» стиховой речи или, вернее сказать, его стихового голоса. Позже, в той же поэме 1922 года, в черновиках которой сохранился рисунок Мавы, Хлебников писал о Москве:

Любит поэта, но какого?
Чей голос гнет пятак и выпрямляет подковы
. . . .
. . . . пророка,
Что ломал хребты
Привычных детских слов
Могучим голосом,
Похожим на объятья лап
Пещерного медведя,

Илл. 13

Чей резал толпы
Железный подбородок,
Как ледокол
Установившихся понятий,
Трещала льдина дум.

Так услышанный и увиденный образ Маяковского в представлении Хлебникова, очевидно, многими чертами перекликался с образом Владимира Татлина. Два портрета Татлина — графический и стихотворный, написанные Хлебниковым в 1916 году, рисуют почти такой же напряженный, трагический и пророческий образ художника — «живописца своего нечеловеческого времени»:

Татлин, тайновидец лопастей
И винта певец суровый,
Из отряда солнцеловов.
Паутинный дол снастей
Он железною подковой
Рукой мертвой завязал
В тайновиденье щипцы.
Смотрят, что он показал,
Онемевшие слепцы.
Так неслыханны и вещи
Жестяные кистью вещи.

Речь тут, разумеется, идет не только о татлинских живописных рельефах и контррельефах, которые поражали воображение современников на организованной Татлиным в марте 1916 года выставке «Магазин». Речь идет вообще о судьбе художника, задумавшего властной рукою разрушать и переделывать земной мир и сознающего всю тяжесть и ответственность своего долга. Именно так сознавал свою судьбу и сам поэт (см. Приложение 1, илл. 7).

Из всех портретных рисунков Хлебникова этот портрет Татлина, может быть, наиболее близок к хлебниковскому автопортрету 1909 года, с которого мы начали. Возвращаясь теперь к нему и сравнивая его с портретом Татлина, мы замечаем их несомненное и внешнее и внутреннее родство и столь же несомненное различие и даже противоположность. Их соотношение можно было бы определить как противоположность «земного долга» и «небесной свободы». Если портрет Татлина скован, связан и закрыт, то автопортрет, напротив, насквозь открыт и прозрачен. В нем действительно есть что-то пейзажное, но это, конечно, пейзаж не земной, а небесный или, лучше сказать, воздушный. Он как бы плывет, меняется и движется, как движутся в небе облачные громады, отчетливые в каждое мгновение и неуловимо меняющиеся. Так написан портрет Лермонтова в стихотворении Хлебникова «На родине красивой смерти — Машуке...»:

И в небесах зажглись, как очи,
Большие серые глаза.
И до сих пор живут средь облаков,
И до сих пор им молятся олени,
Писателю России с туманными глазами,
Когда полет орла напишет над утесом
Большие медленные брови.

москвин 1913

Илл. 14

В автопортрете 1909 года наиболее ясно видно то, что так или иначе присутствует в большинстве рисунков Хлебникова. Это — возможность изменения, внутреннего превращения и «оборачивания». Линия здесь не столько рисует, сколько устанавливает какие-то соответствия между внешним и внутренним, намечая их взаимопереходы. Поэтому взгляд здесь обращен не вовне и не внутрь — это «взгляд в себе», внутренний взгляд. Поэтому и губы здесь не говорят, но и не молчат, а как бы наполнены словом. И рисунок предельно сближается с поэтическим словом как внутренним представлением, являясь его зримым образом.

Тогда, в 1909 году, испытав уже первые литературные успехи и первые неудачи, Хлебников полностью осознавал свое поэтическое призвание и, рисуя этот удивительный автопортрет, сопровождал его еще более удивительной надписью: «Заседание общества изучения моей жизни». И сейчас к нему вполне применимы слова Хлебникова, сказанные позже и по другому поводу, но для нас совершенно точно определяющие значение автопортрета: «Таким я уйду в века...»

В рисунках Хлебникова, как и вообще в графике писателей, самые своеобразные явления возникают как раз на пересечении изображения и слова. С такой точки зрения особый интерес вызывают рисунки поэта в ранних словотворческих рукописях. Здесь наиболее обширная и значительная область его изобразительного творчества. Она же и труднее всего поддается анализу, прежде всего ввиду своего пограничного положения. Сколько-нибудь подробное ее рассмотрение увело бы нас слишком далеко в поэтику, философию и психологию хлебниковского творчества. Поэтому здесь я ограничусь лишь несколькими примерами и некоторыми вводными замечаниями.

В отличие от хлебниковских пейзажей, портретов, автоиллюстраций, большей частью, как мы видели, существующих самостоятельно или параллельно тексту, такая — условно назовем ее — поэтическая графика совершенно неотделима от текста. Начертание и слово образуют здесь единое целое или, вернее сказать, обнаруживают единую природу. Изображение складывается из тех же элементов, что и начертание буквы и слова. В его основе те же штрихи, завитки, росчерки, помарки, кляксы, точки и многоточия. Такая графика, подобно знаменитым пушкинским рисункам, прямо вырастает из почерка. Но отличие хлебниковской графики в том, что она как бы предшествует слову, она дословесна и напоминает какое-то пение, еще не оформившееся в артикулированные звуки

Илл. 15

речи. Это как бы музыка почерка. (Ср. характерное замечание Хлебникова по поводу печатного текста его поэмы «Шаман и Венера»: поэма «вышла грубой и плоской. В рукописи ее спасал красивый почерк». НП, 364.) Поэтому зачастую такая графика беспредметна, но она как бы заряжена возможностью фигуративного и образного оформления (см. Приложение 1, илл. 2).

Вот, например, одна из обычных хлебниковских рукописей словотворческого периода, содержащая образцы его неологизмов и набросок стихотворения. На первый взгляд в верхней части листа мы видим как будто беспорядочно разбросанные записи различных новых слов. Однако внимательное их сопоставление убеждает нас в том, что характер и расположение их на листе не беспорядочны и не случайны и что все эти слова (*думошь, сиявое, сиявица, красочий, доброчий, злобочий, слабочий, охочий, писавица, знаймо*) связываются особыми пространственно-смысловыми отношениями, в результате чего возникает своего рода поэтический супрематизм. Затем отдельные слова вступают в более тесные связи, образуя словосочетания; далее в них намечается ритмическая упорядо-

171

ченность, создающая стиховые ряды. Таким образом из слова (*умночий*) рождается поэтический образ (*Умночий сияний межзвездных*), который в свою очередь развертывается в лирический сюжет:

> Умночий сияний межзвездных,
> Низлетев,
> Мне подал разверзстую книгу
> Досмертных письмен, что прочерчены роком,
> Что не ведала ржа
> И не ведает лжа.
> Узрел роковые завитки.
> Что сталось со мною?
> Упал и рыдал.
> В тиховейности полей
> Я только рыдал,
> Я только рыдал.
> Иное что было в моготе?

В третьей строке первоначально вместо слова *книгу* стояло какое-то другое слово. Оно тщательно зачеркнуто, и прочитать его невозможно. Но из зачеркивания этого слова возник и разросся рисунок, тут же получивший разъяснительную надпись: *чертеж домира*. Это, очевидно, и есть не что иное, как изображение смысла зачеркнутого слова, и рисунок таким образом выступает в качестве эквивалента текста, в качестве графического «слова». В данном случае особенно интересно, что «чертеж домира» как раз и является пространственно-смысловым центром всего листа. Из этого центра, из этих «роковых завитков» как бы выходит и развертывается вся его графика.

Что же такое эти «роковые завитки», «досмертные письмена», этот «чертеж домира»? По-видимому, мы не ошибемся, если скажем, что речь тут идет просто-напросто о вечных, незыблемых и неотвратимых законах природы, которые предстают в виде какой-то книги природы, книги мировых судеб. Образ этот, и прежде всего как образ звездного неба, мы постоянно встречаем в творчестве Хлебникова:

> Ночь, полная созвездий,
> Какой судьбы, каких известий
> Ты широко сияешь, книга...

Однако «чертеж домира», очевидно, не изображает никакой книги и никакого звездного неба. И если тут вообще можно говорить о каком-то изображении, то эту графику можно понять как образ чисто смысловой энергии мира, до ее вещественного и предметного воплощения.

Илл. 16

Еще нагляднее все это видно в рукописи стихотворения «Жар-бог», где *Жар-бог* как раз и есть поэтически мифологизированный образ мировой энергии. Поэзия же, да и вообще художественное творчество, для Хлебникова была прежде всего ее постижением и выражением.

В этом основной смысл его словотворчества, которое представлялось ему реализацией и воплощением в поэтическом слове каких-то «чертежей домира», творческих законов природы, прозреваемых сквозь творчество языка. И, создавая свою «периодическую систему слова», Хлебников нередко оставлял, как в менделеевской таблице, пустые клетки для еще не найденных словесных «элементов». Или же заполнял их вместо слова рисунком. Так, в одной из его рукописей мы находим рядом и пустую клетку и такой рисунок, изображающий как бы эманацию смысловой энергии. Правда, слово здесь уже найдено, причем любопытно, что это именно *словьмо* (неологизм, как и прочие слова в этом ряду, образованный по типу *письмо*).

Конечно, словотворческая работа Хлебникова была не менделеевской наукой, не химией, а скорее поэтической алхимией слова. В ранний период она, вероятно, представлялась ему каким-то магическим действом и даже мистерией. На это, видимо, и указывает некая жречески-театральная фигура, стоящая на пустой клетке, как на подмостках. Однако нам здесь важно обратить внимание на другое, а именно на единство изображения и слова, о котором наглядно говорит этот рисунок.

В конце жизни, объясняя смысл своей словотворческой работы, Хлебников (по воспоминаниям Т. Вечорки) «говорил приблизительно так: Когда одолеть все слова в схеме — то займешься музыкой или математикой, нет, пожалуй, рисованием — ведь поэты рисуют. А стихи станут баловством. Потому что зная, как сочетать слова — можно писать наверняка. Смотрите — я уже мало перечеркиваю — хотя стоит увидеть что-нибудь свое, хоть маленькое — я не переписываю — не могу, а дорисовываю, окружаю со всех сторон — чтобы стало еще яснее...»[1].

Поэтому не случайна, конечно, глубокая внутренняя связь Хлебникова с пространственными искусствами. «Поэтический супрематизм» его словотворческих рукописей можно сопоставить с супрематическими композициями Малевича, а беспред-

---

[1] Записная книжка Велимира Хлебникова. М., 1925, с. 26.

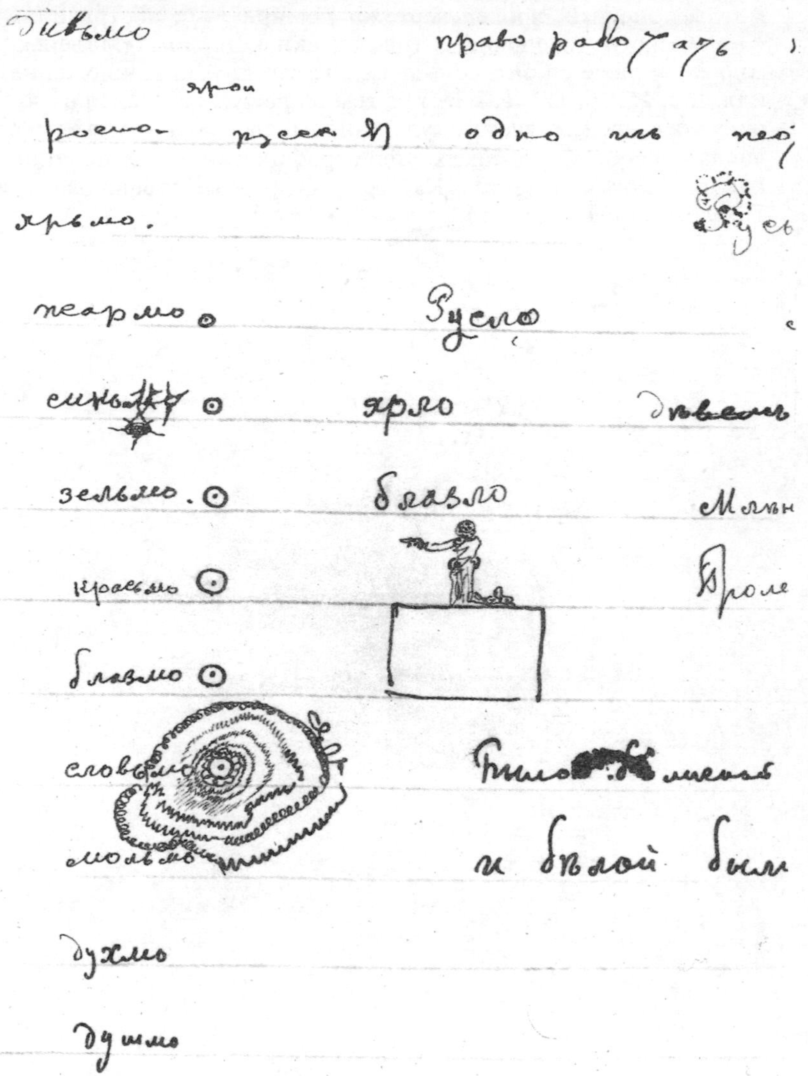

письмо   право рабо...

роста   русск...   одно   из   пе...

ярмо.

неармо ○   Русло

синьмо ○   ярло   дьвель

зельмо. ○   блавло   Млын

кравмо ○   Броле

блавмо ○

словмо

мольмо

духмо

душмо

Илл. 17

метные рисунки, вроде «чертежа домира»,— с абстракциями Кандинского (особенно с графическим циклом «Маленькие миры») и даже с контррельефами Татлина (см. Приложение1, илл. 1, 2, 15, 16, 17). И вместе с тем он всегда оставался в своих рисунках прежде всего «художником слова» и «художником числа», особенно в таких «идеографических» композициях, как рисунок к повести «Ка» или «Мировые страницы» (см. Приложение I, илл. 11).

Глава пятая

СЛОВО В ДРАМЕ

1

В зависимости от того, в какой эстетический ряд помещаем мы тот или иной художественный факт, меняется весь его смысловой строй и, следовательно, наше понимание и оценка. Мы же до сих пор едва ли различаем в Хлебникове — драматурга.

Между тем его драматургическая работа нисколько не уступала другим родам литературного творчества ни по объему, ни по значительности и напряженности поэтической мысли. До нас дошло около тридцати его драматических поэм и драм в стихах и прозе, создававшихся на протяжении всей творческой жизни.

Относительно раннего литературного периода Хлебникова можно, видимо, даже говорить о некотором преобладании драматического начала. Во всяком случае, именно в 1908—1910 годах была написана или задумана почти половина всех его драматических сочинений, и среди них такие вещи, как «Снежимочка», «Маркиза Дэзес», «Гибель Атлантиды», «Аспарух». В ранних драматических опытах, теснейшим образом связанных с символистским театром, прямо сказались и теоретические прокламации Вячеслава Иванова и драматургическая практика Ф. Сологуба, В. Брюсова, З. Гиппиус, А. Ремизова, А. Блока, а также М. Метерлинка. В некоторых отношениях Хлебников оказывался еще более крайним символистом, чем сами символисты. Символистский принцип драматического действия на грани двух миров — мира «явлений» и мира «сущностей» (с такой парадоксальной убедительностью воплощенный, например, в «Балаганчике» и «Незнакомке» Блока) — и порождал ту фантасмагорическую атмосферу иронии и трагизма, смутных предчувствий и апокалипсических пророчеств, таинственных превращений, странных загадок и еще более странных отгадок, какая царит в его драмах и драматических поэмах того времени. Действительность не забыта и не покинута в этих причудливых видениях, напротив, она постоянно ощущалась, иногда с нестерпимой яркостью и выпуклостью, но она как будто тут же рвалась, раздвигалась, исчезала и сквозь нее проступало нечто иное, как в стихотворении Тютчева «Сон на море», где «в тихую область видений и снов Врывалася пена ревущих валов». Юношеский пафос этой драматической поэзии, живо внятный нам и сейчас, напоминал о той тайной, могучей, трагической и праздничной первооснове бытия, которая скрыта под ежедневностью и бытом.

Так, лирическая драма «Маркиза Дэзес» начинается сатирическими сценами на выставке современной живописи, одной из тех «интимных» выставок, которые устраивались в редакции нового тогда журнала «Аполлон» и собирали самую изысканную петербургскую публику. Зрители на этом вернисаже, где «совсем все, как в Париже», где «все так изученно, изысканно и откровенно», рассматривают картины, оживленно обсуждают и прицениваются, но тут же выпивают и закусывают. Искусство здесь — не откровение и не праздник, а всего лишь новое развлечение или какая-то пряная приправа. («Я идучи сюда, уже перекусил. Но он немного здесь перекосил».) Когда же случается настоящее чудо и на выставке является сам Рафаэль, всем этим «любителям», «ценителям», «писателям» его явление кажется неуместной шуткой и вызывает лишь досадное недоумение.

А вокруг между тем происходят страшные превращения. Сначала картины выходят из рам и двигаются статуи, затем соболя и горностаи на обнаженных дамских плечах оживают и злобно скалят зубы, перья с шляпок становятся птицами и носятся над головами с печальными криками, плетеная соломка колосится снопами ржи, а кружева возвращаются в живой и синий лен, и даже — «от каждой шеи, от каждой выи Вспорхнули тени. Зачем живые?». Все мертвое оживает, люди же превращаются в статуи, становятся «камнями какого-то сада. И звери бродят скучные среди них...». Однако живые ничего не замечают. Видят лишь те, кто перешел «таинственную черту», но они уже неподвижны и безмолвны.

Только двое с самого начала понимают тайный смысл происходящего — некая маркиза Дэзес и ее Спутник. Внешне это как будто какая-то обычная влюбленная пара, в действительности же это сам поэт и его Судьба, отделенная от него и персонифицированная. А их диалоги — это проекция его внутренних диалогов, драматически реализующая его мироощущение. Поэтому сюжет драмы можно попросту понять как выражение тех незаметных и постепенных изменений человека и окружающих его вещей, которые мы, собственно, и называем временем, но изменений, напряженных и ускоренных до почти мгновенного превращения. Это человеческая жизнь, скрученная и сжатая, как пружина, в сюжетной метаморфозе.

Подобное мироощущение нам хорошо знакомо, скажем, по «Горю от ума» Грибоедова или «Маленьким трагедиям» Пушкина, особенно по «Пиру во время чумы». Хлебников же прямо опирался на них, и потому, конечно, грибоедовские и пушкинские реминисценции, которыми изобилует «Маркиза Дэзес», вполне сознательны, преднамеренны и должны, очевидно, играть роль своего рода указаний и отсылок к предшествующей традиции тех или иных образов, мотивов, тем, приемов и т. д. Такая преемственность (при общей новаторской установке) вообще характерна для Хлебникова, и особенно в драматургии. Так, например, название пьесы «Снежимочка» прямо сопровождалось указанием: «Подражание Островскому».

Этим, между прочим, и объясняется сжатость большинства хлебниковских драм, поразительная даже в сравнении с быстротой и краткостью пушкинских сюжетов. «Маркиза Дэзес» занимает 12 страниц печатного текста, «Снежимочка» — 11, «Аспарух» — всего 5. Однако отрывочность и миниатюрность их обманчивы, на самом деле сюжеты их тяготеют к алгебраической простоте и обобщенности мифа. Действие в них зачастую сводится к важнейшим событиям человеческой жизни, а характеристики героев ограничены основными архетипическими чертами. Стремление к предельной симплификации заставляло его, например, драматическую поэму «И и Э», где фабула столь же проста, как и имена героев — девушки И и юноши Э, сопроводить особым послесловием: «Эти стихи описывают следующее событие середины каменного века. Ведомая неясной силой, И покидает родное племя. Напрасны поиски. Жрецы молятся богу реки, и в их молитве слышится невольное отчаяние. Скорбь увеличивается тем, что следы направлены к соседнему жестокому племени; о нем известно, что оно приносит в жертву всех случайных пришельцев. Горе племени велико ⟨...⟩ Но юноша Э пускается в погоню и настигает И; происходит обмен мнениями. И и Э продолжают путь вдвоем и останавливаются в священной роще соседнего племени. Но утром их застают жрецы, уличают в оскорблении святынь и ведут на казнь. Они вдвоем, привязанные к столбу, на костре. Но спускается с небес Дева и освобождает пленных. Из старого урочища приходит толпа выкупать трупы. Но она видит их живыми и невредимыми и зовет княжить. Таким образом, через подвиг, через огонь лежал их путь к власти над родными» (СП, I, 312).

Эстетически такое возвращение к чистоте и наивности примитива очень сложное явление. Здесь не просто ретроспекция и не просто архаизация, но обращение к тем живым и безусловным фольклорно-мифологическим первоистокам и первоосновам, на которых должно быть построено новое искусство. При всей своей погруженности в традицию, при всей глубокой культурной памяти Хлебников знал, что путь искусства подобен судьбе его героев И и Э — он лежит через огонь, через отрицание наличной культуры, через возобновление простоты и цельности «стихийного» сознания. К футуристическим пьесам Хлебникова можно отнести, пожалуй, только «Детей Выдры» (1913), где показаны «разные судьбы двоих на протяжении веков», и особенно «Мирсконца» (1912), где в порядке чисто художественного опыта, лишенного всяких иллюзий правдоподобия, судьбы людей взяты в обратном движении, от смерти к рождению. В отличие от таких вещей, как «Смерть Ивана Ильича» Толстого и «Бригадир» Одоевского, с которыми, по-видимому, связан замысел этой пьесы, тут нет ни реалистических, ни романтических мотивировок сюжетного перевертня, нет тут никаких загадок и ничего потустороннего, кроме одного столь же фантастического, сколь и естественнонаучного допущения, что человек может «выпасть» из времени и двигаться по нему в любом направлении, в частности обратном.

Любопытно, что М. Кузмин относил «Детей Выдры» и «Мирсконца» к характернейшим вещам Хлебникова. В своей рецензии на другую его пьесу, «Ошибка Смерти» (1915), которую, кстати сказать, Хлебников называл «победой над смертью», подчеркивая ее полемическую соотнесенность с пьесой Ф. Сологуба «Торжество смерти», он писал: «...многие знают, что у В. Хлебникова серьезное и важное лицо поэта. Конечно, этот поэт — наиболее крепкий орех и добраться до его ядра представляет некоторый труд, тем более, что сам поэт почти не помогает своим читателям. По мере того, как выясняется поэтический образ Хлебникова, делается более понятной и его родословная (как это ни досадно, может быть, для футуриста, но она всегда существует). Это — южнорусские летописи, «Слово о полку Игореве», малороссийские повести Гоголя и особенно стихи Пушкина. Разумеется, это неожиданное и блестящее родство нисколько не убавляет индивидуальных особенностей и личного таланта Хлебникова ⟨...⟩ В пьесе, написанной необыкновенно сильными и крепкими стихами и прозой, представляется, как Барышня Смерть погибает, сама себе, будучи обманутой, налив смертельного напитка. Чем-то напоминает «Балаганчик» Блока, особенно в конце, Хлебников пользуется приемом «причудливости» (die Laune) немецких романтиков, перешедшим по наследству к А. Блоку ⟨...⟩ Может быть, это — самая доступная из книг Хлебникова, и, по-моему, всякому, кто без предрассудков захочет познакомиться с прекрасным и таким значительным поэтом, следует начинать именно с этой книги. Только мне кажется, что при своей доступности (может быть, в связи с нею) эта книга не так характерна для Хлебникова, как хотя бы «Мирсконца» или «Дети Выдры»[1].

Вряд ли М. Кузмин верно истолковал, но он верно подметил общую тенденцию развития Хлебникова в сторону большей открытости и доступности для читателей. И дело было не столько в собственных намерениях поэта, сколько в тех изменениях и превращениях самой действительности, которые несли с собой мировая война и революция.

В 1918—1922 годах Хлебников создает монументальные драмы и драматические поэмы о современности «Сестрымолнии», «Взлом вселенной», «Настоящее», «Ночной обыск», «Зангези».

Если в ранней драматургии взгляд его главным образом обращен в прошлое, сквозь которое он хотел понять настоящее, то теперь перспектива переворачивается и он стремится разглядеть исторические события современности через будущее. «Я знал,— говорил Хлебников,— что после купанья в водах смерти люд станет другим» (СП, IV, 71). И хотел разглядеть в «сумерках настоящего» это новое сознание.

В драматической поэме «Ночной обыск» прежде всего обращает на себя внимание особая, единственная в своем роде, подчеркнутая объективность письма, создающая впечатление подлинной стенографической записи чего-то происходящего в полной тьме. Мы слышим какие-то возгласы, разговоры, песни, какой-то сплошной многоголосый звуковой хаос, не разделенный на реплики, не сопровождаемый авторскими ремарками, так что сначала даже попросту непонятно, где происходит действие, кто в нем участвует, да и что, собственно, происходит. Лишь постепенно сквозь это речевое неистовство мы начинаем «видеть» действие. Революционный Петроград. Матросский дозор приходит с обыском в господский дом. Там засада. «Братишки» безжалостно расправляют-

---

[1] «Северные записки». П., 1917, январь, с. 263—264.

ся с белогвардейцами, причем один из них, юный офицер Владимир, с великолепным презрением и мужеством принимает смерть. Матросы устраивают буйную попойку и разгром. Но когда они напиваются, старуха — мать расстрелянного Владимира — поджигает дом, и все они гибнут в пламени.

Таково внешнее действие,— так сказать, нисходящая линия сюжета. Первоначальная победа матросов оборачивается их поражением. Однако внутреннее действие развивается в обратном направлении. В самый разгар веселья и пира одного из матросов, «Старшого», охватывают мрачные предчувствия, он вспоминает расстрелянного и богохульствует перед ликом Христа в красном углу. «Но я хочу, чтоб он убил меня...» — обращается «Старшой» к товарищам,—

> Хочу убитым пасть на месте,
> Чтоб пал огонь смертельный
> Из красного угла,
> Оттуда бы темнело дуло,
> Чтобы сказать ему — дурак!
> Перед лицом конца.
> Как этот мальчик крикнул мне,
> Смеясь беспечно
> В упор обойме смерти.
> Я в жизнь его ворвался и убил,
> Как темное ночное божество.
> Но побежден его был звонким смехом,
> Где стекла юности звенели.
> Теперь я бога победить хочу
> Веселым смехом той же силы.

Глубинный драматический конфликт раскрывается, таким образом, не в столкновении людей, а в борьбе человека с высшей силой, с судьбой, в каких бы образах она ему ни являлась. В этой борьбе он может погибнуть, но сохранить внутреннюю свободу, и тогда его поражение становится победой; человек, преодолевая в сознательном и волевом становлении темную, страшную, могучую, иррациональную стихию, оказывается выше самого себя.

По сути дела, тот же конфликт мы видели в ранних драмах Хлебникова, но если тогда его лирическое беспокойство было еще почти беспредметным и он только символически стремился пробудить, вызвать на поверхность скрытые стихийные силы, то теперь, когда это произошло и стали явью самые грозные пророчества, его драматическое творчество потеряло характер видений, загадок, потому что сама жизнь, сама природа отвечала на все эти вопросы:

Если в пальцах запрятался нож,
А зрачки открывала настежью месть —
Это время завыло: даешь,
А судьба отвечала послушная: есть.

Как можно было бы определить основное содержание хлебниковских драм? О чем они? Можно было бы сказать: о жизни, о смерти, о судьбе. Но ведь это значит почти ничего не сказать по существу, ибо любое художественное произведение любого автора так или иначе в конечном счете касается этих предметов. И все же именно так приходится говорить о драматургии Хлебникова, потому что точнее и проще сказать нельзя. Именно жизнь, смерть, судьба составляют ее главное и даже единственное содержание. И представлены они тут не косвенно, не отраженно, не «в конечном счете», а самым непосредственным и наглядным образом, вплоть до того, что в целом ряде вещей прямо действуют такие лица, как Смерть и Судьба.

2

При этой грозной простоте содержания удивительно какое-то неистощимое разнообразие и богатство хлебниковского драматического мира или, лучше сказать, драматических миров. Они охватывают огромное временное пространство от баснословной древности «первых дней земного быта» («Дети Выдры») до какого-то отдаленнейшего будущего («Смерть будущего»). Мы видим картины мировых катастроф, будь то «Гибель Атлантиды» или гибель Российской империи («Настоящее»), и картины идиллически-блаженной жизни природы («Лесная тоска»). Из декадентского Петербурга («Маркиза Дэзес») мы переносимся в древнеславянский мир («Девий-бог»), из геродотовской Скифии («Аспарух») в революционную Москву 1917 года («Сестры-молнии»), из царства мертвых («Ошибка Смерти») в царство бессмертных («Боги»). Действие может происходить и в ожившем сказочном лесу («Снежимочка»), и внутри безумного сознания («Госпожа Ленин»), и даже буквально в крови («Пружина чахотки»).

Среди этих драматических миров мы находим вполне реальные и совершенно фантастические, но чаще всего в них — «люди и божества вместе» и действительное переплетается с воображаемым самым невероятным и чудесным образом. Римская богиня пылает страстью к сельскому отроку («Любовник Юноны»), в сети рыбаков попадает сказочная вила

(«Лесная тоска»), ведьмы творят свои заклинания по «учебнику» — «Сказания русского народа, собранные И. П. Сахаровым» («Ночь в Галиции»), греческий Дионис является на славянских берегах («Девий-бог»), Снегурочка из сказки уходит в современный город («Снежимочка»). Среди персонажей одной только пьесы «Чертик», действие которой происходит в Петербурге 1909 года, мы встречаем Ученого, Ведьм, Кусты, Старицу болота, Влюбленного молодого человека, Гуляк, Перуна, Учащихся Высших женских курсов, Городового, Ворон, Сфинксов, Геракла, Мамонта, Геру, Сумасшедшего, Чиновника, Нищих, Отставного военного, Пьяницу, Французскую свободу, ну и конечно Черта.

В этом карнавально-игровом мире «права логики времени и пространства», как говорил Хлебников, нарушаются «столько раз, сколько пьяница в час прикладывается к рюмке» (НП, 358). Дочь киевского князя Владимира переносится в XX век («Внучка Малуши»), а современные люди, наоборот, «переселяются в души предков» на одиннадцать веков назад («Девий-бог»), Судьба человека вообще может быть независимой от времени, как в пьесе «Мирсконца», где жизнь героев развертывается в обратном порядке — от смерти к рождению, или в отрывке из пьесы («Внимание»), где люди, умирая, назначают встречу с друзьями в день своего нового рождения.

Поэтическая независимость от ограничений пространства и времени и свободное конструирование всех этих воображаемых драматических миров порождало исключительное разнообразие и новизну жанровых форм. Тут мы найдем и большую эпическую драму («Девий-бог»), и малую драму вроде пушкинских «маленьких трагедий» («Аспарух»), и лирическую драму («Маркиза Дэзес»), и монодраму («Госпожа Ленин»), и драматическую сказку («Снежимочка»), и фантастическую комедию («Чертик»), и мистерию («Сестры-молнии»), и оперу («Настоящее»), и радиопьесу («Ночной обыск»), и киносценарий («Взлом вселенной»), и т. д.

Разумеется, все эти и подобные жанровые определения условны и приблизительны, ибо ни одна из хлебниковских драм не укладывается в традиционные жанровые рамки. По существу, каждая из них оказывается жанровым новообразованием, лишь более или менее соотносимым с известными образцами. Так, например, «Мирсконца» по материалу и стилю несомненно ассоциируется с драматической семейной хроникой, но сюжет ее, развернутый в обратном порядке, прямо выворачивает хронику наизнанку. Так, «Пружину чахотки» (1921) Хлебников сам называл «Сокращенный Шекспир» и

«Шекспир под стеклянной чечевицей» (то есть под увеличительным стеклом), но действующие лица ее — Кровяной шарик, Винтик чахотки и Писатель, а место действия — в крови самого Писателя. Конечно, можно было бы сослаться на иронию, гротеск, бурлеск или даже чистое экспериментаторство, как иногда делают, если бы все эти драматические парадоксы не имели самого серьезного и прямо трагического содержания. Вот монолог Чахотки-воина:

«...Насквозь! Насквозь! Зыззз! Зыззз! Эййа! Аййа! Веййа! Бззы! Первый чахоточный полк! Ша-шки! Вы-дер-гать-ВОН! Направо рази! Налево руби! Зз-а мм-ной! Гром и боги! Столпотворение миров... Ну, шагай, подлый воин крови, в рукопашную. Трус! дурочку валяешь? Празднуешь трусу? Стыдись! Поединок чахотки, бой алого здоровья и чахотки. Стук черепов. Слышишь? Слышишь? Решетка челюстей, черные пятна глазниц скачут по полю. Это череп пришел! Завоевать средние пространства одного волоса...» (СП, IV, 269—270).

Мы без труда увидим тут страшные образы гражданской войны, вошедшие буквально в плоть и кровь современников. Но этого еще недостаточно, чтобы понять пьесу до конца. Надо еще иметь в виду, что в художественном сознании Хлебникова судьба красного кровяного шарика была теснейшим образом связана с судьбой земного шара, так же как земля связана с солнцем, посредством числовых соответствий. Для него исключительно важным было то обстоятельство, что «поверхность кровяного шарика равна поверхности земного шара, деленной на 365 в десятой степени» (СП, V, 242). И этот частный случай общей мировой закономерности, «одним концом волнующей небо, другим скрывающейся в ударах сердца» (СП, V, 243), подчиняющей все события от микромира до мегамира единому ритму, позволяет понять космически-символический смысл драмы. Перед нами — «величайшая во вселенной битва внутри одного волоска!». Другими словами, страшная война проходит весь мир насквозь, и в крови и в небе разворачивается та же самая драма, что и на земле, тот же самый «Шекспир». Поэтому в «Пружине чахотки» надо видеть драматическое выражение того же мироощущения революционной эпохи, что и, например, в поэме Блока «Двенадцать»:

> Мы на горе всем буржуям
> Мировой пожар раздуем.
> Мировой пожар в крови —
> Господи, благослови!

И с этой точки зрения станет ясно, что необычная и, прямо скажем, оксюморонная форма «трагедии под микроскопом» порождена не какой-нибудь отвлеченной игрой воображения, а действительной смысловой необходимостью.

Жанровые новообразования у Хлебникова очень подвижны, не замкнуты и не однозначны. Самый поразительный в этом отношении пример дает поэма «Ночной обыск», которую с полным основанием можно рассматривать в качестве эпоса и в качестве драмы, а может быть, даже в качестве какой-то сверхличной лирики. С одной стороны, в поэме отсутствует прямое авторское слово и вся она состоит из драматических диалогов и монологов действующих лиц, с другой — все эти отдельные человеческие голоса представляют собой как бы различные оттенки и интонации какого-то интегрального, сверхличного голоса Природы.

Точно так же в пределах одного драматического произведения легко совмещаются и свободно переходят друг в друга различные формы стихотворной и прозаической речи.

Вместе с тем речевые стили каждой из этих драм и драматических поэм в большинстве случаев резко обособлены и самостоятельны. Возьмем несколько примеров.

С т а р у х а. О, мать-княгинюшка! Да послушай же ты, что содеялось! Да послушай же ты, какая напасть навеялась! Не сокол на серых утиц, не злой ястреб на голубиц, на голубиц невинных, голубиц ненаглядных, голубиц милых — Девий-бог, как снег на голову. Девий-бог, он явился, Девий-бог.

Б о я р ы н я *(в ужасе)*. Девий-бог! Девий-бог!

С т а р у х а. Явился незванный, негаданный. Явился ворог злой, недруг, соколий глаз. С ума нас свести, дур наших взбесить. О, сколько же бед будет! Иные будут, шатаясь, ходить, делая широкими и безумными от счастья глаза и твердя тихо — «он, он». Другие, лапушка моя, по-разному не взвидят света.

К н я г и н я. Ах ты, напасть какая! Ах ты, туча на счастье наше. На счастье наше золотое, никем не поруганное, никем не охаянное, не позоренное. Уж я ли не наказывала Белыне: чуть проведаешь, что лихо девичье в городе,— ворота на замок, на замок резные, а ключ либо в воду, либо мне. Да собак позлее пусти по двору, чтобы никто весточки не мог передать, той ли записочки мелкочетчатой.

(«Девий-бог»)

— Даешь в лоб, что-ли?
Товарищи братва,
Морские гости?
О вас молва: вы — великодушны.
— Вполне свободно!

186

Это море может,
Эту милость может
Море оказать!
— Старуха, повернись назад.
— Даем в лоб что-ли
Белому господину?
— Моему сыну?
— Рубаху снимай, она другому пригодится,
В могилу можно голяком.
И барышень в могиле — нет.
Штаны долой
И поворачивайся.
И все долой! Не спи —
Заснуть успеешь.
Сейчас заснешь, не просыпаясь!
— Прощай, мама,
Потуши свечу у меня на столе.
— Годок, унеси барахло. Готовься! Раз! два!
— Прощай, дурак! Спасибо
За твой выстрел.
— А так!.. За народное благо.

(«Ночной обыск»)

М а р к и з а   Д э з е с. С твоей руки струится мышь. Перчатка с писком по руке бежит. Какая резвая и нежная она! Так, что-то надвигается! Я уже дрожу. Но подавляю гордо болезненную улыбку уст.

С п у т н и к. Бежим!

М а р к и з а   Д э з е с. Хорошо. Я бегу. Но я не могу. Жестокий! что ты сделал! Мои ноги окаменели! Жестокий, ты смеешься? Уж не созвучие ли ты нашел «Нелли»? Безжалостный, прощай! Больше я уже не в состоянии подать тебе руки, ни ты мне. Прощай!

С п у т н и к. Прощай. На нас надвигается уж что-то. Мы прирастаем к полу. Мы делаемся единое с его камнем. Но зато звери ожили. Твой соболь поднял головку и жадным взором смотрит на обнаженное плечо. Прощай!

М а р к и з а   Д э з е с. Прощай! Как изученно и стройно забегали горностаи!

С п у т н и к. С твоих волос с печальным криком сорвалась чайка. Но что это? Тебе не кажется, что мы сидим на прекрасном берегу, прекрасные и нагие, видя себя чужими и беседуя?..

(«Маркиза Дэзес»)

А м у р *(прилетает с пчелкой на нитке — седом волосе из одежды Шанг-ти).*

Синоа́на — цицири́ц!

187

(Летает с пчелкой, как барин с породистой собакой.)

> Пичири́ки — чилики́
> Эмзь, амзь, умзь!

Ю н о н а *(натирает белые снежные волосы желтым цвет-ком луга).*

> Гели гу́га грам рам рам.
> Му́ри-гу́ри рикоко́!
> Сипль, цепль, бас!

Э р о т *(колотит ее по белым плечам длинным колосом осоки).*

> Хахию́ки! хихоро́! э́хи, а́хи, хи!
> Имчири́чи чуль буль гу́ль!
> Му́ри му́ра мур!

Ю н о н а. Чагеза!

(Отстраняет его, как муху, хворостиной.)

У н к у л у н к у л у.

> Жепр, мепр, чох!
> Гигога́гэ! гророро́!

(«Боги»)

Даже этих немногих отрывков достаточно, чтобы понять, что перед нами в каждой драме не просто разные речевые стили, а совершенно различные я з ы к и. Каждый из этих драматических миров является нам прежде всего в своей особой языковой действительности, и множественность их самым непосредственным образом реализуется в множественности языков, в разнокачественности драматического слова. Проходя сквозь эти миры, переносясь из прошлого в будущее, из реальности в фантастику, из микромира в мегамир, мы сталкиваемся не только с новыми сюжетами и действующими лицами, но непременно — каждый раз с иным языковым строем.

Такая множественность и многоязычие хлебниковских драм даже при самом поверхностном знакомстве представляется необходимым условием их существования, хотя о смысле всех этих многоразличий мы задумываемся не сразу и тем более не сразу начинаем их осознавать. Для самого Хлебникова именно в этом и заключалась главная драматургическая задача, и именно здесь были сосредоточены его основные творческие усилия.

Помимо разнородных драм и драматических поэм он в течение всей жизни работал над созданием принципиально новой формы какого-то многожанра.

Мы знаем два его произведения в этом роде — «Дети Выдры», завершавшие его ранний период, и «Зангези», над которым он работал до последних дней. (Структурно к ним примыкает также мистерия «Сестры-молнии».) Жанровая природа их исключительно сложна и трудно определима. Они включают в себя и лирику, и эпос, и драму как в прозаической, так и в стихотворной форме. Хлебников сам колебался в определении их жанра. «Детей Выдры» он называл «романом», «Зангези» — «сверхповестью» и «заповестью», но эти определения, конечно, нельзя понимать буквально, ибо и то и другое произведение в целом меньше всего можно отнести к повествовательному жанру. Скорее всего он просто хотел указать на многосложный и разноплановый их состав. Один из первоначальных замыслов «Детей Выдры» представлялся ему так: «...свобода от времени, от пространства, сосуществование волимого и волящего. Жизнь нашего времени, связанная в одно с порой Владимира Красное Солнышко (Дочь Владимира, женатая на реке Дунае), какой она мнится слагателям былин, их слушателям. Отдельные главы написаны будут (будут?) живой, другие мерной ⟨речью⟩, одни драматические произведения (драматические дифференциально-аналитические), другие повествовательные. И все объединено единством времени и сваяно в один кусок протекания в одном и том же времени» (НП, 354—355). Тот же конструктивный замысел он стремился воплотить и в «Зангези», но здесь уже мы находим вполне продуманную и законченную концепцию: «Сверхповесть или заповесть складывается из самостоятельных отрывков, каждый со своим особым богом, особой верой и особым уставом. На московский вопрос: како веруеши? — каждый отвечает независимо от соседа. Им предоставлена свобода вероисповеданий. Строевая единица, камень сверхповести — повесть первого порядка. Она походит на изваяние из разноцветных глыб разной породы, тело — белого камня, плащ и одежда — голубого, глаза — черного. Она вытесана из разноцветных глыб слова разного строения. Таким образом находится новый вид работы в области речевого дела. Рассказ есть зодчество из слов, Зодчество из «рассказов» есть сверхповесть» (СП, III, 317).

Все эти «разноцветные глыбы слова», очевидно, никак не сводимы к лирическому или эпическому повествовательному единству. Напротив, собранные вместе, они еще более обнаруживают свою разнокачественность и свои разногласия. В «Зангези» кроме обычного поэтического, так сказать, человеческого языка использованы еще, как отмечал Хлебников,

1) птичий язык; 2) язык богов; 3) звездный язык; 4) заумный язык; 5) разложение слова; 6) звукопись; 7) безумный язык. Сама фактура сверхповести — драматична, не говоря уж о напряженных сюжетных коллизиях. Поэтому в свете основного эстетического задания такие произведения, как «Зангези» и «Дети Выдры», естественнее всего отнести к драматическому роду, понимая их в качестве какого-то сверхдраматического жанра[1].

Таким образом, множественность языков, множественность пространственно-временных планов, множественность событий и судеб — все это многомирие и многобожие было не просто непосредственной действительностью хлебниковской драматургии, но осознавалось и воплощалось в особом сверхдраматическом жанре с его «свободой вероисповеданий». Причем сверхдрама мыслилась в виде такой открытой структуры, куда принципиально могли быть включены в качестве строительных единиц сколь угодно разнородные произведения, в том числе и едва ли не все драмы первого порядка. Этот жанр явился естественным завершением и оформлением той изначальной идеи множественности, которая так или иначе присутствует во всем драматическом творчестве Хлебникова.

3

Однако нечего и говорить, что никакая множественность никогда не дала бы законченного и самостоятельного произведения, а тем более нового устойчивого жанра, оставаясь только лишь многообразием без внутреннего единства. Такой объединяющий принцип несомненно ощущается и в сверхдрамах Хлебникова и во всем его творчестве, хотя понять и сформулировать его очень не просто.

Трудность тут прежде всего в том, что сценического образа хлебниковской драматургии мы почти не знаем и опыта ее театрального переживания у нас недостаточно. Поэтому драматические его произведения остаются для нас все еще каким-то воображаемым театром.

Причины этого, видимо, гораздо глубже нерешенного воп-

---

[1] Ю. Тынянов, например, связывал «Зангези» с романтической драмой, ссылаясь на традицию немецких романтиков и имея в виду, вероятно, феерические драмы Людвига Тика «Жизнь и смерть святой Генофефы» и особенно «Император Октавиан». «Детей Выдры» Хлебников и сам называл драмой (см. СП, V, 279).

роса о сценичности хлебниковских драм, на каковое обстоятельство иногда ссылаются. Вообще говоря, любой литературный материал может стать сценическим действием и зрелищем, любое слово, даже самое отвлеченное и внутреннее, может найти вполне адекватное воплощение в как угодно внешнем и как угодно овеществленном и очеловеченном облике. Скорей всего надо учитывать обоюдные сложности и недоразумения — как со стороны хлебниковской драматургии, в том виде, в каком она дошла до нас, так и со стороны наличной театральной культуры. Тем не менее оценить драматическое произведение в полной мере все же нельзя без испытания его на сцене. Поэтому сейчас мы вправе говорить не столько о драматургии во всем объеме этого понятия, сколько о драматическом слове и драматической поэзии Хлебникова.

Но как раз тут-то и заключена другая и самая существенная трудность. С одной стороны, мы как будто признаем существование особой поэтической драмы, отличающейся от прочей драматической литературы, конечно, вовсе не стихотворной формой (поэтическая драма может быть и прозаической) и не каким-то «поэтическим» содержанием («Снегурочку» Островского, скажем, несмотря на всю ее сказочность и поэтичность, мы не назовем драматической поэзией, тогда как «Баню» Маяковского при всей ее непоэтичности и брутальности — назовем). С другой стороны, мы редко задумываемся над тем, в чем же состоит суть поэтического театра.

При всех очевидных различиях, скажем, Пушкина и Грибоедова, Блока или Маяковского в их драматических сочинениях мы, как кажется, найдем по меньшей мере одно общее свойство, которое, вероятно, и можно считать специфической особенностью драматической поэзии. Всякая драма складывается из двух основных и по своей эстетической природе полярных компонентов: действие и слово. Из их динамического столкновения и борьбы образуется то, что мы называем внутренней формой сценического представления. Преобладание одного компонента дает нам «театр действия», преобладание другого — «театр слова». Тогда как чистая театральность вообще мыслима вне слова (в виде в широком смысле пантомимы), в поэтическом театре мы видим прежде всего словесное действие или, точнее говоря, д е й с т в и е - в - с л о в е. Драматическая поэзия сама по себе, вне сценического воплощения, является в некотором смысле театром, то есть зрелищем и действием. Но, разумеется, театром особого рода, театром, так сказать, на подмостках воображения, зрелищем и действием — в сфере внутреннего представления.

«Есть слова,— учил Хлебников,— которыми можно видеть, слова-глаза, и слова-руки, которыми можно делать» (СП, IV, 48). Это — поэтическое слово в его драматической функции, которой и создается такой внутренний театр. Если обычно действующие лица выражают себя в речах и поступках, то здесь, наоборот, слово воплощается и персонифицируется в лицах и положениях драмы, становится событием и действующим лицом. Оно как бы выходит из себя — в жест, в персонажа, в сюжет. И весь драматический мир здесь вырастает из слова и воспроизводит его структуру. Все это, разумеется, не означает, что нам непременно предстают какие-то словесные призраки. Отнюдь. Мы видим и полноценные события и полнокровных героев в их стремлениях и борьбе, но в противоположность собственно драме исходным моментом здесь оказываются не положения и характеры, а зримое и деятельное слово.

Простейший и нагляднейший случай прямого превращения слова в действующее лицо и событие можно видеть, например, в «Маркизе Дэзес», где посылают за вином «Сен-Рафаэль» и на сцене является Рафаэль Санцио, причем это превращение *вина* в художника ставится *в вину* слуге. Более сложно такое овеществление слова в драматической поэме «Внучка Малуши». Княжна Людмила отправляется в Петербург верхом на волхве-оборотне, превращающемся последовательно в *серого волка, гнед-буй тура, рысь*, причем каждый раз оборотень «перекидывается» через слово: первый раз посредством этимологического сближения *волхв — волк*, второй раз посредством обособления устойчивого эпитета (ср. «буй тур Всеволод» в «Слове о полку Игореве»), третий раз посредством откровенного каламбура — тур бежит рысью, и княжна оказывается на *хребте рыси* [1].

Это не просто игра слов, это и г р о в о е с л о в о, бесконечно изменяющееся и превращающееся слово-оборотень. Поэтическая логика таких перевоплощений в каждой драме иная, но принцип драматической игры на грани между словом и делом везде остается неизменным. Одну из наиболее выразительных картин живой и вольно играющей стихии слова мы видим в ранней драме Хлебникова «Снежимочка»:

«С н е з и н и. А мы любоча хороним... хороним... А мы беличи-незабудчичи роняем... роняем... *(Веют снежинками и кружатся над лежащим неподвижно Снегичем-Маревичем.)*

С м е х и н и. А мы, твои посестры, тебе на помощь... на

---

[1] Ср. былины «Волх Всеславьевич» и «Три года Добрынюшка стольничал...».

помощь... Из подолов незенных смехом уста засыпем — серебром сыпучим...

Н е м и н и. А мы тебе повязку снимем... немину...

С л е п и н и. А мы тебе личину снимем... слепину... А мы, твои посестры, тебе на помощь... на помощь...

С н е з и н и. Глянь-ка... глянь-ка: приотверз уста... призасмеялся,— приоткрыл глаза — прилукавился. Ой, девоньки, жаруй! (С смехом разбегаются. Их преследует Снегич-Маревич, продолжая игру и оставляя неподвижными тех, кого коснулся.)

Б е р е з о м и р. Сколько игр я видел!.. Сколько игр... (поникает в сон) сколько игр...»

Трудно сказать, как выглядят все эти Снезини или Смехини, Снегич-Маревич или Березомир, но все же мы как-то их себе представляем и, главное, совершенно ясно видим, как все эти фантастические существа и весь этот сказочный зимний лес оживает, говорит, смеется, играет, как весь он прямо выходит из слова и опять возвращается в его стихию, растворяется в ней.

Однако это и не только игровое слово; слово здесь неразрывно связано с самой природой. И в этих стихийных играх слова с природой и природы со словом, как бы воскрешающих те блаженные времена, когда «сам язык был частью природы», Хлебникову, вероятно, чудилось какое-то откровение глубинной природы драматического слова, исконной его сути.

Конечно, такая игра может оказаться совсем не сценичной, тем не менее ей нельзя отказать в своеобразной и яркой театральности. И Хлебников, надо думать, сознавал ее парадоксальный характер — недаром каждый акт «Снежимочки» обозначен неологизмом *деймо*, составленным из двух слов: *действие* и *письмо*. С другой стороны, нельзя забывать и тот факт, что «Снежимочка» все же предназначалась для постановок «будетлянского театра» в 1913 году, вместе с «Трагедией» Маяковского и «Победой над солнцем» Крученых.

В связи с этим нельзя не обратить внимания на одну, может быть, частную, но весьма показательную особенность поэтической драмы. Обычно в драматической литературе авторское слово (в ремарках) коренным образом отлично от игрового слова персонажей. Это более или менее условная, вспомогательно-техническая запись, план, программа сценического действия, но не само действие, и потому оно не требует эстетического переживания ни как слово, ни как зрелище. Здесь же, в поэтической драме, слово автора и слово персонажа не только не противопоставлены, но иногда доходят до полного неразличения. На этом основан любопытный эффект, так сказать, двойного видения в некоторых сценах хлебниковских драм. Таков, например, один из эпизодов в финале «Девьего-бога» (1911):

«П р и с у т с т в у ю щ и е. ⟨...⟩ А между· тем жрец смотрит глазами безумными и печальными и тихо идет, потупя бороду, к пришельцу. Тот смотрит загадочно-открыто, и жрец наклоняется к нему шептать тайну и вдруг, расхохотавшись, касается его уст своими. Но тот смеется. Жрец падает, откидываясь назад, на руки прислужников и умирает.

Но нет, этого еще нет. Это еще только наше воображение. Еще только отошел от кумира жрец и идет мимо стоящих неподвижно девушек с плащами на голове. К спокойно стоящему Девьему-богу идет он. И что будет? Дальше что!..»

В голосах Присутствующих, напоминающих хор античной трагедии, слиты воедино и голос автора и голоса действующих лиц, и описание действия и его переживание, и внешние события и внутреннее представление, ибо тут все — «только наше воображение». А это и есть действие-в-слове, совмещающее в едином акте само действие с его переживанием и осмыслением.

Зримая и деятельная смысловая стихия слова является первоосновой и первоединством драматической поэзии вообще, и в творчестве Хлебникова она только, может быть, выступает с большей обнаженностью и своеволием. Ее мощное волнение мы постоянно ощущаем во всем многообразии и множественности драматических форм, во всей их подвижности, изменчивости и обратимости.

Дело тут в том, что драматические возможности поэтического слова несомненно присутствуют в нем еще до всякого жанрового оформления. Такое слово изначально обладает уже каким-то драматическим зарядом, который и дает в конце концов в своем развитом и осознанном состоянии законченный драматический жанр.

В простейшем виде драматизацию мы можем наблюдать уже на первой стадии оформления слова, а именно на стадии его ритмической организации. Хлебников, говоря о переменной ритмической системе стиха, которую он называл «размером погрешностей» и противопоставлял «строгому размеру», разъяснял: «Отвлеченная задача размера погрешностей заключается в том, что в нем размеры суть действующие лица, каждое с разными заданиями выступая на подмостках слова ⟨...⟩ этот размер есть театр размеров ⟨...⟩ Строчка есть ходьба или пляска входящего в одни двери и выходящего в другие ⟨...⟩ строгий размер есть немая пляска, но свобода от него (не искусственная, а невольная) есть уже язык, чувство, одаренное словом» (НП, 338—339).

Как только мы находим какое-либо различение, разделение, разногласие внутри какого-то целого, так сразу получаем драматический момент. Правда, драматическое пребывает здесь еще в простейшем, зачаточном состоянии, тем не менее уже на этой стадии можно говорить о самостоятельной выразительной роли каждого ритмического движения и об их перебоях как о драматическом конфликте. То же самое можно заметить на всех уровнях поэтического слова (звуковом, лексическом, синтаксическом и т. д.). И таким образом уже сама структура поэтического слова может быть драматичной вне всякого оформления в драматический жанр, точно так же, как она может быть изначально лиричной или эпичной.

Но если в лирике и в эпосе на первый план выдвинуто единство и цельность слова, то в драме, напротив, мы видим слово в его раздельности и множественности. Само собой разумеется, что все эти три рода слова говорят нам об одном и том же реальном мире и в этом отношении они ничем не отличаются и ничем не превосходят друг друга. Различие их заключается лишь в том, что они говорят нам о мире и его разных состояниях, показывают нам его с разных сторон. Если в эпосе и лирике мы видим цельный и ставший мир, то в драме — мир в становлении, в расподоблении и индивидуализации, это, по формуле А. Ф. Лосева, «лично становящаяся внеличная данность»[1].

Художественное слово не просто рассказывает о множественности или единстве, о раздельности или цельности мира и человека,— оно самой своей структурой воспроизводит такую раздельную множественность или целостное единство. Потому-то мы и говорим о драматическом, лирическом или эпическом слове как о выражении соответствующих состояний мира.

Драматическое слово раскрывает мир в аспекте его раздельности, множественности, подвижности. И естественно, что в развертывании такого слова в драматический жанр преобладают процессы расподобления, расчленения и различения. Хлебников с его постоянным стремлением к математическим аналогиям прямо называл, как мы видели, драматическое творчество — д и ф ф е р е н ц и а л ь н о - а н а л и т и ч е с к и м (НП, 354, 358).

---

[1] Л о с е в А. Ф. Диалектика художественной формы. М., 1927, с. 102.

Звучит это странно и не совсем понятно, особенно в применении к его собственным пьесам. Неужели все эти вольные драматические фантазии подчинены строгому методу? Неужели их хоть в какой-то мере можно уподобить научному исследованию? Однако непонятно и странно все это лишь на первый взгляд. Дело тут не в методе, а в предмете изучения. Скажем, пушкинское определение «маленьких трагедий» в качестве «опыта драматических изучений» выглядит не менее странно, если мы забываем, что перед нами не что иное, как художественное исследование «судьбы человеческой». А строгость и точность метода здесь вполне человеческая, соответствующая предмету изучения. Но выводы так же непреложны, как и в математике.

В этом смысле драматургия Хлебникова была продолжением пушкинских опытов. Все его драмы задуманы как такие «изучения» и при всем их многообразии явились результатом последовательного и сознательного применения одного метода, именно дифференциально-аналитического.

4

В чем же художественный смысл хлебниковского драматического метода?

Попробуем сделать такой опыт. Возьмем текст:

«Только что кончился дождь, и на согнутых концах потемневшего сада висят капли ливня. Тишина. Слышно, что кем-то отворяется калитка. Кто-то идет по дорожкам сада. Куда? Здесь можно идти только в одном направлении. Кем-то испуганные поднялись птицы. Тем же, кто отворил дверь. Воздух наполнен испуганным свистом, раздаются громкие шаги. Да, своей неторопливой походкой приближается. Врач Лоос. Он был тогда, не очень давно. Он весь в черном. Шляпа низко надвинута над голубыми смеющимися глазами. Сегодня, как и всегда, его рыжие усы подняты к глазам, а лицо красно и самоуверенно. Он улыбается, точно губы его что-то говорят. Он говорит: «Добрый день...»

Можно думать, что перед нами какой-то отрывок лирической прозы или даже прозы потока сознания с ее прихотливым и нерасчлененным движением ощущений, мыслей, воспоминаний и т. д., в котором основная художественная задача состоит в непосредственной передаче синкретической жизни души. Можно думать, в крайнем случае, что перед нами какая-то развернутая ремарка в сугубо психологической пьесе. Но вряд ли мы подумали бы, что это драматический диалог или, вернее, полилог пяти действующих лиц. Вот как он выглядит на самом деле в «Госпоже Лени́н» (1909, вторая редакция 1912):

«Г о л о с З р е н и я. Только что кончился дождь, и на согнутых концах потемневшего сада висят капли ливня.

Г о л о с С л у х а. Тишина. Слышно, что кем-то отворяется калитка. Кто-то идет по дорожкам сада.

Г о л о с Р а с с у д к а. Куда?

Г о л о с С о о б р а ж е н и я. Здесь можно идти только в одном направлении.

Г о л о с З р е н и я. Кем-то испуганные поднялись птицы.

Г о л о с С о о б р а ж е н и я. Тем же, кто отворил дверь.

Г о л о с С л у х а. Воздух наполнен испуганным свистом, раздаются громкие шаги.

Г о л о с З р е н и я. Да, своей неторопливой походкой приближается.

Г о л о с П а м я т и. Врач Лоос. Он был тогда, не очень давно.

Г о л о с З р е н и я. Он весь в черном. Шляпа низко надвинута над голубыми смеющимися глазами. Сегодня, как и всегда, его рыжие усы подняты к глазам, а лицо красно и самоуверенно. Он улыбается, точно губы его что-то говорят.

Г о л о с С л у х а. Он говорит: «Добрый день...»

В сравнении этого драматического текста с нашей транскрипцией совершенно ясно предстает характер хлебниковского метода. Единый, слитный, хаотический поток сознания он разлагает на составляющие его самостоятельные голоса, на сравнительно простые, качественно различные элементы. В результате такого спектрального анализа мы видим целый «театр души», где каждое, условно говоря, чувство — зрение, слух, рассудок, память и т. п.— «одарено словом» и каждое «с разными заданиями выступает на подмостках слова». Все эти действующие лица (а они так прямо и названы в пьесе) выходят из слова и возвращаются в него, поскольку все они только голоса.

Казалось бы, драматург всего лишь раздробил обычное лирическое повествование на отдельные партии. Однако как раз благодаря этой партитуре мы переживаем движение слова уже не в одном, а как бы в двух измерениях. По горизонтали, так сказать, мы как бы отдаемся течению потока сознания, по вертикали же — как будто исследуем его рельеф, спускаемся и подымаемся по его ступеням. При этом по горизонтали перед нами развертывается внешняя картина событий, по вертикали — внутренняя структура сознания. Обращаясь от внешних ощущений и впечатлений к внутренним реакциям на них и от чувств и мыслей — снова к внешним впечатлениям, мы как бы постоянно перемещаемся снаружи вовнутрь и изнутри наружу. И тут оказывается, что такое движение не случайно, не хаотично, а вполне иерархически упорядочено.

Если в лирике наше эстетическое внимание сосредоточено преимущественно на слитности и согласии всех ее элементов, то здесь на первый план выдвигается раздельность и разногласие дифференцированных голосов. Они идут к нам из разных слоев, из разных точек сознания, создавая ощущение какого-то внутреннего драматического пространства, какого-то интерьера сознания.

На первый взгляд может даже показаться, что предметом драматического анализа здесь как раз и является вот этот самый интерьер сознания, эти «кулисы души». Но дело гораздо сложнее и гораздо интереснее. Конечно, расчленяя и дифференцируя элементы сознания, делая их действующими лицами пьесы, драматург выявляет и даже сценически представляет нам структуру сознания в его динамике. Тем не менее этого еще совсем недостаточно для драматического действия. Перед нами ведь не какое-нибудь психологическое исследование, для которого достаточно зафиксировать элементы сознания в их структурных отношениях. Перед нами художественное произведение, именно драма. Так где же тут драматический конфликт, драматическая борьба, в чем тут живой человеческий, личный и всеобщий интерес?

Хлебников подчеркивал, что в «Госпоже Лени́н» он «хотел найти «бесконечно-малые» художественного слова» (СП, II, 10). То, что тут дифференциальный анализ, очевидно, но где же это художественное слово, которое расчленяется на «бесконечно-малые» голоса? Само собой напрашивается предположение, что имеется в виду просто-напросто лирическое единство и его драматический анализ, выявляющий и обостряющий составной, разнокачественный характер лирики, ее диалогический и даже полифонический строй. Но и этого еще недостаточно. Мы ни на минуту не забываем, что перед нами не литературоведческий анализ лирики, а драма. В чем же тут дело?

Фабула пьесы сама по себе очень проста, но содержание ее исключительно насыщенно и многослойно. Привычные условности драматической формы здесь не то что сдвинуты, но прямо вывернуты наизнанку. Достаточно сказать, что героиня пьесы — не действующее лицо, а место действия. Если обычно в драме по речам и поступкам героев мы догадываемся об их душевной жизни, то здесь, наоборот, по ощущениям, чувствам и мыслям госпожи Ленйн мы более или менее представляем внешние события. Читатель как бы погружен в самую глубину, в самый центр ее души и таким образом оказывается в одно и то же время внутри и снаружи. Для лирики это естественно, для театра же — ситуация весьма необычная.

Но она совершенно необходима. Если в лирике все — и душа человека и мир — становится внутренним, личным, если в эпосе все становится внешним, внеличным, то в драме неизбежна раздельность внешнего и внутреннего, души и мира. И связаны они здесь лишь метафорически. На это указывает авторская ремарка: «Сумрак. Действие протекает перед голой стеной». Разумеется, *сумрак* здесь не какая-то реальная темнота, а только метафора чего-то внутреннего, глубинного, скрытого, это сумрак души. В свою очередь *стена* — метафора отделенности, огражденности, это стена между внутренним и внешним миром. Да и *действие* здесь метафора, поскольку действующие лица — только голоса. Но все эти голоса — Зрения, Слуха, Рассудка и т. п.— тоже очевиднейшим образом метафоры. Поэтому всю пьесу в целом и в деталях нужно понимать в переносном смысле. Как во всякой метафоре, мы видим здесь сразу оба сопоставляемых плана, и это обстоятельство усиливает несовпадение, раздельность и автономность мира внутреннего и внешнего. И тут уже нельзя не видеть напряженнейшей драматической коллизии.

Что происходит во внешнем мире? Первое действие: некую госпожу Ленйн, находящуюся, видимо, в психиатрической лечебнице, посещает врач Лоос. Он пытается с ней говорить, расспрашивает о ее состоянии, но в ответ слышит лишь: «Мое здоровье прекрасно». На все остальное больная отвечает непроницаемым молчанием. Второе действие: она уже в смирительной рубашке и заперта; служители просят ее перейти в другую комнату, она молча сопротивляется, ее выносят, и она умирает.

В то же время внутренний мир ее наполнен и прямо-таки переполнен сложнейшей душевной жизнью и борьбой. Однако вовне это никак не проявляется, ибо все чувства, вся воля ее сосредоточены на одном: отъединиться от людей, закрыться от них глухой стеной молчания, замкнуться в кругу собственной души:

«Г о л о с Р а с с у д к а. Скамейка влажна, прохладна, и все тихо после дождя. Ушел человек — и опять жизнь.

Г о л о с З р е н и я. Мокрый сад. Кем-то сделанный чертеж круга. Следы ног. Мокрая земля. Мокрые листья.

Г о л о с   Р а з у м а. Здесь страдают, Зло есть, но с ним не борются.

Г о л о с   С о з н а н и я. Мысль победит. Ты, одиночество, спутник мысли. Нужно избегать людей...

Г о л о с   В о л и. Я молчу, я избегаю других».

Сквозь всю пьесу настойчиво проходит тютчевская тема «Silentium!»: «Молчи, скрывайся и таи И чувства и мечты свои. Пускай в душевной глубине Встают и заходят оне. Безмолвно, как звезды в ночи, Любуйся ими — и молчи». Молчанию героини отвечает тишина природы, нарушаемая лишь присутствием и разговорами людей.

Первое действие происходит в саду, днем, и все это контрастирует с внутренним сумраком души. Второе действие — в замкнутом помещении, ночью, и здесь внутренний сумрак смыкается с внешней тьмой. Безмолвие и тьма постепенно нарастают, окутывают все, и сознание как будто растворяется в них.

В целом монодрама говорит нам об угасании и гибели отъединенного, замкнутого в себе сознания, окруженного «мировым злом». Мы ничего не знаем об источнике и мотивах этого конфликта личности и мира, мы видим лишь его развязку. Драматург намеренно предлагает нам такую предельную и даже прямо патологическую ситуацию, и мы вправе подставлять сюда какие угодно мотивировки и значения. Ему важна общая, так сказать, формула распада автономного сознания, где все стоит под знаком расподобления: отчуждение личности, разрушение связей между внутренним и внешним миром, расщепление сознания на отдельные элементы и, наконец, неизбежная смерть, ничто.

Как это следует понимать? Было бы непростительной ошибкой видеть здесь какой-то бесстрастный и бездушный анализ души или, наоборот, какое-то разоблачение и моралистическое назидание. Перед нами прежде всего исключительно емкий, насыщенный и многозначный драматический образ столкновения личности и мира, который, конечно, неизмеримо сложнее всякого аналитического любопытства и всякой морали. Мы коснулись лишь самого верхнего слоя содержания драмы. Сколько-нибудь подробное ее рассмотрение (например, в связи с знаменитым платоновским мифом о пещере) увело бы нас слишком далеко от вопроса о методе, который нас сейчас занимает. Однако одно замечание все же необходимо.

Внимательному читателю не могла не броситься в глаза близость хлебниковской монодрамы к драмам Метерлинка, одного из самых влиятельных драматургов начала века. Особенно тут вспоминаются такие его маленькие драмы, как «Слепые», «Непрошенная гостья», «Там, внутри». Метерлинковский колорит «Госпожи Лени́н» — вся эта мистика обыденности, все эти чувственные восприятия сверхчувственного, ожидания, намеки, не говоря уже об именах *Лоос* и *Лени́н*,— настолько характерен, что один из современников язвительно назвал пьесу переводом. На самом же деле тут не перевод и не подражание, а, напротив, спор и даже опровержение Метерлинка, но спор и опровержение на его же подмостках. Как будто мы видим тут то же самое «мировое зло», ту же «неведомую смерть», окружающую и подстерегающую одинокую человеческую душу, однако Хлебников прозревал в них иной, прямо противоположный метерлинковскому, смысл. Я бы сказал, что Метерлинку тут внутренне противопоставлен Тютчев: «Час тоски невыразимой!.. Всё во мне, и я во всем... Чувства — мглой самозабвенья Переполни через край!.. Дай вкусить уничтоженья, С миром дремлющим смешай!» Такая смерть и такое уничтожение, конечно, стоят любой индивидуальной жизни.

Но вернемся к нашему вопросу о методе. Теперь мы ясно видим, что тем исходным единством, которое является здесь предметом дифференциального анализа, оказывается не «слово», а «молчание». Противоречия тут нет, ибо молчание героини — это и есть ее «слово» о мире, выражение ее отношения к миру и ее понимания мира. Молчание — метафора слова. За этим молчанием скрыта не какая-то пустота и совершенная бессмыслица, но такая насыщенность смысловой энергии, такое богатство ощущений, чувств и мыслей, которые во всей своей полноте не могут выразиться уже ни в каком слове. И все ее внутренние голоса, все эти действующие лица — это голоса молчания. Оно раскрывается нам как зрение, слух, память, воля, рассудок, радость и т. д., то есть как бесконечное многообразие и множественность.

Зачем же, спрашивается, все это надо было представлять в таком странном, вывернутом наизнанку виде? Понять это можно, лишь имея в виду весь метафорический строй драмы. В таком ключе «молчание» уже не будет просто человеческим молчанием. Проходящее сквозь всю пьесу сопоставление безмолвия героини и тишины природы, сумрака души и окружающей тьмы дает возможность толковать внутренний мир человека как метафорическое изображение внутренней жизни природы. Как за мертвым молчанием героини скрыты живые голоса ее души, так в «непроницаемой ночи природы» (Метерлинк) таится полнота мировой жизни. Внеличное оказывается, так сказать, оборотной стороной личного. И тут опять-таки вспоминается Тютчев: «Не то, что мните вы, природа: Не слепок, не бездушный лик — В ней есть душа, в ней есть свобода, В ней есть любовь, В ней есть язык...»

В «Госпоже Ленин», таким образом, драматическое, раздельно-множественное состояние мира дано через дифференциальный анализ личного единства.

5

Посмотрим теперь, как сказывается хлебниковский метод в другом, внешне совсем непохожем случае, где исходным моментом является внеличная эпическая данность. В драматической поэме «Гибель Атлантиды» (1912) мы видим изображение мировой драмы, разрушение и полное исчезновение целой страны и целой цивилизации. Причем если в первоисточнике мифа об Атлантиде — платоновских диалогах «Тимей» и «Критий» — мир атлантов рисуется в удаленнейшем «допотопном» прошлом и в такой идеально разумной и красиво завершенной цельностности, что даже непонятно, за какие, собственно, грехи обрушил на него свой гнев бог богов Зевс, то здесь мы становимся очевидцами великого преступления, повлекшего за собой гибель Атлантиды, и сцены эти вплотную придвинуты к нам. И дело не только в том, что в драме всегда все совершается здесь и сейчас, в нашем присутствии, тогда как эпос предполагает пространственно-временную отдаленность и безучастность. Драматург тут самым откровенным образом говорит нам о насущной современности, но являет ее в фантастических образах древнего мифа. Делается это, понятно, не для того, чтобы как-то затемнить или утаить, а, напротив, чтобы с наибольшей яркостью выявить глубинный смысл драматического настоящего. Миф ведь и есть вот эта самая непосредственная действительность, но только взятая не в своем фактическом, а в чисто смысловом содержании; он свидетельствует не о том, что было, есть или будет, а о том, как осознается и понимается происходящее. Хлебников так и говорил: «...потоп и гибель Атлантиды была или будет? Скорее я склонен был думать — будет» (СП, IV, 286).

Для нашего вопроса о методе поэма особенно интересна тем, что предметом драматического изучения в ней стало не какое-то неясное «молчание», а вполне наглядная и даже материальная «вещь». Конечно, в ней так или иначе отражен и платоновский миф и некоторые из его бесчисленных пересказов и толкований, однако прямым источником поэмы является картина Л. Бакста «Terror antiquus» (1908), привлекшая широкое внимание главным образом благодаря лекции В. Иванова, целиком посвященной философско-поэтическому ее изъяснению[1] (см. Приложение 1, илл. 12). Картина как раз изображает гибель Атлантиды. Остров содрогается от землетрясения, и океанские волны затопляют гигантский город, где на улицах и площадях, среди рушащихся зданий и статуй, мечутся обезумевшие толпы. Людей, собственно, мы почти не различаем, так как панорама взята с какой-то возвышенной и удаленной точки, может быть даже с небесной точки зрения. Ближе всего к нам, в центре первого плана картины,— колоссальная статуя улыбающейся богини с голубем, вероятно Афродиты, да слева — статуя какого-то мрачного бога с мечом и щитом. Там — губительное буйство стихий, здесь — невозмутимое величие кумиров, а между ними — отчаяние и гибель людей .

Хлебников не описывает картину и не пересказывает ее содержание и вообще обращается с ней очень свободно. Это как будто сон или какое-то видение, навеянное живописными образами. Картина нужна лишь в качестве исходной зримой данности, где множество вещей, фигур, событий — и природа, и люди, и боги, то есть в конце концов весь мир — присутствуют сразу и одновременно в едином живописном пространстве.

Симультанный мир картины он переводит в драматическое слово. И можно даже сказать, что здесь также молчание раскрывается как множественность слов, картина начинает говорить и ее персонажи выходят на «подмостки слова». Действующие лица драматической поэмы не прямо взяты с картины, не воспроизводят ее образы, но внутренне соответствуют им и сквозь все трансформации несут в себе их смысл. Так, образ Жреца восходит к тому богу, статую которого мы видим слева, и если уж искать какого-то правдоподобия, можно предположить, что Жрец — служитель его культа. Образ рабыни связан с Афродитой, которой она тоже в известном смысле служит как «жрица любви». Третий же персонаж поэмы особенно характерен. Это — Прохожий, со стороны наблюдающий и описывающий происходящее. Его появление не лишено даже, на первый взгляд, какого-то комического эффекта.

---

[1] И в а н о в В. Древний ужас. По поводу картины Л. Бакста «Terror antiquus».— «Золотое руно», 1909, № 4. Включена в кн.: И в а н о в В. По звездам. СПб., 1909.

В самом деле, что это за безучастный свидетель мировой катастрофы? Однако если тут комизм, то это комизм шекспировский. Вводя эту невозможную фигуру, драматург подчеркивал фактическую условность изображаемого и, разрушая иллюзию правдоподобия, указывал на его актуальный смысл. В живописи, чтобы мы увидели событие, нужна «картина» — условное плоское пространство, которое его изображает. В драме же не может быть безличного описания, нужно «лицо», которое рассказывает. Именно таков здесь Прохожий — олицетворенный голос картины, объективированное слово события.

В отличие от картины Л. Бакста, где все дано сразу и одновременно, в драматической поэме мы видим одну и ту же гибель Атлантиды в трех совершенно различных картинах, написанных с разных точек зрения.

Первая картина в монологе Жреца, где слышится тщета и отчаяние надменного человеческого рассудка, бессильного перед лицом Рока, раскрывает гибель Атлантиды изнутри, показывает внутренний распад и самоуничтожение ее духа. Во второй картине мы видим столкновение Жреца и Рабыни, гибнущей от его меча и предрекающей страшное возмездие:

> Не так ли разум умерщвляет,
> Сверша властительный закон,
> Побеги страсти молодой?
> Та, умирая, обещает
> Взойти на страстный небосклон
> Возмездья красною звездой.

Здесь внутреннее падение и гибель воплощены уже во внешнем действии — в преступлении и пророчестве. И, наконец, третья картина (монолог Прохожего) изображает широкую и многоплановую панораму гибели Атлантиды. Причем здесь заново описано все то, что мы уже знаем и видели в первой и второй картинах, но показано не изнутри и не вровень, а с какой-то возвышенной и удаленной точки, как и на картине Л. Бакста. Отрубленная голова Рабыни превращается в ужасающий лик змееволосой Горгоны, восходящий над гибнущим городом:

> Кто безумно, кто жестоко
> Вызвал твой, о море, гнев?
> Видно мне чело пророка,
> Молний брошенный посев.
> Кто-то в полночь хмурит брови,
> Чей-то меч блеснул, упав.
> Зачем, зачем? Ужель скуп к крови
> Град самоубийства и купав?

Висит — надеяться не смеем мы —
Меж туч прекрасная глава.
Покрыта трепетными змеями,
Сурова, точно жернова.
Смутна, жестока, величава,
Плывет глава, несет лицо.
В венке темных змей курчаво
Восковое змей яйцо.
Союз праха и лица
Разрубил удар жестокий,
И в обитель палача
Мрачно ринулись потоки.

Три действия поэмы дают нам, с одной стороны, последовательное развитие сюжета, с другой — раскрывают тему одновременно с трех точек зрения: в первом действии — изнутри и крупным планом, во втором — извне и средним планом, в третьем — тоже извне, но общим планом. Можно сказать, что в первом действии взят лирический аспект темы, во втором — собственно драматический, в третьем — эпический. Однако все вместе они опять-таки являют нам именно драматическое, расчлененно-множественное состояние мира.

В целом движение сюжета строго следует дифференциально-аналитическому пути. В противопоставлении Жреца и Рабыни, центральной антиномии поэмы, это доведено до совершенной, почти декларативной наглядности:

Ты и я — мы оба равны.
Две священной единицы
Мы враждующие части,
Две враждующие дроби.

Как бы ни толковать такую вражду — разум и страсть, мужское и женское, аполлонийское и дионисийское, число и слово, культура и стихия, история и природа,— ясно, что речь идет о коренной раздельности мира, о его онтологическом драматизме. Но, выводя на подмостки слова всю эту раздельность и многообразие, драматург представляет ее нам не в виде каких-то неподвижных антиномий, а в живом противоречивом становлении, в живых ликах и личностях, в их страданиях и борьбе, так что, видя перед собой всю эту бесконечную вражду, мы вместе с тем помним и знаем о единстве, остающемся самим собой — «в себе самом меняя виды».

Следовательно, дифференциально-аналитический метод, вскрывающий драматическое многообразие единства, не есть что-то выдуманное и постороннее, он имманентен мировому процессу, и в то же время он достаточно отвлечен и осознан, чтобы служить орудием художественного постижения жизни.

Уже в тех немногих драматических произведениях Хлебникова, которых мы коснулись, можно было заметить, что сюжеты их прямо вырастают из его метода. В этом, разумеется, нет ничего исключительного, это вообще свойственно всякому органическому искусству. Хлебникова в этом отношении отличает лишь стремление к наибольшей последовательности и, я бы сказал, теоретической ясности художественной концепции. Каждая его драма тяготеет к тому, чтобы сам процесс драматической дифференциации и анализа полностью совпадал с сюжетом, овеществлялся в нем. Тенденция эта реализована до конца в грандиозных сюжетах «Детей Выдры» и «Зангези», действие которых развертывается подобно процессу миротворения, как новый космогонический миф.

Однако проще всего рассматривать это на примере маленькой трагедии «Аспарух» (1908), одной из самых прозрачных и традиционных хлебниковских драм. Фабула ее в общих чертах да и в некоторых деталях заимствована из Геродотова рассказа о скифском царе Скиле:

«Царствуя над скифами, Скил вовсе не любил образа жизни этого народа. В силу полученного им воспитания царь был гораздо более склонен к эллинским обычаям и поступал, например, так: когда царю приходилось вступать с войсками в пределы города борисфенитов ⟨...⟩ он оставлял свиту перед городскими воротами, а сам один входил в город и приказывал запирать городские ворота. Затем Скил снимал свое скифское платье и облачался в эллинскую одежду. В этом наряде царь ходил по рыночной площади без телохранителей и других спутников (ворота же охранялись, чтобы никто из скифов не увидел царя в таком наряде). Царь же не только придерживался эллинских обычаев, но даже совершал жертвоприношения по обрядам эллинов. Месяц или даже больше он оставался в городе, а затем вновь надевал скифскую одежду и покидал город...» Однажды, когда Скил принимал посвящение в таинства Диониса, скифские князья увидели его в толпе вакхантов и в страшном негодовании подняли восстание. Скил бежал во Фракию, но в конце концов был выдан соотечественникам и обезглавлен (Геродот. История. IV, 78—80)[1].

---

[1] См.: B a r a n H. Khlebnikov and the History of Herodotus.— Slavic a. East European I.— 1978. Vol. 22, № 1.

Самое очевидное отличие хлебниковского сюжета содержится в развязке: Аспарух не бежит от своих подданных, но возвращается к войскам, идущим на приступ города, и мужественно принимает смерть:

«А с п а р у х. Столпитесь же вокруг меня,
               держащие луки наготове.

Приговор мне ведом.
Слетайтесь же ко мне, стрелы,
Как стрижи на вечерний утес.
Я буду стоять, как вечерний утес,
Закутанный и один; мертвого же меня
Не бросайте, но отвезите к великим порогам.
Я закрываюсь плащом и жду.

Ж р е ц (*протягивая руку*). Мужайся, Аспарух!
В о и н. Зашатался и упал, и разъезжаются по своим местам».

Уже это превращает нравоописательный рассказ в высокую трагедию. У Геродота Скил просто-напросто изменник, да к тому же и не совсем скиф по рождению и воспитанию. Аспарух же — трагический герой и великий преступник. Он казнит непокорных князей, убивает телохранителя, предает свое войско и свой народ, принимая эллинские обычаи и поклоняясь чужим богам. Но движет им отнюдь не предпочтение эллинского мира — ведь похоронить себя он просит на скифской земле. В пьесе присутствует мотив, который как будто бы дает всему происходящему достаточное объяснение:

Холодая, голодая
Стоит войско в диком поле.
Знать, гречанка молодая
Отняла у князя волю.

Однако и такая традиционная романическая мотивировка, подсказывающая толкование драмы с точки зрения коллизии чувства и долга, тоже оказывается ложной. В Аспарухе мы видим не покорность чувству, не безволие, а, напротив, гипертрофию воли и безграничное ее утверждение. Об этом свидетельствует первый же эпизод трагедии, ее завязка:

«О т р о к. О, Аспарух! Разве ты не слышишь, что громко ржут кони? Это стан князей. Они не хотят идти. Им ясные очи подруг дороже и ближе ратного дела... Если ты идешь на войну, то зачем тобою взято мало стрел? Так они в недовольстве говорят о походе. И требуют вернуться.

А с п а р у х. Слушай, вот я поскачу прочь от месяца; громадная тень бежит от меня по холмам. И если мой конь не догонит тени, когда я во всю быстроту поскачу по холмам, то грянется мертвый от этой руки мой конь, и навеки будет лежать недвижим. (*Скачет.*)

О т р о к. Совершилось: грохнулся наземь и подымает голову старый конь, пронзенный мечом господина.

А с п а р у х. Иди и передай, чтó видел .

Этого эпизода также нет у Геродота. И надо думать, что Хлебников придавал ему особое значение. Здесь ключ ко всей концепции трагедии. Чувствам князей, вполне понятным и вполне человеческим, Аспарух противопоставляет свою нечеловеческую волю: он хочет, чтобы конь скакал со скоростью света, настигая собственную тень. Он жаждет невозможного. Поэтому убийство коня — не просто урок непокорным князьям, но главное — символическая картина трагической вины Аспаруха, преступающего не только человеческие законы, но воздвигшего свою волю на саму природу. Ведь на самом деле он борется не с врагами и не с единоплеменниками, он борется не ради выгод вещественных и не ради славы, власти или любви, и даже не ради милости богов. Всем этим и так обладает всевластный царь могущественной Скифии. Им движет жажда иной судьбы, и не какой-нибудь определенной, но вообще — иной, самовластно избранной. Свою л и ч н у ю волю он противопоставляет мировой воле, внеличной необходимости, которой подвластны даже боги.

Вот эта судьба-предопределенность и воплощена в образе «старого коня». Конь вообще один из самых устойчивых и самых насыщенных хлебниковских символов. Чтобы представить глубину и сложность его, достаточно вспомнить хотя бы мистерию «Сестры-молнии», где конь прямо уподоблен Христу. Чаще же всего конь символизирует дикую, вольную, стихийно-прекрасную природу или — в более отвлеченном значении — природную необходимость, судьбу, рок. В «Аспарухе» эпизод с конем и тенью, вероятно, навеян рассказом об укрощении Буцефала юным Александром Македонским (Плутарх. Сравнительные жизнеописания. Александр, VI). И вместе с тем он прямо связан с образами коня и всадника в «Песни о вещем Олеге» и «Медном всаднике»: «О мощный властелин судьбы! Не так ли ты над самой бездной, На высоте, уздой железной Россию поднял на дыбы?» Тут же вспоминается и конь Ахилла, предрекающий ему гибель. Такие неизбежно возникающие ассоциации, конечно, заданы обобщенным и даже архетипическим образом царя-всадника.

В том же смысле как будто можно было бы понять и переименование геродотовского Скила в Аспаруха. Но тут дело сложнее. Об Аспарухе, кроме того, что он жил в VII веке н. э. (то есть не менее двенадцати веков позже Скила) и был основателем болгарского государства, нам почти ничего не известно, так что между ними, собственно, нет ничего общего. Нас, разумеется, нисколько не смутит тысячелетний анахронизм — поэзия вообще, как говорил Гёте, «дышит анахронизмами». Но зачем взят именно Аспарух? Очевидно, Хлебникову важно было само имя. По разъяснению В. И. Абаева, иранское *Аспарух* образовано из слов *аспа* (конь) и *раух* (свет, луч) и означает «имеющий светлых коней», «Светлоконный»[1]. Однако, я думаю, в мифопоэтическом контексте трагедии его можно толковать метафорически, скажем — «Свето-конный». Оно несет здесь роковой смысл: с одной стороны, это имя — залог благой судьбы, с другой — убивая коня, царь как бы отказывается от этого имени и этой судьбы.

Обыденное сознание не отделяет человека от его судьбы. Лишь в исключительных случаях мы сталкиваемся с людьми, знающими свое предназначение, и тогда мы говорим о героических личностях. Здесь же в лице Аспаруха драматург брал тот предельный случай героизма, героизма трагического, когда человек не только знает свою судьбу, но и восстает на нее, отвергает ее до конца. В этой трагической фигуре то, что обычно представляется неразличимым целым — судьба человека,— расчленено и воплощено в двух образах: всадник и его конь — «две враждующие дроби». Драматическая коллизия строится как неравенство человека и его судьбы и в результате художественного анализа разрешается опровержением такого неравенства и доказательством его невозможности.

Замечательно и убедительно здесь то, что весь этот дифференциальный анализ судьбы производится самим героем, причем не в каких-то отвлеченных рассуждениях и рефлексии, а в самых непосредственных действиях и конкретных поступках. Вся его судьба, развертывающаяся в закономерно-неизбежной связи событий, есть процесс отделения и обособления: сначала вполне символически — в убийстве коня, а затем и фактически — через ряд преступлений — Аспарух отрывается от всего жизненного окружения и остается в сверхчеловеческом одиночестве и наконец — в смерти — освобождается и от самого себя. Смерть коня и смерть Аспаруха, завязка и развязка трагедии,— это в то же время задача и ее решение. Перед нами, так сказать, апория Аспаруха: может ли

---

[1] А б а е в В. И. Осетинский язык и фольклор, т. I. М.—Л., 1949, с. 157.

человек быть не равным своей судьбе? Может, но лишь «выйдя из себя», прекратив свое личное существование. А это значит, что он возвращается в лоно мировой судьбы, внеличной природной необходимости. Другими словами, утверждая свою личную волю, человек утверждает волю мировую.

Вероятно, в «Аспарухе» Хлебников хотел еще раз и по-своему пережить те выводы, к которым его приводила весьма высоко ценимая им повесть М. Кузмина «Подвиги великого Александра». Она, писал Хлебников, «говорит о человеке-роке, в котором божественные черты переплетаются с человеческими. Она знаменует союз человека и рока и победу союзника над сиротливым темным человеком. Она совпала с сильными личностями в Руси и написана пером времени, когда общечеловеческие истины искажены дыханием рока» (НП, 425). Подобно Пушкину, решавшему в своих маленьких трагедиях самые современные и личные задачи, Хлебников обращался к прошлому человечества с вопросами о настоящем и будущем. Историю он всегда понимал в исконном значении этого слова — «исследование». Но художественное исследование должно не просто раскрывать смысл событий, а предсказывать и предварять их. Такую символическую антиципацию будущего крушения самодержавия Хлебников видел в судьбе скифского царя:

> Свинцовые стрижи много позднее
> В каменный утес Романовых
> Летели в отместку разрухи
>
> . . . .
> Ранее они летели в «Аспарухе».
> И переписали его страницы начисто, наново.
> Образа кража —
> Быт обокрал мое творчество.

В драматическом творчестве Хлебникова перед нами неделимый процесс творчества-изучения, единый органический путь художественной мысли, или, как мы уже говорили, драматического действия-в-слове. Поэт выступает тут и творцом всех этих драматических миров и в то же время их исследователем и испытателем. Но изучает он их не со стороны и не свысока, а изнутри и вместе со своими героями, они-то, собственно, и суть руки, которыми он делает, и глаза, которыми он видит.

Драматическое искусство, писал Хлебников в письме к Мейерхольду, есть «область тех перевоплощений и переодеваний человеческого духа, портным и закройщиком в которых является сам человек. Эта жажда множественности бытия, тысячью волн разбившись об утес его единичности, о цепи единственного числа, ищет себе естественного выхода в ⟨...⟩ искусстве игры» (СП, V, 318).

Другими словами, это искусство моделирует мировые судьбы личного «я» как раз на той стадии, когда оно сталкивается с «иным» в своей тяге выйти из себя, стать другим и вместе с тем остаться самим собой. Драматическая множественность и раздельность оказывается необходимым этапом, может быть самым напряженным и ответственным, в становлении духовной жизни от личной единичности к ясному и закономерному всеобщему единству.

Однако в конечном счете драматическое творчество Хлебникова — и в этом его основной и актуальный смысл — было художественным преодолением раздельно-множественного, раздробленно-хаотического и алогического состояния мира. Можно даже сказать, что драматическая поэзия Хлебникова по существу есть самоотрицание драмы в ее стремлении к эпосу.

Отступление пятое

О ЛОГИКЕ СЮЖЕТА
И РЕКОНСТРУКЦИИ ТЕКСТА

В критических работах о Хлебникове часто вспоминают его строки:

> Мы стали к будущему зорки,
> Времен хотим увидеть даль.

Из них делаются далеко идущие выводы об оптимистической настроенности поэта. В других критических работах приводятся иные строки:

> И к быту первых дикарей
> Мечта потомков полетит...

И из них делаются еще более далеко идущие, но уже в противоположную сторону, выводы об архаизирующем и пессимистическом его мировоззрении. Между тем оба отрывка берутся из одной и той же поэмы «Путешествие на пароходе» (1912).

Какая же из двух, по-видимому, взаимоисключающих точек зрения принадлежит собственно Хлебникову? И если обе — то как совмещаются они в художественном строе поэмы? Решить это на первый взгляд не трудно, так как поэма снабжена подзаголовком «Разговор», и мы понимаем, что перед нами драматический диалог юноши и старика, высказывающих противоположные взгляды на современную действительность. Но тут-то и начинаются трудности. Текст поэмы не разделен на реплики и с полной уверенностью заключить, где кончаются речи юноши и начинаются речи старика и наоборот, просто невозможно. Лишь только как будто начинает угадываться какая-то нить диалога, как она тут же рвется и путается. Осюда можно было бы сделать вывод (что нередко и делается) о какой-то изначальной и непреодолимой хаотичности, о какой-то мучительной и безнадежной темноте хлебниковской мысли.

Конечно, сюжет этого философского диалога достаточно сложен. И все же ближайшей причиной недоразумений и ложных выводов в его толковании, я думаю, является не состояние художественной мысли, а состояние текста, который дошел до нас. Рукопись «Путешествия на пароходе» не сохранилась, и единственным источником текста остается сборник «Рыкающий Парнас» (СПб., 1914), где поэма была впервые напечатана в составе 5-го паруса сверхповести «Дети Выдры». В тексте сборника, как и вообще почти во всех прижизненных изданиях Хлебникова, мы находим различные локальные повреждения, опечатки, лакуны. И главное — искажена композиция поэмы, а именно — один кусок из конца диалога оказался в его середине. Причем реплика юноши, едва начавшись, обрывается на полустрофе:

> Бойтеся русских преследовать,
> Мы снова подымем ножи.

Дальше следуют 19 строк, не связанных с предыдущими, а затем мы наконец отыскиваем вторую половину оборванной строфы:

> И с бурями будем беседовать
> На рубежах судьбы межи.

Вне сомнения, этот отрывок в 19 строк, совершенно случайно оказавшийся внутри строфы, должен быть изъят и, таким образом, четверостишие с перекрестной рифмовкой будет восстановлено. Но этого мало. Как определить истинное композиционное положение изъятого отрывка? Решение тут, ввиду особого характера диалогического сюжета, могло бы быть лишь весьма предположительным, если бы не другое, опять-таки совершенно очевидное повреждение. Отрывок состоит из пяти строф также с перекрестной рифмовкой, но в последней строфе последний стих отсутствует:

> И жизни понятен мне снова учебник,
> Мрет муравейника правда живая,
> А ты, таинственный волшебник...

Недостающую рифму мы обнаруживаем только через 61 строку:

> За дубом стоишь, убивая:

И дальше находим непосредственное продолжение отрывка:

> Приятно гибель и раскол
> Принесть, как смерти чародейник,
> Огромного дуба сокрытый за ствол,
> В кипучий трудом муравейник.

Следовательно, весь отрывок, содержащий примирительную реплику юноши и ответные примирительные речи старика, необходимо отнести в конец диалога.

〈Юноша:〉 — Ты прав, не костер, а вязанка готовая дров,
Из кубка живого я не пил.
Ты же, чей разум суров,
Ты старого разума пепел.

〈Старик:〉 — Мы не рождаемся в жизнь дважды,—
Сказал задумчивый мудрец.—
Так веселись, будь светел каждый,
И здравствуй ты, о звон колец!

И т. д.

На этом, собственно, диалог завершается, и на первый план выходит, так сказать, интегральный голос автора, придающий противоположным взглядам диалектический смысл и движение. Точки зрения юноши, полного энтузиазма и веры в будущее, и умудренного старца, обращенного к прошлому, противоположны, но они же и едины, как может быть един и противоположен самому себе один и тот же человек в юности и старости. (Здесь нельзя не вспомнить встречу Хлебникова с Вячеславом Ивановым весной 1912 года и книгу «Учитель и ученик».— См. Отступление 1.)

Сюжет 5-го паруса «Детей Выдры», куда входит поэма «Путешествие на пароходе», навеян гибелью «Титаника» в апреле 1912 года, в которой Хлебникову виделся символический образ всей современной цивилизации и предсказание будущих мировых катастроф. (С этим образом связан и «пароход современности» из манифеста «Пощечина общественному вкусу».) Поэтому диалогический сюжет «Путешествия», как и вообще сюжеты его «апокалипсических» поэм «Журавль», «Змей поезда», «Гибель Атлантиды», получал обобщающее символическое значение. Точка зрения поэта несводима к той или другой точке зрения собеседников, она выражается в самом движении их противоречий, в своеобразном симфонизме художественной мысли[1]. Но это, разумеется, не исключает большего или меньшего сочувствия тем или иным взглядам.

В 1912 году, на самом подъеме будетлянского движения, Хлебникову ближе были настроения «бури и натиска», хотя, конечно, знал он и сомнения, и печаль, и смирение «в беседах с мрачною судьбой».

Морские движутся хоромы,
Но, предков мир, не рукоплещь,

---

[1] Характерно, что написанную почти одновременно с «Титаником» поэму «Любовь приходит страшным смерчем...», с ее лирико-диалогическим сюжетом, Хлебников прямо называл «симфонией» (НП, 387).

Ведь до сих пор не знаем, кто мы:
Святое Я, рука иль вещь?
Мы знаем крепко, что однажды
Земных отторгнемся цепей,
Так кубок пей, хотя нет жажды,
Но все же кубок жизни пей.
Мы стали к будущему зорки,
Времен хотим увидеть даль,
Сменили радугой опорки,
Но жива спутника печаль.
Меж шестерней и кривошипов
Скользит задумчиво война,
И где-то гайка, с оси выпав,
Несет крушенье шатуна.
. . . .
О человек, забудь смирение!
Туда, где старой осью хлябая,
Чуть побарая маслом трение
И мертвых точек перебой,—
Одно, одно! — созвездье слабое
В волненьи борется с судьбой,
Туда иди, красавец длани,
Будь старшим братом этой лани,
Ведь меж вечерних и звездных колес
Ты один восстаешь на утес.
И войны пред тем умеряют свой гнев,
Кто скачет, рукою о рок зазвенев.

В 5-м парусе «Детей Выдры» мы вообще сталкиваемся с таким неожиданным переплетением самых далеких и противоречивых мотивов, и в частности, скажем, с таким парадоксальным сочетанием идей будетлянства с идеями Константина Леонтьева об исторических судьбах России[1], что понять его сюжетную мысль можно только в результате тщательного и в первую очередь т е к с т о л о г и ч е с к о г о вчитывания и вдумывания. И лишь реконструировав композицию и восстановив, таким образом, подлинную плоть этой мысли, мы подойдем к полноценному ее восприятию[2].

На случай этот нужно обратить особое внимание еще и потому, что в истории хлебниковских изданий он совсем не единственный, а в некотором отношении, можно сказать, даже типовой, обусловленный характером хлебниковской поэтики, нередко вводившей в заблуждение не только его первых издателей, но и позднейших исследователей.

_____

[1] См.: А р е н з о н Е. Р. В. Хлебников и К. Леонтьев (К проблеме мифопоэтической историософии будетлянства). Тезисы докладов III Хлебниковских чтений. Астрахань, 1989, с. 9—11.

[2] Реконструированный текст «Путешествия на пароходе» см. в издании: Х л е б н и к о в В. Стихотворения и поэмы. Волгоград, 1985, с. 53—59, ср. Х л е б н и к о в В. Творения. М., 1986, с. 439—444.

Однако, прежде чем рассмотреть другие примеры подобного повреждения композиции и возможности ее реконструкции, здесь следует дать себе отчет в том, каким образом могли возникнуть такие, несомненно механические и случайные, искажения.

Наиболее вероятным, как кажется, будет предположить, что при подготовке сборника «Рыкающий Парнас» к печати или уже при наборе в типографии был нарушен порядок листов рукописи. Это легко представить при двух условиях: во-первых, при отсутствии в рукописи авторской пагинации (с чем мы часто сталкиваемся в хлебниковской текстологии) и, во-вторых, при совпадении или кратности объема каждой из сдвинутых частей текста с объемом рукописного листа (при незаполненных оборотах — что естественно в беловой рукописи). По-видимому, отрывок в 19 строк вполне соответствует объему одного листа рукописи (тетрадного формата), а отрывок в 61 строку — объему трех листов. Поэтому можно предположить, что один лист рукописи поэмы оказался сдвинутым на три листа вперед. При этом были нарушены не только сюжетно-смысловые связи диалога, но и формальные. Вот это последнее обстоятельство и позволяет с полной уверенностью реконструировать композицию поэмы, так как, восстанавливая строфические связи, мы безошибочно находим место сдвинутого отрывка.

Впрочем, это обстоятельство для Хлебникова как раз нехарактерно. Напротив, ему свойственно было цельное переживание рукописного листа как самостоятельной конструктивно-смысловой единицы, в пределе — как своеобразной «словокартины» или даже «числокартины» (см. его словотворческие рукописи и «мировые страницы» — Приложение 1, илл. 1, 2, 11). В его стихотворных рукописях, как правило, строфа не разбивается и рифмующиеся строки не переносятся на другую страницу. (Поэтому, надо думать, порядок листов рукописи «Путешествия на пароходе» был нарушен не при типографском наборе, а еще при подготовке «Рыкающего Парнаса», когда, судя по воспоминаниям Ольги Матюшиной, «Дети Выдры» переписывались на машинке.)

Относительная самостоятельность рукописного листа и общая затрудненность и многоплановость сюжетных построений в больших произведениях Хлебникова немало способствовали различным композиционным искажениям его вещей, в особенности в тех случаях, когда они печатались прямо с авторских рукописей. Эти же особенности хлебниковской рукописной техники и поэтики затрудняют реконструкцию.

Такова текстологическая история поэмы «Ночь в окопе», на которой мы остановимся возможно более подробно.

«Ночь в окопе» была написана в Харькове весной, по-видимому в конце апреля, 1920 года и тогда же вместе с рядом других произведений была передана для издания С. Есенину и А. Мариенгофу, приезжавшим в Харьков. Вышла она отдельной книжкой под маркой «Имажинисты» в 1921 году в Москве. Рукопись поэмы не сохранилась, или, во всяком случае, судьба ее неизвестна, и, таким образом, это издание остается единственным источником текста, как и в случае с «Путешествием на пароходе». Печаталась «Ночь в окопе», очевидно, прямо с рукописи и, конечно, без всякой корректуры. Неудивительно, что здесь мы найдем едва ли не все мыслимые виды искажений, начиная с пунктуации и кончая композицией.

Вместе с тем эта бесхитростная транскрипция наборщика отражает некоторые характерные особенности рукописного текста. По всей вероятности, рукопись поэмы представляла собой беловик с правкой и довольно многочисленными вставками. Некоторые из них легко заметить, поскольку при наборе, скорей всего, непосредственно воспроизводилась топография рукописи. Например:

Цветы нужны, чтоб скрасить гробы,
А гроб напомнит, мы цветы... *Недолговечны как они*

Или:

А конь скакал... *Как желт*
Зубов оскал!

В двух местах вставки особенно наглядны. В одном — в хореическое четверостишие вставлено ямбическое двустишие:

То пожаром, то разбоем
Мы шагаем по земле. *Черемуху воткнув в*
                  винтовку, целуем милую плутовку.
Мы себе могилу роем
В серебристом ковыле.

В другом — первоначальное двустишие развернуто в четверостишие с перекрестной рифмовкой:

Из белокурых дикарей *и их толпы, всегда невинной,*
Сквозит всегда вражда морей. *И моря белыя лавины*

Помимо этих и подобных очевидных случаев, где членение на стихи и их последовательность достаточно прозрачны, в печатном тексте встречается ряд темных мест, явившихся, вероятно, следствием каких-то искажений или, может быть, пропусков, судить о которых сейчас невозможно.

Кроме того, весь текст поэмы был совершенно механически разбит на четырехстрочия. Причем если в начале такая разбивка хотя бы внешне совпадает со строфическим движением, то уже с 25-го стиха она вступает в полное противоречие со всей ритмо-интонационной структурой поэмы.

Значительная часть очевидных дефектов текста была устранена в посмертных изданиях Хлебникова, вначале бессистемно (СП, I, 174—182), затем более последовательно (Избранные стихотворения, 1936, с. 177—184; Стихотворения и поэмы, 1960, с. 242—250). Но даже в последнем издании (Творения, 1986, с. 275—280) текст поэмы так и не был доведен до удовлетворительного состояния. Дело не только в отдельных поверхностных дефектах. Вне поля зрения редакторов, по существу, остался основной дефект издания 1921 года, а именно — композиция поэмы.

И это не случайность. Еще в 1929 году, в связи с выходом первого тома Собрания произведений Хлебникова, И. Поступальский писал: «Композиция его поэм состоит в абсолютно свободном нанизывании текучих импрессионистических ассоциаций (В. Хлебникову до конца жизни оставалось непонятным стремление конструировать вещи по иному плану...)»[1]. И почти то же самое повторял полвека спустя Н. Степанов, говоря о «Ночи в окопе»: «...поэма бессюжетна; это размышления автора и возникающие вперемежку с ними картины»[2].

С такой точки зрения попросту снимаются всякие текстологические проблемы композиции. Между тем, как бы ни понимать термин «сюжет», в поэме мы видим и чисто событийный ряд в его причинно-следственных связях, и его конструктивно-смысловую трансформацию. Фабула поэмы вполне ясна и сводится к простейшей батальной схеме. В первой половине поэмы — собственно «ночь в окопе» — рисуется ночь и рассвет в ожидании боя между белыми и красными, во второй половине — бой и победа красных. Но последовательные эпизоды батального описания перебиваются авторскими от-

[1] Поступальский И. О первом томе Хлебникова.— «Новый мир», М., 1929, № 12, с. 239.
[2] Степанов Н. Велимир Хлебников. Жизнь и творчество. М., 1975, с. 186.

ступлениями, углубляющими и раздвигающими пространственно-временные координаты фабулы до огромных масштабов. Перед нами изображение индивидуального исторического события и одновременно — картина эпического состояния мира, данные в движущемся художественном единстве. Сюжет поэмы, развертывающийся одновременно по горизонтали и по вертикали, образует в результате сложную и многоплановую композицию.

При этом внешне поэма представляет собой цельный, непрерывный массив, не расчлененный ни на строфы, ни на периоды, ни на части. Напряжение, возникающее из свободных, неожиданных, не сразу осознаваемых читателем переходов из плана в план (здесь И. Поступальский прав), переходов из горизонтали в вертикаль и обратно, производит, конечно, особый художественный эффект, подчиняющий восприятие внутренней логике сюжета. Воспринимающее сознание оказывается в самом центре происходящего и вместе с тем — на его крайней периферии, как бы рассматривая события двойным зрением — изнутри и снаружи. «Оборотническая» логика сюжета диктует такое непрерывное превращение, переворачивание и выворачивание наизнанку смысловых планов поэмы, что обычное линейное восприятие фабулы ослабляется, и поэма переживается прежде всего в своем подвижном меняющемся целом. Этим, видимо, и объясняется тот факт, что композиционные бессмыслицы текста, которые были бы прямо вопиющими в другой, более традиционной поэтической системе, здесь проходят незамеченными или относятся на счет авторского «импрессионизма».

Однако как только от непосредственного восприятия мы углубляемся в сюжетную логику поэмы, как только начинаем пытаться ее п о н я т ь, так сразу же композиционные дефекты становятся заметны.

Если взять поэму на с р е д н е м композиционном уровне, то ее можно разделить, разумеется вполне условно, на 9 частей, имея в виду в качестве границ раздела пересечения фабульной линии конструктивно-сюжетными ходами.

I. Ночь перед боем в стане красных.
II. Первое отступление о гражданской войне.
III. Речь вождя.
IV. Второе отступление о гражданской войне.
V. Танковая атака белых. Бой.
VI. Рассвет на поле боя в стане белых и красных.
VII. Конная атака красных.
VIII. Третье отступление о гражданской войне.
IX. Речи каменной бабы.

Такая последовательность событий не может не вызвать недоумения. В самом деле, почему после описания ночи перед боем (части I—IV):

> Проклятый бред! Молчат окопы,
> А звезды блещут и горят...
> Что будет завтра — бой? навряд,—

сразу же следует начало боя (часть V):

> Курган языческой Рогнеде
> Хранил девические кости,
> Качал ковыль седые ости.
> И ты, чудовище из меди,
> Одетое в железный панцирь...

И т. д.?

А затем в самый напряженный момент описание боя прерывается:

> Трепещет рана, вся в огне,
> Путь пули через богородиц.
> На золотистом скакуне
> Проехал полководец.
> Его уносит иноходец —

и мы опять возвращаемся к ожиданию боя (часть VI):

> За сторожевым военным валом
> Таилась конница врагов:
> «Журавель, журавушка, жур, жур, жур...»
> Оттоль неслось на утренней заре...

И только после этого, после разговоров и песен во враждебных станах, ожидающих боя, мы снова находим продолжение описания боя (часть VII). Какой в этом сюжетный смысл? Зачем нужно картины боя прерывать описанием его ожидания? Если это сознательный сюжетный ход, то какова его мотивировка?

Всякое переключение, всякая смена планов изображения приобретает сюжетный смысл лишь тогда, когда она действует как усиление или контрастное противопоставление. Здесь же минимальная временная инверсия смежных фабульных моментов не дает ни контраста, ибо противоположность планов слишком незначительна, ни усиления — наоборот, перебивка боя эпизодами ожидания только ослабляет сюжетное напряжение. Основной мотив VI части (Рассвет на поле боя) — предчувствие смерти, тогда как в V части (Танковая атака белых. Бой) — мы уже видим ее разгул и торжество. Понятно, что такая инверсия производит деструктивный эффект.

С другой стороны, если восстановить естественную последовательность событий: ночь — рассвет — бой, то тем самым мотив смерти получит нарастающее развитие от предчувствия до высшей точки его переживания. Для этого необходимо, чтобы V часть следовала за VI. Тогда вслед за описанием танковой атаки белых будет идти описание конной контратаки красных, и, таким образом, должна как будто сложиться цельная картина сражения.

Однако дело не так просто. Между двумя частями описания боя как раз совершенно необходимо переключение планов. Прежде всего оно необходимо потому, что конец V части и начало VI не стыкуются ни интонационно, ни семантически:

> На золотистом скакуне
> Проехал полководец.
> Его уносит иноходец.
> . . . .
> Из Чартомлыцкого кургана,
> Созвавши в поле табуны,
> Они летят, сыны обмана...

Появление буквально из-под земли этих призраков скифов не только не мотивировано, но, хуже того, может быть истолковано самым плоским и неверным образом: *сыны обмана* — значит, белогвардейцы.

И главное, переключение планов необходимо потому, что перелом боя и победа красных должны быть мотивированы концептуально.

Поэтому естественно предположить, что между двумя частями описания боя вместо V части (Рассвет на поле боя) должна помещаться VIII часть (Третье отступление о гражданской войне). Именно эта часть является идейным и художественным центром поэмы. Здесь в грандиозном образе «битвы морей» со всей полнотой выражена хлебниковская мифопоэтическая концепция истории. В первом отступлении о гражданской войне (часть II) вопрос ставится в социально-историческом плане:

> Кто победит в военном споре?
> Недаром тот грозил углом
> Московской брови всем довольным,
> А этот рвался напролом
> К московским колокольням.
> Не два копья в руке морей,
> Протянутых из севера и юга,

221

Они боролись: раб царей
И он, в ком труд увидел друга.

В третьем отступлении о гражданской войне мы получаем на этот вопрос натурфилософский ответ:

Но море Черное, страдая
К седой жемчужине Валдая,
Упорно тянется к Москве.
И копья длинные стучат,
И голоса морей звучат.
. . . .
Морские волны обманули,
Свой продолжая рев валов,
Седы, как чайка-рыболов,
Не узнаваемы никем,
Надели человечий шлем.
Из белокурых дикарей
И их толпы, всегда невинной,
Сквозит всегда вражда морей
И моря белые лавины.

За враждой людей вскрывается столкновение стихий, и человеческая история осознается как функция природы.

Это отступление, помещенное между двумя частями описания сражения, дает нужный для сюжетного напряжения контраст, переключая батальные сцены в высокий концептуально-символический план, и в то же время последовательно (хотя и на другом уровне) развивает основные мотивы первой части описания боя. Оно подготавливает верное и полноценное понимание второй части с ее специфически хлебниковским эффектом тройной экспозиции, как бы в обратной перспективе совмещающей красноармейцев, скифов и морские лавины в своего рода сюжетной метафоре. Если же третье отступление следует после описания боя, то вся острота переживания этого образа единства настоящего, прошлого и вечного, то есть единства истории и природы, которое является главной художественной идеей поэмы, утрачивается и воспринимается лишь задним числом.

Поэтому наиболее естественной и художественно убедительной мне представляется такая композиция поэмы:

	№ строк	Кол-во строк
I. Ночь перед боем в стане красных	1—26	26
II. Первое отступление о гражданской войне	27—47	21
III. Речь вождя	48—89	42
IV. Второе отступление о гражданской войне	90—117	28

V.	Рассвет на поле боя в стане белых и красных	118—144	27
VI.	Танковая атака белых. Бой	145—183	39
VII.	Третье отступление о гражданской войне	184—208	25
VIII.	Конная атака красных	209—228	20
IX.	Речи каменной бабы	229—258	30

В связи с предлагаемой реконструкцией поэмы обратим внимание, что интересующие нас части V, VII и VIII соответствуют объему одного рукописного листа каждая (при незаполненных оборотах), а часть VI — объему двух листов. Некоторое затруднение как будто возникает из-за относительно большого колебания объема рукописного листа — от 19 до 27 строк. Однако если учесть предполагаемые вставки в V части (3 строки) и в VII части (2 строки), то объем листа можно считать в пределах 19—24 строк, что кажется вполне правдоподобным (ср. рукопись поэмы «Ладомир», писавшейся одновременно с поэмой «Ночь в окопе»). При этом надо иметь в виду, что в хлебниковских беловых рукописях количество строк на странице может варьироваться довольно широко, как мы говорили, вследствие композиционно-смысловой самостоятельности листа.

Поэтому с большой долей вероятности можно предполагать, что при наборе «Ночи в окопе» порядок листов рукописи был нарушен, что и привело к искажению композиции. Но, в отличие от поэмы «Путешествие на пароходе», мы не найдем здесь столь же грубых повреждений стиховой структуры. Если бы границы частей поэмы не совпадали с границами рукописной страницы, можно было бы ожидать более очевидных дефектов, и тогда реконструкция была бы надежней.

Тем не менее и здесь при внимательном анализе обнаруживаются некоторые текстовые опоры для реконструкции. Для хлебниковской поэтики характерен один прием, свойственный вообще ораторской речи и играющий не только интонационную роль, но очень часто приобретающий и композиционную функцию. Этот прием, а именно — лексический или лексико-синтаксический параллелизм, играет существенную роль в стилистике поэмы. Вот несколько примеров:

> Теперь лениво время цедится
> И даже *думать* неохота.
> «Что *задумался*, отец?..»

> «*Кто* был ничем,
> Тот будет всем».
> *Кто* победит в военном споре?

И пусть конина продается,
И пусть надсмешливо смеется...

Клянусь кониной, мне сдается,
Что я не мышь, а мышеловка,
Клянусь ею, ты свидетель...

Я так скажу — *пусть* будет *глупо*
Оно *глупцам* и дуракам,
Но *пусть* земля покорней трупа
Моим доверится рукам.

Когда ты просишь подымать
Поближе к небу звездочета
Или когда, как Божья Мать,
Хоронишь сына от учета,

Когда кочевники прибыли,
Чтоб защищать твои знамена,
Или когда звездою гибели
Грядешь в народ одноплеменный...

Когда чернеющим глаголем
Ты встала у стены,
Когда сплошным Девичьим полем
Повязка на рубце войны.

Подобное часам, на брюхе броневом
Оно *ползло,* топча живое!
Ползло, как ящер до потопа...

И копья длинные стучат,
И голоса морей *звучат.*
Они *звучат* в колосьях ржи...

Смотрели каменные бабы.
Смотрело
Каменное тело
На человеческое дело.

На фоне такого форсированного параллелизма нельзя не обратить внимания на два аналогичных случая, выступающих достаточно рельефно. Если предлагаемая реконструкция поэмы верна, то подобные конструкции, играющие роль композиционных скреп, восстанавливаются в самых ответственных местах поэмы. Во-первых — на стыке VI и VII частей:

На золотистом скакуне
Проехал полководец.
Его *уносит* иноходец.

> Как ветка старая сосны
> Гнездо суровое *несет,*
> Так снег Москвы в огне весны
> Морскою влагою умрет.

И во-вторых — на стыке VII и VIII частей:

> *Из* белокурых дикарей
> И их толпы, *всегда* невинной,
> Сквозит *всегда* вражда *морей*
> И *моря* белые лавины.

> *Из* Чартомлыцкого кургана,
> Созвавши в поле табуны,
> Они летят, сыны обмана...

Причем в последнем случае параллелизм выступал еще резче в первоначальном варианте:

> *Из* белокурых дикарей
> Сквозит всегда вражда морей...

> *Из* Чартомлыцкого кургана...

Трудно предположить, чтобы столь прочные связи VII части с предыдущей и с последующей явились результатом произвольной комбинации. Таким образом, композиционное положение третьего отступления о гражданской войне между двумя частями описания боя определяется с точки зрения сюжетной логики и подтверждается восстановлением нарушенных формальных связей.

Разумеется, здесь у нас не может быть полной и окончательной уверенности в правильности предлагаемой реконструкции, как это было в случае с «Путешествием на пароходе». Это только наиболее вероятная реконструкция. Но иного способа подойти к п о н и м а н и ю смысла поэмы «Ночь в окопе» я не вижу (см. Приложение 2).

Глава шестая

ИЗ ЭПИЧЕСКИХ СЮЖЕТОВ.
«НОЧЬ ПЕРЕД СОВЕТАМИ»

1

Если в драматических произведениях Хлебникова, как мы видели, преобладали дифференциация и анализ, в результате чего возникала особая драматическая концепция, то в лирике и эпосе, а также в различных лиро-эпических жанровых структурах на первый план выдвигался метод противоположный, который, по аналогии с дифференциально-аналитическим, можно назвать методом интегрально-синтетическим.

С этой точки зрения исключительный интерес представляет поэма «Ночь перед Советами», относящаяся к самым значительным эпическим произведениям. Задуманная первоначально в драматической форме, поэма в процессе работы, судя по сохранившимся черновикам (ЦГАЛИ, ф. 527, оп. 1, № 18, 22), путем внутренних изменений, преобразуясь изнутри, превратилась в эпос. Но при этом ее завершенная художественная концепция сохраняет следы исходного драматического сюжета и как бы помнит о своем драматическом происхождении.

Рассмотрим ее возможно подробнее.

Поэма «Ночь перед Советами» была написана в Пятигорске в ноябре 1921 года. Один из первоначальных черновиков помечен 1 ноября, окончательный беловой текст в записях датирован 7—11 ноября. Поэма состоит из шести частей, причем центральная, третья часть, содержащая более половины всего текста, в свою очередь подразделяется на три части. Первоначальное название поэмы — «Ночь перед Рождеством» — было заменено уже после завершения работы.

При жизни Хлебникова поэма не была напечатана. Отрывок из нее впервые был опубликован в журнале «Новая деревня» (1925, № 15—16). Полностью поэма была напечатана только в сборнике В. Хлебникова «Стихотворения» в Малой серии Библиотеки поэта (Л., 1940). В предыдущих изданиях (Собрание произведений, т. I. Л., 1928; Избранные стихотворения. М., 1936), а также в последующем (Стихотворения и поэмы. Малая серия Библиотеки поэта. Л., 1960) она печаталась без двух последних частей.

В обоснование усеченного текста редактор этих изданий Н. Л. Степанов предлагал следующие соображения: во-первых, последняя часть поэмы «Ночь перед Советами» включена в поэму «Настоящее», во-вторых, текст двух последних частей ни сюжетно, ни композиционно не связан с поэмой[1].

Вряд ли эти соображения можно считать основательными. Во-первых, включение тех или иных частей одного произведения в другое, выделение отдельных частей в самостоятельные стихотворения и, наоборот, «растворение» малых произведений в текстах больших в творчестве Хлебникова самое обычное явление. Это как раз характерная черта его поэтики, где и отрывок, и законченное стихотворение, и даже целая поэма может выступать в качестве с л о в а, включаясь как элементарная единица в структуру более высокого порядка. Естественно, что такое с л о в о в новых условиях получает и новые смысловые оттенки и даже полностью переосмысляется. В кругу хлебниковских поэм о революции, где отдельные образы, мотивы и темы многократно перекрестно повторяются, образуя сложную подвижную структуру, подобные включения вполне понятны. Тем более что последняя часть поэмы «Ночь перед Советами» вошла в поэму «Настоящее» не полностью и в другой редакции. Во-вторых, именно последние две части и образно и сюжетно являются необходимым окончанием поэмы, без них понять ее замысел просто невозможно. Кроме того, посредством этих частей, придающих поэме более широкий смысл, устанавливаются ее связи со всем кругом хлебниковских поэм о современности и с литературным контекстом эпохи, прежде всего с поэмами Блока и Маяковского. Поэтому рассматривать поэму, безусловно, нужно в полном объеме законченного белового текста.

2

Сюжет поэмы «Ночь перед Советами» построен в двух планах. Из шести частей поэмы пять сравнительно небольших по объему частей (I—II и IV—VI) образуют первый план, служащий композиционным обрамлением основной (III) части поэмы, ее второго плана.

Действие первого плана происходит в барском доме в ночь, как указывает название, «перед Советами». Собственно дейст-

---

[1] См.: Х л е б н и к о в В. Избранные стихотворения. М., 1936, с. 495.

вия тут почти нет. Перед нами две полубезумные старухи, барыня и баба-прислуга, в сумрачном доме, насыщенном томительным ощущением беды. Лишь время от времени в комнате барыни появляется прислуга, наклоняется над постелью и шепчет: «Барыня, а барыня!.. Вас завтра повесят!» В полудремоте барыня вспоминает прожитую жизнь, исполненную чистоты, самоотвержения и достоинства; все чувства ее возмущены несправедливостью угроз.

В предпоследней части возникает еще одна старуха — прачка, стирающая барское белье. От ее образа веет уже прямо каким-то апокалипсическим предвестием надвигающейся бури, потопа, пожара. И жуткий сумрак, в который погружена вся поэма, в последней части еще более сгущается темным, косным бормотанием прачки, жалующейся на свою судьбу.

Несмотря, однако, на весь этот насыщенный колорит, первый план поэмы и в подробностях и в целом вполне реалистичен, можно сказать, подчеркнуто, тяжеловесно реален.

Второй план в таком напряженно-неподвижном, трагически застывшем обрамлении, напротив, производит впечатление чего-то совершенно нереального. В каждой отдельно взятой детали, в каждом сюжетном мотиве здесь как будто нет ничего фантастического, все элементы здесь сугубо натуральны, но интенсивность, чрезмерная яркость, иллюзорная выпуклость каждой подробности, их призрачные связи, многократные повторения и стремительные превращения при очень медленном общем движении создают ощущение какой-то головокружительной фантасмагории.

Внешне второй план представляет собой страшный рассказ из сравнительно недавнего крепостнического прошлого. Это история загубленной жизни крепостной деревенской красавицы, оставшейся вдовой с грудным ребенком, которую барин заставил выкармливать грудью щенка. «Безвинная молодка» стала «собачьей мамкой», в деревне ее прозвали Собакевной. А ее подросший сын, чтобы отомстить барину, повесил своего «молочного брата», пса, перед барскими окнами и был засечен до чахотки.

Рассказ ведется от имени старухи — внучки Собакевны. Ее обычно отождествляют с бабой-прислугой, и, таким образом, сюжет поэмы представляется в виде традиционного рассказа в рассказе. Между тем это несомненная ошибка, хотя и объяснимая сложностью поэмы и даже, можно сказать, ею заданная, тем не менее опасная упрощением и затемнением сюжетного замысла. Если рассматривать второй план в качестве прямого рассказа бабы-прислуги, обращенного к барыне, то неизбежно приходится сталкиваться с целым рядом трудностей. Материал и стиль второго плана явно противоречат образу бабы. Чтобы отождествить ее со старухой-рассказчицей, пришлось бы приписать ей значительное знакомство с русской литературой и живописью, не говоря уж о склонности к весьма изысканным образам вроде: «Мать... у нее на смуглом плече, прекрасно нагом, белый с черными пятнами шелковый пес!» Или же в противном случае попросту утверждать, что поэт не сумел выдержать стиль сказа[1]. И то и другое в равной мере нелепо.

Старуха второго плана не тождественна старухе первого плана, однако нельзя не видеть между ними какой-то связи. Здесь ключевой момент для понимания сюжетного замысла поэмы. Мнимое отождествление этих образов как раз и включает второй план в поэму:

> Старуха
> Снова пришла, но другая.
> «Слухай, барыня, слухай,
> Побалакай со старухой!..»

«Снова... но другая». Как это понять? Если снова, значит — та же самая баба-прислуга, если другая, значит — не та же самая. По-видимому, старуха-рассказчица каким-то образом соответствует бабе-прислуге, в каком-то отношении ей эквивалентна. Но при линейной связи двух планов поэмы такое соответствие невозможно, и два этих образа не могут существовать вместе в одной пространственно-временной повествовательной плоскости. Следовательно, отношения двух планов поэмы не линейны, и между ними нет прямого перехода.

Второй план построен в ином измерении. На это указывает, в частности, тот факт, что весь долгий рассказ о Собакевне умещается между двумя одинаковыми репликами бабы «скоро будет десять» (часов) и, таким образом, выключен из реального времени первого плана, точно так же как сама старуха-рассказчица выключена из реального пространства. Где же тогда можно локализовать особый мир второго плана поэмы? Очевидно, он должен находиться в каком-то таком месте, которое в одно и то же время есть «здесь» и «не здесь» и в котором все «то же самое», но «другое». Ответ, по-видимому, может быть только один: такое идеально-реальное место, такое пересечение двух планов может находиться только в «голове»

---

[1] См.: M a r k o v V. The longer poems of Velimir Khlebnikov. University of California Press. Berkley and Los Angeles, 1962, p. 169.

барыни. И старуха-рассказчица и весь ее рассказ суть не что иное, как порождение фантазии барыни, ее бред или сон. Во всяком случае, это смысловая плоскость не просто другая, но «субстанциально» противоположная плоскости первого плана.

В случае линейной связи двух планов поэмы перед нами была бы простейшая перестановка причины и следствия: на первом плане — конфликтное н а с т о я щ е е, на втором — определяющее и объясняющее его п р о ш л о е. На самом же деле отношения планов не линейны и строятся на противопоставлении непосредственно данной д е й с т в и т е л ь н о- с т и и фантастически, преображенно отражающего и пони- мающего ее личного с о з н а н и я. Но сопоставление настоя- щего и прошлого при этом отнюдь не снимается. Действие второго плана развертывается одновременно в глубину созна- ния и в глубину прошлого. Это значит, что два плана поэмы не просто сопоставлены и не только противопоставлены, а именно едины и противоположны в одно и то же время. Лишь с такой точки зрения естественно устраняются все фактиче- ские и стилистические трудности понимания соотношения двух планов.

3

Однако этого еще недостаточно. Для верного толкования сюжетного замысла нужно иметь в виду и тот материал, на который опирается каждый из планов поэмы. Тем более что тут они оказываются в новых и даже неожиданных отношениях.

Первый план поэмы основан на непосредственном, реаль- ном, очень близком, можно сказать, мучительно близком поэту материале.

Вся атмосфера барского дома, обрисованная в немногих, но достаточно характерных чертах, основные персонажи и их взаимоотношения воспроизводят обстановку дома Хлебнико- вых в Астрахани. Образ барина, правда, едва намечен, но в об- разе барыни безошибочно узнаются портретные черты матери поэта — Екатерины Николаевны Вербицкой, ее характер и ее жизнь:

> В Смольном девицей была, белый носила передник,
> И на доске золотой имя записано, первою шла.
> И с государем раза два или три, тогда был наследник,
> На балу плясала в общей паре.
> После сестрой милосердия спасала больных
> В предсмертном паре, в огне.
> В русско-турецкой войне

> Ходила за ранеными, дать им немного ласки и нег.
> Терпеливой смерти призрак, исчезни!
> И заболела брюшною болезнью,
> Лежала в бреду и жажде.
> Ссыльным потом помогала, сделалась красной.
> Была раз на собраньи прославленной «Воли Народной» —
> опасно как! —
> На котором все участники позже,
> Каждый,
> Качались удавлены
> Шеями в царские возжи.
> Билися насмерть, боролись
> Лучшие люди с неволей.
> После ушла корнями в семью,
> Возилась с детьми, детей обучала.

Разумеется, тут не простое портретное воспроизведение. В этой биографической схеме на фоне типовой судьбы «представительницы» либерально-народнической интеллигенции отобраны и выделены именно те детали, которые в современном контексте приобретали актуальный смысл. Они должны, с одной стороны, подчеркивать контрастное переосмысление всей этой судьбы (как, например, воспоминания о Смольном[1]), а с другой — указывать на то, что перед нами не какая-то вообще «типичная судьба представительницы», но именно конкретная индивидуальная судьба, теснейшим и кровным образом связанная с судьбами лучших людей России (таково, например, указание на близость к народовольцам[2]). В связи с этим особенно интересна характеристика детей:

> Дети росли странные, дикие,
> Безвольные, как дитя,
> Вольные на все,
> Ничего не хотя.
> Художники, писатели,
> Изобретатели.

Все это вполне отвечает характерам и занятиям троих младших детей Екатерины Николаевны (сестра поэта Вера была художницей, брат Александр естественником и изобретате-

---

[1] Екатерина Николаевна не закончила Смольный; вероятно, в образе барыни использованы черты биографии ее сестры Варвары Николаевны (в замужестве Рябчевской).— См.: Ч е р е п н и н Н. П. Императорское общество благородных девиц, т. III. СПб., 1915, с. 601.

[2] Екатерина Николаевна была двоюродной сестрой А. Д. Михайлова — известного революционера, одного из основателей и наиболее радикальных участников «Народной воли» и «Земли и воли», приговоренного к пожизненной каторге и умершего в Петропавловской крепости.

лем), и, таким образом, косвенно, в преломлении восприятия матери, в поэме присутствует и сам поэт.

Реальные прототипы были также у бабы и прачки[1]. Зимой 1917—1918 годов у Хлебниковых в прислугах жила крестьянка Прасковья Ивановна, родом из села Черный Яр Астраханской губернии, худая, сгорбленная, темноглазая старуха. С Екатериной Николаевной она была в постоянной домашней вражде, вплоть до того, что готовила еду только для «барина», Владимира Алексеевича. Эти напряженные отношения довольно точно отражены в поэме, так же как и внешний облик Прасковьи Ивановны:

И туда вошло видение зловещее.
Согнуто крючком,
Одето как нищая.

. . . .

Радостный хохот
В лице пробежал.
Темные глазки сделались сладки.
«Это так... Это верно... кровь у меня мужичья!
В Смольном не была,
А держала вилы да веник...
Ходила да смотрела за кобылами...»

В образе прачки, в свою очередь, отражены черты жены дворника Анны, да и сам дворник упомянут в поэме.

Подобные бытовые подробности, конечно, еще очень мало говорят о смысле соответствующих образов. Но нам здесь важно отметить общую ориентацию первого плана поэмы на непосредственный жизненный материал, причем не просто на конкретную действительность, а на лично переживаемую, неотделимую от поэта реальность. В черновых набросках поэмы она была еще более откровенна: барин прямо назван *Владимиром Алексеевичем*, прислуга — *Ивановной* и *Пр.* (прислуга или Прасковья?), упомянут *Шура* (Александр).

Столь же определенно первый план локализован и во времени. Точную дату указывало название поэмы «Ночь перед Рождеством». Именно в ночь на 25 декабря 1917 года в Астрахани ожидалось выступление Совета рабочих и солдатских депутатов. Однако советская власть была установлена лишь месяц спустя, 25 января 1918 года, в результате ожесточенных боев,

---

[1] Сведениями о быте семьи Хлебниковых я обязан устным воспоминаниям племянницы поэта М. П. Киселевой. Ср. воспоминания П. В. Митурича (в печати).

которые начались в ночь на 13 января вооруженным выступлением казаков[1]. Зиму 1917—1918 годов Хлебников провел в Астрахани и, конечно, не мог не знать всех этих драматических перипетий[2]. Но, локализуя действия поэмы в рождественскую ночь, он, очевидно, стремился не только к фактической точности, ему нужен был тот широкий круг фольклорно-мифологических и литературных ассоциаций, которые вызывались этой датой. Такие совпадения факта и смысла всегда притягательны для поэта. Однако название «Ночь перед Рождеством» задавало их слишком прямолинейно. Окончательное название — «Ночь перед Советами» — не отменяло этих ассоциаций, но, подразумевая их, оно давало поэме более верные исторические и художественные координаты. Оно указывало сразу на оба сюжетных плана, в их единстве и противоположности, тогда как «Ночь перед Рождеством» было обращено преимущественно ко второму плану.

4

В известном смысле второй план вообще можно было бы назвать рождественским или, вернее, антирождественским рассказом. Он построен на вторичном, художественно обработанном материале и весь как бы светится каким-то отраженным светом. Двойственное его восприятие как чего-то смутно знакомого и вместе с тем незнакомого, преображенного, очень сильное и устойчивое даже при самом поверхностном чтении, так же, очевидно, задано, как и двойственное восприятие старухи-рассказчицы. Все здесь как будто «снова», но «другое».

В качестве основного исходного текста для второго плана взят редко сейчас вспоминаемый, но в свое время очень популярный рассказ В. Г. Короленко «В облачный день»[3]. В этом

---

[1] «Последнюю неделю перед началом гражданской войны Астрахань жила тревожной жизнью. Со дня на день ожидали выступления Совета Р. и С. депутатов для захвата власти. Население нервничало и с нетерпением ожидало начала событий. Но никто не думал о том, что та реальная сила, которая стояла против Совета, — казачество — выступит первым... И город нервничал... Город знал, что, когда произойдет столкновение между Советом и казачеством, то оно не будет похоже на гражданскую войну в остальных городах России. Каково же было удивление всех, когда зачинщиком выступления оказалось казачество» («Голос революции». Астрахань, 1918, 4 февраля, № 4 (77).

[2] См. его автобиографические записки «Никто не будет отрицать...» (СП, IV, 114—117).

[3] Короленко В. Г. Собр. соч. в 10 т., т. III. М., 1954, с. 237—272. Судя по некоторым деталям, Хлебникову рассказ был известен в первой редакции, напечатанной в журнале «Русское богатство», 1896, № 2.

рассказе, действие которого происходит за четверть века до времени действия поэмы, летом 1892 года, ямщик по прозвищу Кривоносый Силуян рассказывает в дороге «проезжающим господам» Семену Афанасьевичу и его дочери Леночке историю помещика Панкратова, относящуюся к последним годам крепостного права. Помещик этот женился на крепостной красавице, но она сбежала от него с офицером. Панкратов возненавидел крепостных и все свои чувства отдал собакам. Крепостных женщин он заставлял выкармливать грудью щенят. Так случилось и с женой крестьянина Алексея. Но он не стал терпеть издевательств, щенят «примял», а барину заявил: «Ребенок, хоть и мужицкое дитя, все у бога человеческая душа считается... а вы у бабы груди псиной пакостите...» Взбешенный помещик толкнул его в кипящий котел с собачьей похлебкой.

Несмотря на всю близость сюжетного ядра второго плана поэмы к рассказу Короленко (издевательство помещика, кормление грудью щенка, месть крепостного и его гибель), система образов, характер мотивировок, построение конфликта — то есть сюжетная логика в целом — у Хлебникова принципиально иные. Вместе с тем зависимость поэмы от рассказа «В облачный день» ничуть не скрыта и, напротив, всячески выпячена и настолько откровенна, что у нас не может быть сомнений в том, что тут не какое-то обычное литературное заимствование и тем более не какие-то случайные реминисценции, а вполне сознательный поэтический прием, рассчитанный на узнавание и предрешающий определенный эффект. Читая поэму, мы неизбежно вспоминаем рассказ, и в нашем восприятии сквозь историю Собакевны просвечивает история помещика Панкратова, а сквозь сознание барыни угадывается Короленко.

Хлебникову, несомненно, важен был не просто факт[1], не сам по себе материал, не чистый сюжетный мотив, а именно и з в е с т н ы й сюжетный мотив и именно в перспективе определенной литературной традиции. Для него, как, по-видимому, и для Короленко, важны были возникающие тут ассоциации со знаменитым рассказом А. А. Бестужева-Марлинского «Замок Эйзен» («Кровь за кровь»), где впервые в русской литературе появляется этот мотив: «На виселицу, бездель-

---

[1] Ср., например, историческое свидетельство о помещике, который приказал «жечь углями подошвы ног дворового за то, что тот утопил двух барских щенков, которых его жене было велено выкормить своею грудью» (С е м е в с к и й В. И. Крестьяне в царствование Екатерины II, изд. 2-е, т. 1. СПб., 1903, с. 199).

ник! Ты должен быть доволен тем, что я позволю тебе усыновить... щенков и что жена твоя будет выкармливать двух для меня своей грудью...» Хотя рассказ о жестоком бароне Бруно фон Эйзене отнесен в неопределенное средневековье и даже снабжен ссылкой на некие «ливонские хроники», он, как и было задумано писателем-декабристом, спроецирован на современную ему русскую действительность, и как раз в этом мотиве едва ли не с наибольшей силой сказался его антикрепостнический пафос[1]. Помимо основного мотива с рассказом Бестужева-Марлинского поэму связывает и образ барина и, особенно, мотив возмездия.

В той же перспективе стоит и еще один литературный источник второго плана, непременно вспоминаемый при чтении поэмы. Это «Псовая охота» Н. А. Некрасова. На нее указывают некоторые подробности описания барской охоты, самого барина, крестьян и, что всего любопытнее, совершенно «некрасовские» строки, встречающиеся в свободном стихе поэмы:

> Что же поделает бабонька бедная?
> Встанет у притолки бледная...

Или:

> Правду скажу:
> Когда были господские,
> Были мы ровно не люди, а скотские.

Подобные явные и даже несколько утрированные ритмо-интонационные цитаты со всей наглядностью раскрывают конструктивно-стилистический принцип второго плана, задающий двойное восприятие. Сюжет строится не только на последовательной связи тех или иных мотивов, но и на их одновременном развертывании в глубину. Здесь сам по себе мотив или образ как таковой нужен вместе со своим происхождением, со своей родословной, своего рода литературной этимологией.

С другой стороны, второй план поэмы связывается и с живописной традицией. Его общий зрительный образ и некоторые

---

[1] Рассказ написан в 1825 году, незадолго до декабрьского восстания. Об этом же Бестужев, уже из Петропавловской крепости, прямо писал Николаю I: «Негры на плантациях счастливее многих помещичьих крестьян. Продавать в розницу семьи, похитить невинность, развратить жен крестьянских — считается ни во что и делается явно. Не говорю уже о барщине и оброках, но есть изверги, которые раздают борзых щенков для выкармливания грудью крестьянок!!» (см.: «Декабристы». М.—Л., 1951, с. 512).

черты портрета Собакевны (в частности — «прекрасно нагое плечо») напоминают о картине Н. А. Касаткина «Крепостная актриса в опале, сосланная на конюшню кормить своей грудью брошенных щенят. (Талант и цепи рабства)»[1] (см. Приложение 1, илл. 13). И тут опять-таки перед нами, понятно, не просто пересказ. Словесный образ строится так, что картина как будто сквозит за словом:

К матери, что темнеет на подушке большими, как

череп, глазами

Чье золото медовое волнуется, чернеет
Рассыпалось на грудь светлыми, как рожь, волосами,
Прилез весь голенький, сморщенный, глазками синея,
Красненьким скотиком,
Мальчик кудрявенький, головой белобрысой, белесой
В грудку родимую тычет.
А в молоке нехватка и вычет!
Матери неоткуда его увеличить!
И оба висят, как повешенные.
Лишь собачища
Сопит,
Черным чутьем звериным
Нежную ищет сонную грудь, ползет по перинам.
Мать... у нее на смуглом плече, прекрасно нагом,
Белый с черными пятнами шелковый пес!

В этом изменчивом, колеблющемся, призрачном видении «картина» перед нами все время «та же», но с каждым новым эпитетом неуловимо «другая»; слово как будто переливает, перестраивает, перетолковывает знакомые, отдаленные, смутно вспоминаемые живописные впечатления.

Вместе с тем через «Крепостную актрису» Касаткина в область притяжения второго плана вовлекается и рассказ Н. С. Лескова «Тупейный художник». В образе Собакевны с ним ассоциируются мотив артистизма крестьянки («А певунья какая!.. Заведет, запоет и с ума всех сведет») и мотив пьянства («Все уплыло и прошло! И вырвет седеющий клок. И стала тянуть стаканами водку...»). В особенности же их связывает своего рода настроенность на известную тональность, какую дает у Лескова уже сам подзаголовок: «Рассказ

---

[1] Первый вариант (акварель) написан специально для цветной вклейки в третий том известного сытинского издания «Великая реформа. 19 февраля 1861—1911». (Там же помещена и характерная зарисовка неизвестного художника первой пол. XIX в. «Помещик с собаками» — см. Приложение 1, илл. 14.) Второй вариант (масло) экспонировался на XIV передвижной выставке в 1916 году под названием «Крепостная актриса, сосланная кормить щенят» (см.: Ситник К. А. Николай Алексеевич Касаткин. Жизнь и творчество. М., 1955, с. 390).

на могиле. (Святой памяти благословенного дня 19-го февраля 1861 г.)».

Таким образом, можно понять, что дело тут не столько в тех или иных отдельных интонациях, образах, сюжетных мотивах и положениях, сколько в той принципиальной множественности ассоциаций вокруг основного сюжетного ядра, которая как раз и свидетельствует об ориентации второго плана не на факт, не на материал, а на определенную и хорошо знакомую художественно-идеологическую традицию[1].

Об актуальности всего этого смыслового комплекса в годы революции и гражданской войны можно судить по агитлубку В. В. Маяковского «Сказка о дезертире», предназначенному для самого широкого распространения. В нем, разумеется, в иной функции и совсем в иной тональности использованы те же известные мотивы Короленко и Некрасова:

> «Барин!» — взвыл Силеверст, а его кнутом
> хвать помещик по сытой роже.
> «Подавай и себя, и поля, и дом,
> и жену помещику тоже!»
> И пошел прошибать Силеверста пот,
> вновь припомнил он барщины муку,
> а жена его на дворе у господ
> грудью кормит барскую суку[2].

Стихотворение это было написано за год до поэмы Хлебникова и вышло отдельной книжкой в июле 1921 года под названием «Рассказ о дезертире, устроившемся недурненько, и о том, какая участь постигла его самого и семью шкурника» (с рисунками автора, среди которых есть и сцена кормления грудью щенка). И, по всей вероятности, именно от агитлубка Маяковского разворачивались в глубину многосложные ассоциации второго плана «Ночи перед Советами», причем если у Маяковского второй план сюжетно мотивирован просто сном Силеверста, то у Хлебникова такая мотивировка не однозначна.

5

Что же получается? Два плана поэмы противостоят друг другу не только как революционное настоящее и крепостни-

---

[1] Поэтому нельзя согласиться с замечанием Л. И. Тимофеева, что поэма «Ночь перед Советами» — «в основе — лишь вольный пересказ Короленко» («Новый мир», 1941, № 1, с. 210).

[2] М а я к о в с к и й В. В. ПСС, 2, 60—61. Помимо основного мотива с рассказом Короленко стихотворение связано и перекличкой имен: *Силеверст Рябой — Кривоносый Силуян.*

ческое прошлое, не только как объективная реальность и субъективное сознание, но они столь же явственно противопоставлены и по характеру самого материала. Тут и до всякого анализа сразу же бросается в глаза то, что если материал первого плана нам незнаком, то материал второго плана мы с той или иной степенью полноты и ясности уже как-то знаем. Другими словами, происходящее на первом плане мы как будто видим впервые, тогда как происходящее на втором плане мы как будто вспоминаем и «снова» переживаем.

Но это-то как раз и удивительно. Ведь естественней было бы, чтобы объективная реальность нам была более внятна, чем субъективная фантастика происходящего в голове барыни. Здесь же оказывается, что второй план, являющийся переработкой целого ряда известных художественных образов от Бестужева-Марлинского, через Некрасова, Лескова, Короленко и Касаткина, до Маяковского, нам более понятен и, во всяком случае, не менее объективен, чем первый план.

А значит, первый план поэмы противопоставлен второму как прямая, первичная, непосредственно данная реальность — реальности опосредованной, осмысленной и закрепленной вековой литературной традицией. Это, разумеется, не следует понимать категорически. Речь идет только о с о о т н о ш е н и и планов, и, конечно, первый план не исключает литературных, художественных и вообще вторичных ассоциаций, точно так же как второй план отнюдь не исчерпывается указанным материалом. Живые личные впечатления и образы собственного воображения поэта для второго плана не менее существенны, чем ориентация на известные темы, мотивы, интонации. Субъективное и объективное, прошлое и настоящее, свое и чужое равно присутствуют в обоих планах поэмы. Само собой разумеется, что перед нами целостное поэтическое произведение, в котором противопоставленность планов относительна, она — внутри художественного единства. Однако как раз для понимания этого единства и необходимо отчетливое различение его сторон, каждая из которых имеет собственный смысловой строй. Оба плана поэмы рисуют нам художественный образ действительности, но только в первом плане перед нами образ наличной, чувственно данной действительности, а во втором — образ действительности вспоминаемой, представляемой, воображаемой, вообще — мыслимой.

Если бы второй план был лишь прямым рассказом бабы, то соотношение планов не выходило бы за пределы внешней реальности, где прошлое связано с настоящим как причина и следствие, и первый план в таком случае был бы отражением второго. Если бы второй план был всего лишь изображением личного сознания барыни, то соотношение планов не выходило бы за пределы настоящего, где действие развертывается параллельно в реальности и в сознании, и второй план тогда, напротив, был бы отражением первого. Здесь же два плана не последовательны и не параллельны. Они пересекаются и совпадают друг с другом таким образом, что рассказ бабы о прошлом — это и есть изображение сознания барыни в настоящем, а сознание ее — это не просто ее индивидуальное сознание, а вполне внеличное общественное сознание в его высшем выражении, то есть в художественных образах. Поэтому два плана поэмы не отражают друг друга, но совпадают и совмещаются как внешнее и внутреннее одного какого-то целого.

Однако их отношения не статичны. В качестве картины личного сознания второй план раскрывает внутреннее содержание первого плана, в то время как первый план раскрывает содержание второго плана, взятого уже в качестве изображения внеличного сознания. Первый план как будто переворачивается и выворачивается наизнанку вторым планом, а второй — первым, образуя подвижное сюжетно-смысловое целое, обе стороны которого едины как некоторая несомненная художественная реальность и вместе с тем противопоставлены как стороны реальности разнородные.

Следовательно, связь двух планов поэмы можно толковать с точки зрения соотношения действительного и мнимого, и не вообще действительного и какого-то воображаемого, а именно в том определенном смысле, в каком это соотношение рассматривается в математике, трактующей действительное и мнимое как две стороны одной и той же реальности.

П. А. Флоренский разъяснял это следующим образом: «...в зрительном представлении мира необходимо, наряду с образами собственно зримыми, различать образы отвлеченно-зрительные, присутствующие, однако, в представлении неустранимо, силою бокового зрения, осязания и прочих восприятий, не дающих чистой зрительности, но к ней приводящих, на нее намекающих. Иначе говоря, в зрительном представлении есть образы зрительные, а есть и как бы зрительные. Не трудно узнать в этой двойственности зрительного представления двойственную природу геометрической плоскости, причем собственно зрительные образы соответствуют действительной стороне плоскости, а отвлеченно-зрительные — мнимой. Ведь двусторонность геометрической плоскости и есть символ двуразличного положения в сознании зрительных образов, но — взятая предельно, т. е. когда толща разделенных слоев пространства бесконечно мала, а несоединимость тех и других образов предельно велика. Если переднюю сторону плоскости мы в и д и м, то о задней только отвлеченно з н а е м. Но отвлеченно знать о некотором наглядном образе, сущность которого — именно в его наглядности, это значит иметь восприятие его каким-то и н ы м, не зрительным, способом, но с коррективом на зрительность, чрез отвлеченное понятие или через образ воспоминания. Д е й с т в и т е л ь н о с т ь, в этом смысле, есть воплощение отвлеченного в наглядный материал, из которого и получено отвлеченное; а м н и м о с т ь — это воплощение того же самого отвлеченного, но в наглядном материале инородном. Если угодно, действительность есть адекватность абстрактного и конкретного (тавтегоричность), а мнимость — символичность (аллегоричность)»[1].

Как раз таково, как мы видели, соотношение планов в поэме Хлебникова. Правда, с той существенной разницей, что тут перед нами не просто зрительные представления, а внутренние представления, данные в поэтическом слове, что, конечно, значительно усложняет дело. Но принципиально положение от этого не меняется. Если первый план поэмы мы непосредственно «видим», то второй опосредованно «знаем» и переживаем его именно как «образ воспоминания». И если в первом плане действительность дана прямо, сама через себя, то во втором плане та же самая действительность дана косвенно, посредством «иного», в данном случае посредством «чужих» художественных образов. (Отсюда тяжеловесная, перенасыщенная «натуральность» первого плана и призрачная фантасмагоричность второго.) Вот это двуединство художественной реальности поэмы, где все «снова», но «другое», и есть основной принцип ее сюжетного построения.

Хлебников не был знаком с этой работой Флоренского, вышедшей после смерти поэта. Хотя не исключено, что какие-то проблемы теории мнимостей и ее применения к искусству он обсуждал с Флоренским во время их встречи в феврале 1916 года (единственной, насколько нам известно). Однако в любом случае речь идет о поразительном совпадении их мыслей, развивавшихся независимо, одновременно и очень схожими путями. Об этих проблемах Хлебников много размышлял еще будучи студентом физико-математического факультета Казанского университета в 1903—1904 годах. А в 1908 году в своем первом

---

[1] Ф л о р е н с к и й П. Мнимости в геометрии. М., 1922, с. 59—60.

литературном манифесте «Курган Святогора» он уже прямо говорил о поэзии как «познании от «древа мнимых чисел», утверждая такое познание в качестве главной задачи новой эстетики. И все его творчество являло собой как раз то направление в искусстве, которое Флоренский называл «художеством, насыщенным математической мыслию» и которому, как он думал, «в общем синтетическом складе грядущей культуры предстоит еще богатая жатва»[1].

В этом отношении Хлебников как поэт был гораздо решительней и шел гораздо дальше, но нередко оказывался труднодоступным. Поэтому для уяснения некоторых его поэтических построений, вроде тех, что мы находим в «Ночи перед Советами», мы необходимо обращаемся к работе Флоренского за более последовательным и строгим научным обоснованием.

Тут нужно иметь в виду, что «Ночь перед Советами», как, впрочем, и многие другие его произведения, с самого начала была задумана «математически». Наиболее ранняя, из сохранившихся, запись, свидетельствующая о замысле поэмы, относится к лету 1920 года: «Барыня, вы уже умерли? — насмешливо спрашивает прислуга». И в той же записной книжке, и буквально на той же странице, находятся следующие заметки:

«Движение может быть не только в пространстве, но и в чистом времени с сохранением покоя в пространстве: 1) переход с места на место; 2) переход с одной точки времени на другую.

Ищи невозможного. $\sqrt{-1}$ — счет невозможного.

И я — ваятель чисел» (ЦГАЛИ, ф. 527, оп. 1, № 89, л. 17).

Все эти заметки, несомненно, имеют отношение к замыслу поэмы. Из них явствует, что Хлебникова прежде всего занимал вопрос о переходе от действительного к мнимому, от «возможного» к «невозможному», и об образно-пластическом выражении этого перехода.

Это и в самом деле, как мы видели, ключевой момент сюжетного замысла поэмы. Как происходит такой переход, такое переворачивание, и каким образом то же самое оказывается перед нами «снова», но «другое»? Очевидно, что такое превращение нельзя представить так, как мы переворачиваем страницу книги. Ведь тогда мы должны были бы выйти за пределы художественного мира поэмы, как, листая книгу, мы выходим за пределы страницы. Здесь же, оставаясь в пределах поэмы,

---

[1] Ф л о р е н с к и й П. Мнимости в геометрии, с. 58.

мы оказываемся на ее оборотной стороне путем непрерывного, но не прямого перехода.

Нечто подобное, по мысли Флоренского, происходит в «Божественной комедии». Вергилий и Данте из Италии спускаются вниз по сужающимся кругам Ада, и там, где-то у чресел Люцифера, в самом центре вселенной, Вергилий вдруг переворачивается головой туда, «где прежде были ноги», и начинает подниматься вверх, так что Данте в испуге даже думает, что они возвращаются в Ад. Но они выходят на противоположную сторону Земли, восходят на гору Чистилища и возносятся на небо. А оттуда, из Эмпирея, без всякого возвращения назад, Данте снова оказывается во Флоренции. «Путешествие его было действительностью,— замечает Флоренский,— но если бы кто стал отрицать последнее, то во всяком случае оно должно быть признано поэтической действительностью, т. е. представимым и мыслимым,— значит, содержащим в себе данные для уяснения его геометрических предпосылок»[1].

И что же? С точки зрения теории относительности все это вполне представимо и мыслимо, но — при скоростях бо́льших скорости света. «Выражаясь образно, а при конкретном понимании пространства — и не образно, можно сказать, что пространство л о м а е т с я при скоростях больших скорости света, подобно тому, как воздух ломается при движении тел, со скоростями большими скорости звука; и тогда наступают качественно новые условия существования пространства, характерные мнимыми параметрами ⟨...⟩ Область мнимостей реальна, постижима, а на языке Данта называется Э м п и р е е м. Все пространство мы можем представить себе д в о й н ы м, составленным из действительных и из совпадающих с ними мнимых гауссовых координатных поверхностей, но переход от поверхности действительной к поверхности мнимой возможен только чрез р а з л о м пространства и в ы в о р а ч и в а н и е тела чрез самого себя»[2].

В таких условиях, когда длина и масса тела делаются мнимыми, время должно протекать в обратном направлении. Но не просто в порядке внешней перестановки причины и следствия, а таким образом, что причина, выворачиваясь в глубь себя самой, сама становится следствием и превращается в цель, в идеал. Вот этот переход от «возможного» к «невозможному» мы и переживаем в «Ночи перед Советами».

В отличие от «Божественной комедии» здесь нет никакого

[1] Ф л о р е н с к и й П. Мнимости в геометрии, с. 47.
[2] Там же, с. 53.

путешествия, никакого пространственного перемещения. Мы оказываемся в чистом времени, и переход от действительного к мнимому и обратно совершается через «голову» барыни. И наше восприятие, следуя за мыслью поэта, как Данте за Вергилием, совершает этот головокружительный путь чисто смысловым образом. Все образы первого плана как бы проваливаются сами в себя и выворачиваются наизнанку в образах второго плана. Они совершенно совпадают, но они инородны, как образы действительного и мнимого мира. Поэтому два плана поэмы можно понять как две части уравнения или как задачу и ее решение. И мы в четвертой части поэмы возвращаемся к исходной точке с решением этой задачи, полученным в результате нравственно-смыслового переворачивания, просветления и очищения.

Отсюда и возникает образ прачки, завершающий поэму. В нем самым наглядным образом олицетворяется это переворачивание, выворачивание наизнанку и очищение:

> А белье какое!
> Не белье, а облако небесное!
> А кружева, а кружева на штанах
> — Тьма Господня,
> — Тьма-тьмущая.
> . . . .
> Вот я и мучаюсь,
> Стирать нанята,
> Чтобы снежной мглою
> Зацвели
> Подштанники.

Но это именно только самый момент переворачивания, когда еще невозможно отделить грязь от чистоты, тьму от света, исподнее и преисподнее от небесного и божественного; здесь «то же самое» и «другое» — вместе.

Таковы некоторые необходимые предпосылки к анализу художественной концепции поэмы.

6

Художественная концепция поэмы и прежде всего метод ее построения нагляднее всего выступает из сопоставления с рассказом Короленко «В облачный день». В нем мы находим тот же, что и в поэме, основной сюжетный прием сопоставления двух планов, именно прошлого и настоящего. Прошлое включено в настоящее прямо и недвусмысленно как рассказ ямщика. Но этот традиционный прием рассказа в рассказе осложнен у

Короленко тремя обстоятельствами. Во-первых, история помещика Панкратова в рассказе ямщика дана не единым монологическим массивом, как, скажем, история барона Бруно фон Эйзена у Марлинского или история крепостной актрисы у Лескова, а развернута постепенно в условиях диалога ямщика с его слушателями, большей частью с романтической барышней Леночкой Липоватовой. И таким образом история помещика Панкратова раскрывается перед нами как бы в двойном свете, одновременно с точки зрения ямщика и с точки зрения слушателей. Во-вторых, сама эта история предстает в двух различных версиях. Слушая рассказ ямщика, барышня сопоставляет его с рассказами о том же помещике Панкратове своей старой няни, которая в противоположность мрачно и непримиримо настроенному Кривоносому Силуяну «клала на все самые мягкие краски, выделяя лишь светлые образы дорогого ее крепостническому сердцу прошлого». Поэтому восприятие барышни оказывается внутренне диалогичным. И наконец, третьим осложняющим обстоятельством являются картины предгрозового состояния природы, сопровождающие и перемежающие рассказ ямщика и размышления барышни.

История помещика Панкратова — второй план рассказа Короленко, развернутый как своего рода контрапункт,— становится особой смысловой плоскостью, на которую проецируются состояния природы, настроения рассказчика и переживания слушателей. В ней мы видим преломленное отражение всех этих трех состояний. Второй план рассказа раскрывает то, что скрыто присутствует в первом плане, и в этом смысле оказывается его объективацией. Причем самую важную роль тут играют образы природы. Картины предгрозового томления, «ожидание», «напряжение», «тяжелая борьба», «смутные раздражающие грезы», не находящие исхода в грозе и буре,— все это в целом вырастает в обобщающий образ социально-психологической действительности России девяностых годов. И с такой точки зрения преломленное в истории помещика Панкратова сопоставление сознания рассказчика и сознания слушательницы, конечно, также надо понимать не просто как сопоставление индивидуальных сознаний ямщика и романтической барышни, но как столкновение двух принципиально различных и несовместимых типов сознания: народного и либерально-интеллигентного.

В этом и заключен основной смысл рассказа. Несовместимость этих сознаний — это несовместимость м и ф о л о г и и и п с и х о л о г и и. В рефлективном интеллигентном восприятии, с его принципом «понять — значит простить», история помещика Панкратова и в первую очередь он сам оказывается главным образом проблемой чувства и внутреннего переживания: «Она прощала ему человеконенавистническое выражение этих глаз. У него было нежное сердце, оскорбленное людьми,— говорила она,— и он много страдал». Ее сложным, запутанным и в конечном счете безысходным психологическим рефлексам противостоит простое, цельное, непосредственное жизненное восприятие, не расчленяющее действий и чувств. «Он очень любил животных»,— говорит барышня, а ямщик отвечает: «Вот, вот. Удивительное дело: животную тварь любил, а людей тиранил».

В образе Силуяна, «ничтожного мужичонки» с «выразительным, сильным, могучим голосом», перед нами не что иное, как именно народно-мифологическое сознание со всеми его специфическими чертами: «Так как в душе он поэт, наделенный беспокойным и подвижным воображением, к тому же темные ночи, звон колокольчика и шум ветра в березах отражаются по-своему на работе ямщицкой памяти,— то немудрено, что уже через неделю-другую сам проезжий рассказчик мог бы выслушать от Силуяна свой собственный рассказ, как очень интересную новость... И ему не удалось бы даже убедить Силуяна, что это он, проезжий, сам рассказывал ему, только совсем иначе. Силуян повернется, посмотрит и покачает головой:

— Нет, то был другой, и личность другая.

И действительно, то был другой, потому что темные ночи и ямщицкая память совершенно преображали человека, неизвестно откуда приехавшего и неизвестно куда ускакавшего по тракту, в неведомый свет,— преображали до такой степени, что и фигура, и лицо, и голос, и самый рассказ подергивались особенным налетом ямщицкой фантазии... Так рождалось на А-ском тракту много былин».

Такова, например, его песня об Аракчееве, в которой слышатся «не удаль и не тоска, а что-то неопределенное, точно во сне встают воспоминания о прошлом, странном и близком душе, увлекательном и полузабытом...». Таков же, конечно, и его рассказ о помещике Панкратове. В этих «былинах» важны не сами по себе факты и лица, не их историческая достоверность, а их общий и даже всеобщий смысл, потому что здесь мы находим самую настоящую живую мифологию, в данном случае — народные мифы о крепостном праве. Неудивительно, что одни и те же факты и лица, будь то Аракчеев или Панкратов, в сознании ямщика и в сознании проезжающих господ получают совершенно различную смысловую перспективу.

Точно так же раздельны здесь природа и история. Природа

в рассказе, как и всегда у Короленко, не субстанциальна; она дана лишь в восприятии человека как фактор и как проекция его душевных состояний. Образы ее предгрозового томления, становясь изображением социально-психологической действительности, несомненно, вплотную приближаются к мифопоэтической символике, но все же никак не выходят за пределы психологического параллелизма. Мир природы так же отделен от мира человека и его истории, как народное сознание отделено от интеллигентного. Между ними есть связи, взаимодействия, но граница между ними непреодолима; это независимые, существующие параллельно миры. Их раздельная замкнутость реализуется сопоставлением двух планов рассказа — историческое настоящее и «былинное» прошлое, психологическое «понимание» и мифологическое «знание».

Потому-то рассказ Короленко и производит впечатление какого-то неразрешенного диссонанса. Однако, надо думать, в этом как раз и состоял его художественный замысел. Конфликт исчерпывался поэтическим осознанием раздельности и несовместимости в генерализующем образе природы, томительно и напрасно ждущей всеразрешающей грозы и бури.

Ничего иного, впрочем, и нельзя себе представить, оставаясь на конкретной исторической почве, ибо никаких других возможностей разрешения конфликта не давала ни реальная русская действительность девяностых годов, ни художественный метод писателя. Это вершина и предел его «поэтического реализма», по определению Луначарского.

Все это надо иметь в виду для понимания поэмы Хлебникова. Рассказ Короленко не только дал основной мотив второго плана поэмы, но вообще стал отправной точкой для всей поэмы в целом. Это важнейшая особенность художественного метода Хлебникова. Едва ли не за каждым его произведением встают совершенно наглядно или только угадываются и предполагаются подобные исходные тексты. Дело тут не в индивидуальной литературной технике, а как раз наоборот — в самых общих принципах мифопоэтической эстетики. В этом отношении метод Хлебникова сопоставим с фольклорно-мифологическим творчеством. Он ближе мифологическому реализму Кривоносого Силуяна (или его прототипа — ямщика Василия Косого, со слов которого записан рассказ), чем к поэтическому реализму самого Короленко.

7

С мифопоэтической точки зрения рассказ «В облачный день» и поэма «Ночь перед Советами» представляют собой как бы последовательные стадии естественного развития одного и того же мифа, на что, по-видимому, указывают и их названия, и то обстоятельство, что рассказ заканчивается, а поэма начинается — ночью.

Простейшую же опору для установления прямой связи между ними мы видим прежде всего в образе барыни, которая и субъективно, с точки зрения ее самосознания, и объективно, с точки зрения художественной логики поэмы, отождествляется с романтической барышней рассказа Короленко. Даже наивно-натуралистически вполне можно представить, что в поэме перед нами та же самая Леночка Липоватова, ставшая уже старухой, в рождественскую ночь 1917 года снова вспоминает или видит во сне тот мрачный рассказ ямщика, который «довел ее чуть не до кошмара» в один облачный день лета 1892 года. Более естественно это можно понять и так, что барыня просто-напросто вспоминает читанный ею когда-то рассказ Короленко и заново переживает его в сходной обстановке томительного ожидания. Но и то и другое правдоподобное объяснение совершенно излишне ввиду очевидного конструктивно-смыслового тождества барышни и барыни.

В свою очередь и старуха-рассказчица в поэме соотнесена с рассказом Короленко. И здесь особенно интересно то, что два рассказчика истории помещика Панкратова — старая нянька и ямщик — соединены в поэме в образе одной старухи. В результате в истории Собакевны совмещаются обе противоположные точки зрения на прошлое — умиление няньки и непримиримость ямщика. С одной стороны:

> Теперь он давно на небеси,
> Батюшка-барин!
> Будь земля ему пухом!

А с другой:

> Бают, неволю снова
> Вернуть хотят господа?
> Барыня, да?
> Будет беда,
> Гляди, будет большая беда!
> Что говорить,
> Больше не будем с барскими свиньями есть из корыт!

Однако в контексте второго плана такая эпическая позиция рассказчицы представляется естественной и даже необходимой. Да и все вообще перестройки материала, взятого из рассказа, как можно видеть на примере основного сюжетного мо-

247

тива и как мы видим здесь, направлены в поэме к эпической интеграции и депсихологизации.

Лучше всего отличие метода Хлебникова от Короленко видно на примере образа природы, играющего в поэме не менее значительную роль, хотя никаких сколько-нибудь развернутых прямых ее изображений мы тут не находим. Но как раз сопоставление с рассказом вскрывает этот как будто почти отсутствующий в поэме образ. Возьмем V часть поэмы с образом прачки:

> В печке краснеет пламя зари,
> Ходит устало рука;
> Как кипяток молока, белые пузыри над корытом, облака.
> Льются мыльные стружки, льется мыльное кружево,
> Шумные, лезут наружу вон.
> А голубое от мыла корыто
> Горами снега покрыто
> . . . .
> Пены белые горы, как облака молока, на руки ползут,
> Лезут наверх, громоздятся.
> Добрый грязи струганок,
> Кулак моет белье,
> Руки трут:
> Это труд старой прачки.
> Синеет вода
> . . . .
> Белый пар из корыта
> Прачку закрыл простыней,
> Облаком в воздухе встал,
> Причудливым чудищем белым.
> Прачки лицо сумраком скрыто.
> К рукам онемелым,
> Строгавшим белье,
> Ломота приходит,— знать, к непогоде.

Сравним с текстом рассказа в журнальной редакции:

«Облака скучивались, вздымались, шевелились в возраставшем беспорядке... Откуда-то из глубины синей мглы, в которой копошились почти черные тени и подвижные красноватые отблески,— встало вдруг длинное, причудливое высокое облако, которое, точно облачный богатырь, смело поднялось до самого зенита и резко выступило в свободной синеве. Было что-то мрачное в этом неожиданном явлении, очертания тихо колебались, живые и изменчивые»[1].

Это явление «облачного богатыря» в первой редакции рассказа было вполне оправданно и представляло собой кульминацию темы природы, подготовленную всем предыдущим ее оду-

_____

[1] «Русское богатство», 1896, № 2, с. 204.

шевлением. Однако во второй редакции 1903 года именно это место Короленко исключил из текста. Вероятно, образ «облачного богатыря», перекликавшийся со «Страшной местью» Гоголя, казался ему слишком условным и романтическим на фоне сдержанного психологического параллелизма[1]. Для Хлебникова, наоборот, этот метафорический образ представлялся не излишним, а недостаточным, и как раз тоже ввиду его условности и романтичности.

В его «сумрачной прачке», в противоположность «облачному богатырю», нет ничего условного, сказочного и фантастического. Этот тяжеловесный, сниженный, «натуральный» образ целиком принадлежит земле, а не небу, действительности, а не воображению. Тут не уподобление, не одушевление, не метафора, а самая непосредственная реальность. И вместе с тем в образе прачки нельзя не видеть прямой связи с образом природы в рассказе, связи не только генетической, но концептуально-смысловой.

Природа в первом плане поэмы — это прежде всего сумрачная ночь, тьма. Но не просто ночь, а мировая ночь, и не просто тьма, а «тьма Господняя, тьма тьмущая». И этой безначальной и бесконечной тьмой природы охвачена вся поэма. Сумрачная ночь становится здесь образом символическим, то есть таким образом, в котором самая непосредственная чувственно ощутимая и наглядная данность неотделима и неотличима от самого широкого и отвлеченного смысла. С первой же строки поэмы — «Сумрак серый, сумрак серый» — конкретное явление и его смысл предстают нам в полном и неразличимом единстве. О чем говорит этот образ? О том ли, что комната плохо освещена, или о том, что дело происходит ночью, или о душевном состоянии персонажей — барыни, прислуги, прачки? Или же он рисует нам обстановку в городе, ждущем революционных событий, или даже всю «Россию во мгле»? Или, может быть, он вообще говорит нам о сумерках старого мира? И так далее. Очевидно, что обо всем этом (и еще о многом другом) говорит образ сумрака, причем говорит о каждом из возможных значений в отдельности и обо всех вместе. Отделить первичное значение образа от вторичного, прямое от переносного здесь просто невозможно. В рассказе же первичное значение картин предгрозового состояния природы и их переносное значение различаются без труда.

С этой ночью, тьмой, сумраком так или иначе связаны

---

[1] На переориентацию рассказа указывает и изменение подзаголовка: «Очерк» вместо «Отрывок из ненаписанного романа».

все образы поэмы, но наиболее тесно связан с ночью образ прачки. Кажется, что прачка является каким-то особенно сильным сгущением тьмы — тьмы в прямом и переносном смысле. Точно так же как «облачный богатырь» становится предельным выражением одушевленной облачности рассказа, «сумрачная прачка» в поэме предстает воплощенной тьмой, сумраком, ставшим действующим лицом поэмы[1]. И в обоих случаях перед нами кульминация развития темы и высшая степень напряженности образа природы.

Тут со всей отчетливостью видна грань, разделяющая два художественных метода. Если в рассказе Короленко «облачный богатырь» даже в качестве уподобления или метафоры в конце концов оказывался излишне «очеловеченным», то в поэме никак нельзя решить, сумрак ли является в образе «прачки» или прачка — в образе «сумрака». Природа в облике «сумрачной прачки» становится действующим лицом поэмы, а прачка, стирающая белье, оказывается явлением природы. В этом образе человек, можно сказать, настолько же оприроднен, насколько природа — очеловечена.

Вместе с тем тут не менее отчетливо видна и общая для Хлебникова и Короленко тенденция к органическому стилю, отвергающему литературно-романтическую условность. Уходя в противоположные стороны от условности, оба они в результате сходились на общей почве реализма.

8

Таким образом, в своих существенных и наиболее актуальных моментах рассказ Короленко включен в художественную концепцию поэмы. Однако у Хлебникова, как в «былинах» Кривоносого Силуяна, все «снова», но «другое». Все исходные моменты перестроены и переосмыслены так, что поэма в одно и то же время оказывается возвращением вспять, от литературы — к устной словесности, и движением вперед, к новой мифологической поэзии. Рассказ «В облачный день» взят не как неподвижный, окаменевший текст, не как литературная данность, но как живая осмысленная действительность, способная к изменениям, превращениям, росту, развитию. Превращаясь и изменяясь, она продолжает существовать в поэме Хлебникова, как она прежде существовала в рассказе ямщика Василия Косого, от которого была услышана писателем

---

[1] Ср. драматическую поэму «Настоящее», в которой среди действующих лиц есть Прачка и Сумрак.

Короленко[1]. Все это лишь этапы, узлы развития, стадии само-движения единого смыслового комплекса. Основное отличие Хлебникова от Короленко состоит в том, что если у Короленко, при всей его исключительной чуткости к народному сознанию, рассказ Силуяна — «сказочника», «былинщика», «поэта» — трактован все-таки извне, как фольклорная цитата, включен-ная в литературное произведение, то у Хлебникова второй план поэмы хотя и противопоставлен первому, но совершенно един с ним, как его оборотная сторона.

История помещика Панкратова, как и песня об Аракчееве, связана с первым планом рассказа, по существу, лишь одной, нравственно-психологической, стороной: издевательство поме-щика над крестьянами. Сам же мотив кормления грудью щенка совсем не является единственно необходимым. Второй план рассказа нужен как арена столкновения народного и либераль-но-интеллигентного сознаний, как повод для выявления кон-фликта. Факты же, из-за которых происходит столкновение, могли бы быть и другими, лишь бы они достаточно сильно задевали сознание. Действующие лица этой истории только внешне и косвенно связаны с рассказчиком и его слушателями.

В истории Собакевны, напротив, именно мотив кормления грудью щенка становится необходимым сюжетным ядром, и никакие другие факты здесь вообще немыслимы. Недаром в рассказе самых сцен кормления нет, тогда как в поэме они получают главное и прямо-таки подавляющее значение. Опи-сание этих жутких сцен, многократно повторенное, длящееся, кажется, до бесконечности, достигает какого-то экстатическо-го пафоса. Кажется, время исчезло и во всем мире есть только эта нескончаемая непроглядная ночь, мать, собачье дитя и дитя человечье в их трагическом единстве. От этих сцен веет древним ужасом и блаженством языческих мистерий или хри-стианских страстей. В них нет, конечно, никакого натурализма и психологизма, ибо все это чистейшая мифопоэтическая сим-

---

[1] В устной передаче она бытует до наших дней. Не так давно корреспон-дент «Правды» Г. Яковлев записал со слов Героя Советского Союза Г. М. Ива-шкевича рассказ о его прадеде: «Толковый, крепкий мужик Геращенко пригля-нулся помещику, тот выдвинул его в приказчики. Все шло ладно, да случай такой выпал. Принесла служанка в избу корзину со щенятами: барин, мол, прислал, чтобы ваша жена выкормила, их борзая околела. Взял Геращенко корзину да в сердцах шмякнул перед барином об пол: «У меня жена — чело-век».— «В остроге сгною,— заорал помещик, сорвал со стены пистоль.— Эй, скрутите смутьяну руки». А Геращенко выхватил пистоль и разрядил его в хозяина. Запряг лошадей, погрузил семью — ищи ветра в поле» («Правда», 1983, 3 июля).

волика. Здесь образное и идейное ядро поэмы, и совершенно ясно, что без него представить поэму невозможно.

Далее, действующие лица второго плана поэмы не то что соответствуют внутренне, но просто никак не отделимы от персонажей первого плана. Ведь даже если понимать их отношения самым простым и наивным образом, весь второй план помещается в «голове» барыни, он весь, включая и рассказ Короленко, находится внутри первого плана. Баба и барыня первого плана вновь встречаются во втором плане, как бы выходя из действительного пространства и времени в мир воображаемый, фантастический, мнимый. И эта свободная мыслительная сфера второго плана, оставаясь «внутри», в то же время оказывается глубже и шире первого плана и как бы охватывает и включает его в себя.

Два плана рассказа Короленко необратимы. В поэме же вся художественная концепция построена на том, что первый план выворачивается вторым планом, а второй — первым. Реальное столкновение бабы и барыни в настоящем порождено принципиальной конфликтностью их сознаний, уходящих корнями в глубокое прошлое. Перед нами, так сказать, сознание действительности и действительность сознания. И два плана поэмы, оборачиваясь, взаимоосмысляют и взаимореализуют друг друга. От индивидуального исторического конфликтного события первого плана мы приходим к его осмыслению во втором плане и, возвращаясь опять к первому плану, находим в нем не случайную и частную, а вполне закономерную реализацию в индивидуальном столкновении общей конфликтности действительности.

9

Большая часть первого плана поэмы представляет развернутое противопоставление бабы и барыни. Их оппозиция взята вне всяких отвлекающих обстоятельств, с полной обнаженностью и окончательностью. Перед нами прежде всего две старухи: «Обе седые, в лохматых седых волосах». За каждой из них целая жизнь, у каждой из них своя судьба, и их столкновение сейчас, на пределе жизни,— это столкновение всей необратимой тяжести прошлого. Их характеристики подчеркнуто параллельны:

> В Смольном не была,
> А держала вилы да веник...
> Ходила да смотрела за кобылами.

В Смольном девицей была, белый носила передник.
И на доске золотой имя записано, первою шла.

Теперь в друг друга, рукой книги и ржи,
Вонзили обе ножи:
Исчадье деревни голодной и сама столица на Неве,
                                                    ее благородие.

Столкновение бабы и барыни настолько же их друг с другом разделяет, насколько и связывает, можно сказать, что баба и барыня противопоставлены нерасторжимо. Скотный двор и Смольный институт благородных девиц, хлеб и книга, деревня и столица противопоставлены и едины как две стороны одного и того же мира, одной и той же истории. Баба и барыня — это два лика древней, тысячелетней России на пороге 1918 года.

Баба является барыне как воплощенное возмездие. Причем сама формула «видение зловещее» прямо отсылает нас к «маленьким трагедиям» Пушкина, в частности к «виденью гробовому» из «Моцарта и Сальери». Но не только к нему, а вообще ко всем могильным образам этих драм с венчающим их образом Каменного Гостя, и не только к этим отдельным образам и символам, а ко всей в целом мифопоэтической концепции вины и возмездия пушкинских «драматических опытов»[1].

Угрозы бабы: «Барыня, а барыня!.. Вас завтра повесят!.. Повисишь ты, белая», безусловно, не имеют натуралистического смысла ни с точки зрения бабы, ни с точки зрения барыни, ни тем более с общей точки зрения. Смысл их чисто символический, но как раз это и придает иррациональным, «безумным» угрозам еще более жуткий оттенок. Речь идет не о личной вине и не о личном возмездии.

В то же время и барыня предстоит бабе как судьба; с ней нерасторжимо связано все ее прошлое и настоящее, в ней для бабы воплощена вся тысячелетняя вина господ.

В этих старухах перед нами последние звенья вековой цепи господ и рабов, вины и возмездия. Это два лика старого мира или даже, лучше сказать, две гримасы одного лика:

Опустилась на локоть, и град слез побежал.
. . . .
Радостный хохот
В лице пробежал.

Но эти слезы и хохот, страданье и торжество, тоска и ра-

---

[1] Ср. мотивы «маленьких трагедий» в поэме «Ночной обыск» и в автобиографических записках «Октябрь на Неве» и «Никто не будет отрицать того...».

дость — лишь модификации общего чувства обреченности, доходящего прямо до восторга и упоения:

> Мучения ножик и наслаждения порхал, муки и мести...
> . . . .
> Баба и барыня —
> . . . .
> Радовались неге мести и муки.

Ссылка на знаменитый пушкинский гимн в честь Чумы здесь не менее откровенна:

> Все, все, что гибелью грозит,
> Для сердца смертного таит
> Неизъяснимы наслажденья —
> Бессмертья, может быть, залог.

Но упоение и восторг у «бездны мрачной на краю» здесь взяты не в том индивидуальном, героическом и волевом аспекте, в каком обычно трактуется этот гимн, а в более широком и, так сказать, архаическом аспекте трагизма: стихийно-экстатическом, выдвигающем на первый план внеличные моменты. Обе старухи в равной мере обречены: смерть одной из них означает смерть и другой; они противостоят друг другу, как две могилы, как две бездны прошлого. Будущего для них нет, в равной мере ими движет «воля к смерти». Их взаимная «радость» и даже «нега» — это «залог бессмертья», предчувствие освобождения в слиянии со стихией. Прошлое рабов и прошлое господ должно умереть, чтобы навсегда прервалась изначальная цепь вражды, чтобы могло стать совершенно новое будущее. В целом же эта смертельная вражда двух старух — странный, но не лишенный своеобразного величия образ — вырастает в трагический символ старого мира. Только в таком смысле и можно понять прямое авторское обращение:

> Время! Скажи! Сколько старухе
> Минуло лет?
> В зеркало смотрится — гробы.
> Но зачем эти морщины злобы?

Характеристика эта формально отнесена к бабе, но в контексте первого плана ее вполне можно отнести и к барыне. Ввиду едино-раздельности этих образов каждый из них бросает отсвет на другой. Их единство и противоположность, взаимно усиливая друг друга, достигают величайшего напряжения. Апелляция к Времени (которую ни в коем случае не следует понимать лишь формально-риторически) открывает бесконечную глубину ретроспективы, отодвигая конфликт не просто даже в тысячелетнее прошлое, а прямо-таки в какую-то тьму времени, прямо в изначальную бездну. Или, вернее, наоборот, эта тьма вплотную придвинута к настоящему, так что вместо живого настоящего предстает разверстая бездна прошлого:

> Воздух скучен и жуток.
> Некто притаился,
> Кто-то ждет добычи.
> Здесь не будет шуток,
> Древней мести кличи!

Нет никакого сомнения, что это нечто неназываемое, неотвратимо надвинувшееся, как бы материализованное в воздухе, данное в смутном ощущении барыни как «некто», «кто-то»,— это само Время. Сравним, например, конец XVIII плоскости «Зангези»:

> Если в пальцах запрятался нож,
> А зрачки открывала настежью месть —
> Это время завыло: даешь,
> А судьба отвечала послушная: есть.

Время в первом плане поэмы взято в качестве какой-то непосредственно ощутимой, видимой и слышимой, почти телесно осязаемой субстанции. Оно видимо как сумрак, ночь, тьма природы, в которую погружена поэма. Оно слышимо —

> Часы скрипят.
> Белый исчерченный круг.
> . . . .
> Я на часы смотрю,
> Наверное, скоро будет десять!

Но если плоть времени становится ощутимой, то его метрика, его членение, его движение — совершенно неразличимы. Перед нами какое-то парадоксальное неподвижное время, «белый круг» времени. Часы показывают время, но не показывают часа. Как это понять? По-видимому так, что перед нами переломный момент, мертвая точка времени. Или, если воспользоваться известным шекспировским образом, тот момент, когда «время вывихивает сустав». Навязчивый безумный рефрен:

> Скоро будет десять...
> Вас завтра повесят —

указывает эту неподвижную алогическую точку перелома между прошлым и будущим. В бормотании бабы «десять», конечно, меньше всего имеет хронометрическое значение, его функция скорее заклинательно-магическая: это не указание часа, а обращение к Времени, своего рода заклятие Временем, подобное авторскому: «Время, скажи!»

Непосредственное переживание времени в его напряженной неподвижности, в его мертвой точке катастрофического поворота от прошлого к будущему активизирует мифологические представления, связанные с концом старого и началом нового года, когда силы зла и добра, старого и нового, жизни и смерти вступают в окончательную борьбу. Такова семантика названия поэмы: это тьма перед светом, это смерть перед рождением, это конец старого мира перед началом нового. Но если вообще настоящее одновременно разделяет и связывает прошлое с будущим, то здесь настоящее взято только со стороны разделенья, только под знаком отрицания. Никакого будущего, ничего нового мы еще не видим в этом сумраке времени. Перед нами лишь жуткое противостояние двух старух, связанных древней враждой подобно мертвецам в «Страшной мести» Гоголя.

10

И вот тут, наконец, выясняется первостепенная роль третьей старухи. Образ этот очень сложен. Поэтому возьмем его пока лишь в аспекте первого плана поэмы, оставляя в стороне все другие его внутрипоэмные и внепоэмные функции.

В образе прачки перед нами прежде всего вполне реальный образ, точно так же, как образы барыни и бабы, прочно вписанный в быт со всеми его «натуральными» и «случайными» чертами. И точно так же этот образ содержит в себе самые широкие обобщения и самую высокую отвлеченность.

С одной стороны, конечно, прачка стоит в одном ряду с барыней и бабой. Эти три старухи первого плана представляют собой единый образ настоящего, взятого как прошлое, как конец старого мира[1]. Причем здесь одинаково существенно и то, что это старухи, и то, что их трое. Это именно едино-раз-

---

[1] Ср. трех каменных баб в поэме «Ночь в окопе»:
Семейство каменных пустынниц
Просторы поля сторожило.
В окопе бывший пехотинец
Ругался сам с собой: «Могила!
Объявилась эта тетя,
Завтра мертвых не сочтете,
Всех задушит понемножку...»

дельный образ, своего рода троица или триада, где прачка воплощает то, что разделяет и в то же время связывает барыню и бабу, это воплощенная, персонифицированная вражда. Ведь если барыня и баба взяты во взаимном отрицании, то в прачке мы видим как раз их, так сказать, отрицательный синтез. Поэтому в аспекте первого плана поэмы прачка и выступает в качестве воплощения и персонификации даже не просто вражды, а прямо-таки всеобщего отрицания или смерти.

Казалось бы, образ прачки является простым дублированием (или, в лучшем случае, усилением) образа бабы и ничего существенного не вносит в оппозицию рабов и господ, а следовательно, так понятый, оказывается вовсе ненужным в структуре первого плана поэмы. Однако мы видим, что барыня и баба не только противопоставлены, но и едины, и это единство не менее важно, чем их противопоставленность. В свою очередь прачка так же связана с барыней, как и с бабой. Но если ее связь с бабой очевидна, то связь с барыней лежит глубже непосредственного восприятия. В самом деле, что мы видим в образе прачки? Прачка стирает барское белье. Можно ли этот факт рассматривать только натуралистически? Ведь контекст поэмы и сам характер этого образа указывают на то, что перед нами не какая-то бытовая подробность и не просто метафора, а не что иное, как магически-символическое действо. «Труд старой прачки» развернут в грандиозную картину прямо какой-то космической стирки[1]. И, конечно, перед нами опять-таки не просто барское белье, не просто какие-то «подштанники», а нечто вполне соответствующее грандиозности действа. В любом случае «штаны» и «подштанники» нужно понимать как образы чего-то скрытого, исподнего, даже пре-исподнего, в конечном счете — какой-то внутренней скверны. И символический смысл «труда старой прачки» заключается не просто в очищении, но именно в переворачивании, в выворачивании наизнанку всей этой «невыразимой» грязи, а тем самым, конечно, и в очищении, но уже, понятно, не в натуралистическом смысле, а вполне метафизическом. В этом магически-символическом переворачивании-превращении барыня и баба, вина и возмездие, господство и рабство равно уничтожаются во взаимном отрицании, снимающем их противопоставленность.

----

[1] Ср. народные представления о грозе как стирке белья: «небесные прачки-ведьмы бьют громовыми вальками и полощут в дождевой воде свои облачные покровы» (А ф а н а с ь е в А. Н. Древо жизни. М., 1983, с. 388). См. раннюю запись Хлебникова, сближавшего этимологически *мыть* и *мир*: «Мыть — возрождать мир» (Творения, с. 15).

Ведь если представить разрешение конфликта простым механическим переворачиванием вины и возмездия, то это никак не будет снятием противопоставления, а всего лишь новым конфликтом, продолжающим тысячелетнюю цепь человеческой вражды. Ведь в «Страшной мести» Гоголя Иван-мститель так же обречен, как и весь род Петра-Иуды; точно так же обречен и Регинальд, отомстивший жестокому барону Бруно в «Замке Эйзен» Марлинского. Потому-то прачка и предстает таким всеобщим отрицанием, которое должно прервать эту цепь навсегда.

Как же реализуется в художественной символике поэмы этот парадоксальный отрицательный синтез?

Барыня и баба противопоставлены не только концептуально, но и наглядно-чувственно, прежде всего в свето-цветовых отношениях. Барыня — «белая», «в глазах голубые лучи», «глаза голубые»; баба — «вся темнота крови засохшей цвета», «темные глазки», «глаза темной жести», «лицо ее серо, точно мешок». Это два полюса общей колористической гаммы сумрака. И по структуре и по смыслу они стоят в том же ряду, что скотный двор и Смольный институт, хлеб и книга, деревня и столица. Поэтому и свето-цветовые характеристики бабы и барыни естественно понимать символически как противопоставление тьмы и света, земли и неба, грязи и чистоты. Однако их полярность не абсолютна и не статична. На ее сложный сдвинутый характер указывает то, что строится она как бы по диагонали: не б е л о е — ч е р н о е, и не с в е т л о е — т е м н о е, а б е л о е — т е м н о е:

белое	черное
светлое	темное

И вот вся эта сквозная напряженная полярность в образе прачки переворачивается и выворачивается наизнанку:

> Льются мыльные стружки, льется мыльное кружево,
> Шумные, лезут наружу вон.
> А голубое от мыла корыто
> Горами снега покрыто.
> . . . .
> Грязь блестела глазами цыганок.
> . . . .
> На веревках простыни, штаны белели.
> . . . .

А белье какое!
Не белье, а облако небесное!
А кружева, а кружева на штанах
— Тьма Господняя.
— Тьма-тьмущая.

. . . .

Вот я и мучаюсь,
Стирать нанята,
Чтобы снежной мглою
Зацвели
Подштанники.

Все эти противоположности не просто переворачиваются и меняются местами, а каким-то «невыразимым» и вместе с тем убедительным образом схвачены все вместе в оксюморонном единстве. Чистота оборачивается грязью, а грязь — чистотой, свет становится тьмой, а тьма — светом, небесное и божественное оказывается исподним и преисподним, а исподнее и преисподнее — небесным и божественным. И все это вместе в таком единстве, в таком отрицательном синтезе, что отделить одно от другого в этой сияющей тьме или непроглядном свете можно лишь в порядке аналитической абстракции. Тут в этих катахрезах перед нами нагляднейшим образом предстает тот алогический момент «неслиянности и нераздельности всего» (по замечательной блоковской формуле), который, как в фокусе, собирает всю символическую образность первого плана поэмы.

Если в образах барыни и бабы полярность доведена до максимальной напряженности, то в образе прачки она вывернута наизнанку так, что полюса сталкиваются; энергия противопоставления преобразуется в энергию сближения. Но их отрицательное единство схвачено не в момент завершенной неподвижности, а в самый момент перелома и переворота.

Таким образом, с одной стороны, прачка стоит в одном ряду с барыней и бабой, с другой — в том же аспекте первого плана — она им противопоставлена.

Если образы барыни и бабы предстают нам во всей полноте и завершенности как два лица (или две гримасы одного лица), то в образе прачки как раз резко подчеркнуто, что «прачки лицо сумраком скрыто». Лицо прачки неразличимо, но вместо него перед нами — как важнейшая деталь образа — руки: «Ходит устало рука... Добрый грязи струганок — Кулак моет белье, Руки трут... Рубанок белья эти руки... Руки распухли веревками жил, голубыми, тугими и пухлыми... К рукам онемелым, Строгавшим белье, Ломота приходит,— знать, к непогоде». Собственно, кроме рук, мы больше ничего и не видим, руки — весь портрет прачки. Вся напряженная жизнь образа сконцентрирована в этих могучих, грубых, прекрасных и трагических руках, не менее выразительных и красноречивых, чем лица барыни и бабы. Работающие, стирающие, очищающие, преображающие руки противопоставлены ожидающим, переживающим, отражающим лицам как нечто безусловное и безотносительное — условному и относительному.

В этом образе прачки с невидимым, неразличимым сквозь белый сумрак лицом и неустанно работающими руками нельзя не видеть прямой переклички с образом времени — «Часы скрипят. Белый исчерченный круг». Но в образе прачки неощутимый перелом и поворот времени дан с еще большей полнотой и пластической монументальностью. Это прямо какой-то памятник неуловимому повороту от прошлого к будущему. Мы видим и осязаем трудную работу времени, хотя лицо его «сумраком скрыто»[1].

За всей этой враждой, отрицанием, переворотом, за этим воплощенным настоящим первого плана поэмы стоит более широкое и более объемное содержание.

Из сопоставления с рассказом Короленко мы уже видели, что образ прачки непосредственно восходит к образу природы. Мы видели также принципиальное различие между психологической трактовкой природы у Короленко и мифопоэтической трактовкой ее у Хлебникова. В образе прачки человек предстает природой, а природа — человеком[2]. В описании стирки перед нами как будто простейшие бытовые вещи, но в них последовательно вскрыта их «натура». В результате обыденнейшая стирка развертывается в описание прямо каких-то природных потрясений. В печке — «пламя зари», «алые зори»; мыльная пена громоздится, как «белые горы», «горы снега», «облака»; пар из корыта встает в воздухе каким-то «чудищем

---

[1] Ср. аналогичную связь образа времени с «плотницкими» образами в «Зангези» (СП, III, с. 257—258).
[2] Ср. хлебниковский автопортрет в поэме «Поэт». Ср. также весьма близкий образ в раннем стихотворении «Крымское»:

...море кажется старательно выполощенным
чьими-то мозолистыми руками в синьке.
. . . .
И нет ничего невообразимого,
Что в этот час
Море гуляет среди нас,
Надев голубые невыразимые...

белым»; вода в корыте «синеет», как озеро или море. Даже трубка дворника пышет «золотым огнем да искрами». Все это не просто литературные, условные уподобления и метафоры, наоборот — это расподобление и развоплощение всех вещей (разумеется, чисто смысловое) и возвращение их в природное, стихийное, единое лоно. «Труд старой прачки» уничтожает, растворяет, переплавляет косные вещи человеческого быта, и перед нами уже не быт, а бытие — первородные стихии, элементы мира: огонь, воздух, вода, земля.

Тут же как будто уже намечается возможность нового воплощения и формирования, но только еще в виде потенции. Фактически же вся природная символика финала поэмы говорит лишь о надвигающемся уничтожении, о близком конце старого мира, о том «тютчевском» моменте,

> Когда пробьет последний час природы,
> Состав частей разрушится земных:
> Все зримое опять покроют воды,

но ничей лик еще не «изобразился». Лицо прачки-природы-времени еще «сумраком скрыто», хотя ее могучая тень уже господствует над настоящим.

Вот теперь, наконец, в этом явлении Природы, как Каменного Гостя или заоблачного Всадника из «Страшной мести», мы получаем специфически хлебниковское завершение художественной символики первого плана. Ограничившись пониманием образа прачки только как вражды, отрицания, переворота, то есть оставаясь в пределах истории, мы никогда не поймем самой основы хлебниковской концепции мирового процесса. Для него всегда в конечном счете неизбежен выход в природу, обращение к ней как последней инстанции: «Когда судьбы выходят из бытовых размеров, как часто заключительный знак ставят силы природы!» (СП, V, 146). Поэтому образ прачки в финале поэмы не только заключает в себе всю основную историческую и природную символику вины и возмездия, животного и человеческого, тьмы и света, но и открывает в этой символике новое содержание и новую глубину, знаменуя этим (уже чисто концептуальным) переворотом обнажение, очищение, высветление природной сущности, ее выворачивание сквозь оболочку истории. Интегральный образ прачки — «ключ и замок» всей художественной структуры поэмы. И к нему мы должны будем вернуться еще раз после разбора второго плана.

Чтобы до конца уяснить символику первого плана, нужно иметь в виду, что она непосредственно опирается на блоковскую концепцию народа и интеллигенции: «С екатерининских времен проснулось в русском интеллигенте народолюбие и с той поры не оскудевало ⟨...⟩ печалуются о народе; ходят в народ, исполняются надеждами и отчаиваются; наконец, погибают, идут на казнь и на голодную смерть за народное дело. Может быть, наконец п о н я л и д а ж е д у ш у н а р о д н у ю; но как поняли? Не значит ли понять в с е и полюбить в с е — даже враждебное, даже то, что требует отречения от самого дорогого для себя — не значит ли это н и ч е г о не понять и н и ч е г о не полюбить? Это со стороны «интеллигенции» ⟨...⟩ А с другой стороны — та же все легкая усмешка, то же молчание «себе на уме», та же благодарность за «учение» и извинение за «темноту», в которых чувствуется «до поры, до времени». Страшная лень и страшный сон, как нам всегда казалось; или же медленное пробуждение великана, как нам все чаще начинает казаться ⟨...⟩ Интеллигенты не так смеются, несмотря на то, что знают, кажется, все виды смеха; но перед усмешкой мужика ⟨...⟩ умрет мгновенно всякий наш смех; нам станет страшно и не по себе... кажется, это действительно так, то есть действительно не только два понятия, но две реальности: народ и интеллигенция; полтораста миллионов с одной стороны и несколько сот тысяч — с другой; люди, взаимно друг друга не понимающие в самом основном»[1].

Это было сказано еще в 1908 году; десять лет спустя в книге Блока «Россия и интеллигенция» (первое издание — 1918, второе — 1919) эта антиномия получила еще большую актуальность и драматизм.

Нетрудно увидеть (с учетом необходимых исторических коррективов) в хлебниковских старухах реализацию и персонификацию блоковской антиномии, причем не только концептуально, но и — что особенно интересно — образно.

---

[1] Б л о к А. СС, У, с. 322—323. Статья «Народ и интеллигенция», написанная по поводу «Исповеди» Горького, была впервые прочитана в качестве доклада 13 ноября 1908 года в Религиозно-философском обществе и повторена 12 декабря 1908 года в Литературном обществе (где, кстати сказать, председательствовал Короленко, который в заключительном слове сочувственно отнесся к вопросам, поставленным Блоком, хотя и заметил, что они «стары как мир», ибо «раскололся мир, и трещина прошла по сердцу поэта» (СС, V, 742—744). Весьма вероятно, что Хлебников был на одном из этих докладов и уж наверняка читал статью в «Золотом руне» (1909, № 1).

В образе барыни мы видим то же непонимание и страх; в образе бабы — молчание себе на уме, усмешку, хохот:

> Хитрая смотрит,
> Смотрит хитрая![1]
> . . . .
> Смотрит и молчит.
> . . . .
> Радостный хохот
> В лице пробежал,
> Темные глазки сделались сладки.
>
> Вас скоро повесят!
> Хи-их-хи! их-хи-хи!
> За отцов за грехи!
> Лицо ее серо, точно мешок,
> И на нем ползал тихо смешок!

И двусмысленное «извинение за свою темноту»:

> Это так... Это верно... кровь у меня мужичья!
> В Смольном не была
> . . . .
> Так и умру я,
> Слягу в могилу
> Окаянною хамкою.

От блоковских предчувствий конфликт бабы и барыни отличается лишь тем, что это уже не возможность, а факт, не предчувствие, а реальное переживание исторического события.

Старые статьи Блока, собранные в книге «Россия и интеллигенция», издавна знакомые и созвучные Хлебникову (особенно «Народ и интеллигенция», «Стихия и культура», «Дитя Гоголя»), теперь, надо думать, были прочитаны заново и по-новому в свете революционных событий и в связи с поэмой «Двенадцать», которая произвела на него глубокое впечатление. В образах барыни и бабы, а частично и в образе прачки, да и во всем первом плане в целом мы находим такую близость со всем сложнейшим комплексом тем, мотивов, образов и символов этих статей (а также статьи «Интеллигенция и революция»), что эта связь уже далеко выходит за рамки чисто литературного взаимодействия. Однако было бы ошибкой на этом основании сближать мировоззрение Хлебникова и Блока,

---

[1] Любопытно, что в рассказе Короленко ямщик с особым значением называет господ «хитрыми».

ибо дело здесь не в индивидуальных ощущениях, переживаниях и концепциях. Как всегда у Хлебникова, книга «Россия и интеллигенция» взята в этой поэме в качестве объективного выражения определенного исторического сознания. Поэтому блоковская символика «тьмы», «сна», «смеха», «возмездия», «смерти» и т. д. и т. д. вплоть до генерализующих символов «стихии» и «культуры» лишена специфически блоковского содержания и получает внеличный, обобщенно-эпический смысл. С этой точки зрения совершенно не важно, что таково индивидуальное сознание Блока (или Хлебникова, или кого бы то ни было), здесь важно, что таково катастрофическое сознание эпохи, в каких бы индивидуально-поэтических символах оно ни выражалось. Блок же взят именно потому, что это внеличное сознание выражено в нем с наибольшей силой и прямотой: «...хотим мы или не хотим, помним или забываем,— во всех нас заложено чувство болезни, тревоги, катастрофы, разрыва», происходящее оттого, что по всему миру прошла «трещина» — «между человеком и природой, между отдельными людьми и, наконец, в каждом человеке разлучены душа и тело, разум и воля» (СС, V, 351). Блоковская мифопоэтическая символика давала Хлебникову необходимый активный контекст для разработки конфликта первого плана поэмы. Так же как рассказ Короленко взят в качестве основного исходного текста для второго плана, для первого плана взята блоковская концепция, которая здесь также перестроена, переосмыслена, обобщена и доведена до максимального напряжения. Блоковская трактовка антиномии народа (России) и интеллигенции имела подчеркнутый мифопоэтический, «музыкальный» (по терминологии Блока) характер. «Россия здесь,— писал он в предисловии ко второму изданию книги,— не государство, не национальное целое, не отечество, а некое соединение, постоянно меняющее свой внешний образ, текучее (как гераклитовский мир) и, однако, не изменяющееся в чем-то основном. Наиболее близко определяют это понятие слова: «народ», «народная душа», «стихия»... Точно так же и слово «интеллигенция» берется не в социологическом его значении; это — не класс, не политическая сила, не «внесословная группа», а опять-таки особого рода соединение, которое, однако, существует в действительности и, волею истории, вступило в весьма знаменательные отношения с «народом», со «стихией», именно — в отношения борьбы» (СС, V, 453). Такова же по своему характеру и хлебниковская концепция, но при всей общности с Блоком нельзя не видеть ее весьма существенного отличия. Если в трактовке второго члена антиномии (интеллигенция) они совпадают, то первый член антиномии трактован в поэме гораздо сложнее. Во-первых, он представлен двумя образами: баба и прачка, которые не только едины, но и противоположны, то есть в них отчетливо дифференцированы понятия «народа» и «стихии». Во-вторых, баба и барыня не только противопоставлены, но и едины, то есть понятие «России» (старый мир) раскрыто в его связи и с «народом», и с «интеллигенцией». В-третьих, наконец, баба и барыня как символы истории (не совпадающей с блоковским понятием «культуры») противопоставлены прачке как символу природы (в значительной мере совпадающей с блоковским понятием «стихии»), и вместе с тем все три старухи едины как символ времени, настоящего. Хлебниковская генерализующая антиномия природы и истории шире и глубже блоковской антиномии стихии и культуры. Но суть дела даже не в этом, основное отличие их в том, что блоковская концепция принципиально дуалистична и в конечном счете неразрешима (как со всей художественной убедительностью это демонстрирует поэма «Двенадцать», в «неразрешенности» которой и заключалась, по-видимому, одна из «тайн» ее огромного возбуждающего действия на современников). Хлебниковская концепция, напротив, п р и н ц и п и а л ь н о разрешима, хотя бы даже посредством отрицательного синтеза, как это мы видим в первом плане поэмы.

12

Итак, как же можно было бы сформулировать конфликт первого плана поэмы? Сделать это можно и необходимо, но лишь в конечном счете. До его осознания нужно дойти, не отрываясь от живой плоти художественной мысли, иначе любые обобщения останутся пустой и неподвижной абстракцией. Нам же важно отчетливо видеть движение и развертывание конфликта, вернее сказать — конфликтности поэмы в общей перспективе конфликтности действительности.

Так, например, личная, даже попросту домашняя распря бабы и барыни совершенно несущественна с точки зрения общего конфликта. Но с точки зрения развертывания общей конфликтности этот простейший бытовой момент так же нужен, как и самые отвлеченные моменты. Уже тот факт, что за этой домашней распрей вскрывается внеличный антагонизм, тоже есть движение противоречий и, следовательно, своего рода конфликт.

Начать нужно с того, что вся атмосфера первого плана поэмы есть сплошное противоречие, ненависть, вражда и взаимное отрицание; здесь буквально нет ни одного момента, который бы не отрицался другим моментом. Весь первый план есть сплошная конфликтность, это доминанта его структуры. Из этого следует, что энергия общей конфликтности присутствует в каждом отдельном конфликтном моменте и, наоборот, каждый отдельный момент подключен к общей конфликтной ситуации.

Затем, вся эта напряженная конфликтность развернута не линейно, а иерархически. Она развивается главным образом не в событийной, а в смысловой сфере. За внешней неподвижностью противостояния трех старух первого плана по мере осмысления и осознания противоречий вскрывается внутреннее углубление, расширение и, наконец, переворачивание конфликта. В смысловой сфере конфликтная ситуация полностью пережита, осмыслена и завершена, хотя с внешней стороны еще ничего как будто не разрешилось и не закончилось.

1. Л и ч н ы й   к о н ф л и к т бабы и барыни был бы вполне бессмысленным, если бы за ним не стояло столкновение разных типов сознания: интеллигентного и народного. То, что бессознательно «знает» баба, совершенно непонятно с точки зрения индивидуально-психологического сознания барыни: почему она должна понести наказание «за отцов за грехи», почему внеличная вина должна быть искуплена личным возмездием? И это оказывается тем движущим моментом конфликтности, который ввиду невозможности разрешения переводит ее на новую ступень.

2. С о ц и а л ь н ы й   к о н ф л и к т также был бы бесперспективным, если бы столкновение бабы и барыни символизировало просто антагонизм угнетателей и угнетенных, рабов и господ. В таком случае конфликт был бы исчерпан, ибо возмездие отвечало бы вине. Но в том-то и дело, что перед нами конфликт народа и интеллигенции, причем именно не в политическом, а в «музыкальном», блоковском смысле: «Я не сомневаюсь, ни в чьем личном благородстве, ни в чьей личной скорби; но ведь за прошлое — отвечаем мы? Мы — звенья единой цепи. Или на нас не лежат грехи отцов? — Если этого не чувствуют все, то это должны чувствовать «лучшие» ⟨...⟩ Что же вы думали? Что революция — идиллия? Что творчество ничего не разрушает на своем пути? Что народ — паинька? ⟨...⟩ И, наконец, что так «бескровно» и так «безболезненно» и разрешится вековая распря между «черной» и «белой» костью, между «образованными» и «необразованными», между интеллигенцией и народом?» (СС, VI, 15—16). Однако то, что понятно поэту,   да и то лишь в высшие моменты сознательности, опять-таки со-

вершенно непонятно с точки зрения либерально-интеллигентного сознания. Почему не буржуазия, не дворянство, а именно они, «лучшие люди», которые шли на смерть за свободу народа, теперь должны погибнуть от руки народа? В чем вина интеллигенции перед народом? Поставленный с такой остротой социальный конфликт так же неразрешим, как личный, и должен быть взят более широко.

3. И с т о р и ч е с к и й к о н ф л и к т опять-таки не исчерпывает и не разрешает напряжения общей конфликтности действительности. На этой ступени антагонизм бабы и барыни символизирует уже не только конкретный социальный конфликт, но вообще вражду между людьми, вражду внутри человеческого рода. Почему вся прошлая история человечества есть история угнетения, ненависти и взаимного отрицания людей? Этот конфликт равно не может быть понят ни с точки зрения сознания барыни, ни с точки зрения сознания бабы. Он вообще неразрешим в рамках исторического сознания.

На этой ступени конфликтности, выходя за пределы сознания персонажей, мы вступаем в сферу собственно авторского сознания, на уровень концептуально-поэтический.

4. П р и р о д н ы й к о н ф л и к т, в котором барыня и баба с одной стороны, и прачка — с другой, символизируют столкновение истории и природы, дает максимальное напряжение конфликтности и одновременно — его концептуальное разрешение. Однако антиномия истории и природы и ее снятие в обнаружении природной сущности исторического процесса развернуты первым планом поэмы пока лишь ограниченно. Перед нами только отрицательный синтез, но полного и окончательного разрешения конфликта здесь нет. Его мы получаем в результате сопоставления с конфликтом второго плана.

13

Во втором плане, как этого и следовало ожидать, мы находим более сложную систему сопоставлений и противопоставлений, развернутых в соотнесении с первым планом.

В противопоставлении крестьянки (Собакевны) и помещика, в отличие от противопоставления бабы и барыни первого плана, нет никакой иллюзии личного конфликта. Напротив, даже подчеркнута «барская милость»:

> Утром ходит в лесу,
> Свою чешет косу
> И запоет!
> . . . .

Барин коня своего остановит,
Рубль серебряный девке подорит.

В том, что ей досталось «воспитание» барского пса, нельзя увидеть ни намека на какое бы то ни было личное нерасположение
помещика. Выкармливание грудью щенков — не наказание, это
хотя и редкое, но «нормальное» явление крепостного быта.
И это обстоятельство также подчеркнуто в поэме, причем развернуто в довольно пространный эпизод, предшествующий основному действию:

Барин удалый к бабе приедет,
Даст ей щеночка:
«Эй, красота!
Вот тебе сын али дочка,
Будь ему матка родимая.
Барскому псу дай воспитание».

Функция вступления к рассказу о судьбе Собакевны, по-видимому, и состоит в том, чтобы дать обычные, типовые фео-
дальные отношения, на фоне которых и воспринимаются даль-
нейшие события:

И к бабке пришел: «На, воспитай!..»

Перед нами вполне определенное социальное противопоставление крестьянки и помещика, которое очевидным образом
является проекцией противопоставления бабы и барыни первого плана. Помещик прямо соотнесен с барыней, крестьянка с
бабой (в последнем случае соотнесенность не только социальная, но и родственная: старуха-рассказчица — внучка Собакевны).

Если понимать второй план только в качестве прямого рассказа бабы-прислуги (как это обычно делается), то в такой
прямой соотнесенности можно было бы видеть разрешение
социального конфликта первого плана, объяснение вины барыни и оправдание справедливости возмездия «за отцов за
грехи».

Однако, как было показано, связь планов поэмы не прямая:
рассказ бабы преломлен в воображении барыни. Поэтому на
прямую соотнесенность персонажей (с точки зрения бабы)
накладывается соотнесенность отраженная, обращенная (с
точки зрения барыни). В обращенной проекции помещик уже
соотносится с бабой, а крестьянка — с барыней:

I план: барыня   баба

II план: помещик   крестьянка

В их столкновении помещик, как и баба, выступает в качестве активной, угрожающей стороны, а крестьянка, как и барыня,— в качестве пассивной, страдающей. Со стороны помещика мы видим то же сознание права и власти, со стороны крестьянки — тот же страх и непонимание своей вины. Крестьянка соотнесена с барыней не только функционально, но и образно. С барыней перекликаются некоторые характерные черты портрета крестьянки («белая», «глаза голубые», «глаза ее светят как звезды») и, главное, доминирующий момент ее образа — мотив «детей» (ср. характеристику детей барыни, подчеркивающую их «природность» и соотносящую их с «детьми» Собакевны: «странные, дикие... вольные на все»). А значит, с точки зрения сознания барыни, можно говорить о ее самоотождествлении с крестьянкой (ср. ее тождество с барышней рассказа Короленко). Барыня так же невинна, как и крестьянка, и угрозы бабы точно так же несправедливы, как и жестокость помещика. Таким образом, обращенная проекция указывает не на разрешение социального конфликта (как это было бы в случае прямой проекции), а на продолжение и обострение конфликтной ситуации.

Вместе с тем тождество барыни и крестьянки означает (опять-таки с точки зрения барыни), что социальным конфликтом вскрывается конфликт исторический. Тут как будто напрашивается вывод, что исконная вражда между людьми имеет нравственно-психологические корни и осознается как конфликт добра и зла, справедливости и несправедливости (это мы видим, например, в рассказе Короленко). Однако такое толкование не объясняет конфликт барыни и бабы. Противопоставление п о м е щ и к — к р е с т ь я н к а имеет иной характер. Дело в том, что параллельно этому противопоставлению развернуто второе противопоставление: с о б а к а — з а я ц. Оно дано в виде отдельного эпизода барской охоты:

> Охота была удалая.
> Барыня милая! воют в рога,
> Скачут и ищут зайца-врага.
> . . . .
> Гончие воют и стонут!
> Друг через друга
> Псы перескакивают,
> Кроет их вьюга,
> Кого-то оплакивают,
> Стонут и плачут.
> А барин-то наш скачет и скачет.
> Сбруей серебряной блещет,
> Черным арапником молотит и хлещет.
> Зайчиха дрожит, уже вдовушка.

Людям люба заячья кровушка!
Зайца к седлу приторочит,
Снежного зайца, нового хочет.
Или ревет, заливается в рог.
Лютые псы скачут у ног.
. . . .
Свищут да рыщут,
Свеженьких ищут собачие рточки.

Переносный характер описания не вызывает сомнений. Перед нами, конечно, откровенное сопоставление вражды людей и вражды животных. На это указывает настойчивая и сплошная антропоморфизация животных и, так сказать, териоморфизация людей. «Зайчья доля» уподоблена крестьянской, зайчиха — «вдовушка», как и Собакевна; изображение зайца перекликается с портретом Собакевны («Белый снежочек, Скачет комочек — Заячьи сны, Белый на белом, Уши черны».— «Бела как снежок Стала, белей горностаюшки»). Собаки прямо даны в полном единстве с помещиком. Очевидно, все эти уподобления должны говорить о том, что вражда между людьми есть то же, что вражда между животными. Как это понимать? По-видимому, в таком сопоставлении подразумевается, что человек не противостоит человеку, как собака не противостоит собаке или заяц зайцу, но собака противостоит зайцу, а значит, помещик и крестьянка, господа и рабы осознаются р а з н ы м и биологическими видами. Их вражда оказывается уже не социальным, а природным, «кровным» антагонизмом.

Все это, повторяю, мы фиксируем, не выходя за пределы сознания персонажей. В том же сопоставлении содержится и более широкий смысл, но его нужно рассматривать с точки зрения общей концепции поэмы.

Подлинный конфликт с точки зрения бабы и с точки зрения барыни раскрывается в третьем, главном противопоставлении второго плана: щ е н о к — р е б е н о к. Здесь нет уже ни личного, ни социального, ни исторического антагонизма, то есть тех форм, которые не отражают реальности сознания персонажей. Самоочевидным, полным и «естественным» конфликт предстает лишь в противопоставлении животного и человека. Только в таком виде конфликт становится понятен и бабе и барыне[1].

_____

[1] О глубине такого сознания свидетельствует множество исторических материалов, причем часто именно в форме противопоставления с о б а к а — р е б е н о к. См., например: «Есть такие владельцы: ⟨...⟩ по своей роскоши приумножает псовую охоту и думает, неусыпно старается и мужиков денно и нощно работою понуждает, как бы оное прокормить, а того не думает, что через

Принуждая крестьянку кормить грудью щенка, помещик утверждает тождество крепостного и животного. Убивая собаку, крепостной отрицает это тождество и, более того, символически переносит этот акт на помещика:

> У барина перед окнами
> Отродье песье
> Висит. Где его скок удалой, прыть!
> «Чтобы с ним господа передохнули,
> Пора им могилу рыть!»

А тем самым крепостной утверждает тождество помещика и животного. Перед нами, следовательно, вполне ясный и определенный идеологический конфликт:

> Черта ли?
> Женскую грудь собачонкою портили!
> Бабам давали псов в сыновья,
> Чтобы кумились с собаками.
> Мы от господ не знали житья!
> Правду скажу:
> Когда были господские —
> Были мы ровно не люди, а скотские!
> Ровно корова!
> . . . .
> Больше не будем с барскими свиньями есть из корыт!

Суть конфликта не просто в отрицании «родства» крепостного и животного, но в обратном утверждении «родства» животных и господ. Именно таков скрытый смысл угроз бабы, обращенных к барыне: «Вас завтра повесят!»

> «Вас завтра повесят!
> Повисишь ты, белая».
> Раненым зверем вскочила с кровати:
> «Ты с ума сходишь? что с тобой делается?»

Ср. тот же мотив в «Песне Сумрака» из поэмы «Настоящее»:

отягощение в крестьянских домах дети с голоду зле помирают; он же веселится, смотря на псовую охоту, а крестьяне горько плачут, взирая на своих бедных, голых и голодных малых детей» («Речи депутатов Комиссии для сочинения нового Уложения», 1768 г. Мнение депутата Маслова.— В кн.: Русская проза XVIII века, т. I. М.—Л., 1950, с. 242—243); «Дворянство обладает крестьянами, но, хотя в законе Божием и написано, чтоб он крестьян так же содержали, как детей, но оне не только за работника, но хуже почитали полян своих, с которыми гоняли за зайцами» (Воззвание пугачевского полковника Ивана Грязнова. 1774 г.— Там же, с. 265).

Знатных старух,
Стариков со звездой
Нагишом бы погнать.
Ясноликую знать,
Все господское стадо,
Что украинский скот
. . . .
В одной паре с быком
Господа с кадыком,
Стариков со звездой
Повести голяком
И погнать босиком,
Пастухи чтобы шли
Со взведенным курком.

А также в монологе Прачки из той же поэмы:

Я бы на живодерню
На одной веревке
Всех господ провела
Да потом по горлу
Провела, провела!

Вражда между людьми в сознании персонажей, то есть с
точки зрения непосредственных носителей этой вражды, парадоксальным образом оказывается не враждой между людьми,
а враждой между людьми и животными. Помещик принуждает
крестьянку выкармливать щенка не в наказание за какую-либо
вину, а потому, что она для него не человек. Крепостной убивает собаку не потому, что собака в чем-либо виновата, а потому, что отождествляет ее с помещиком, который для него не
человек. Выходит, что в конечном счете столкновение барыни
и бабы ими самими осознается как чисто биологический
конфликт: баба и барыня по с в о е й п р и р о д е обречены на
вражду.

14

Но в таком случае никакие категории вроде справедливости,
вины и возмездия здесь вообще неприменимы. Человек и животное заведомо неравны. Более того, такая вражда, где каждая сторона отрицает принадлежность другой стороны к человеческому роду, низводит всех — и сильных и слабых, и угнетателей и угнетенных — на уровень животных. С беспощадной
ясностью это реализовано, например, в диалоге матросов в поэме «Ночной обыск»:

— А ну-ка,
Милая барышня в белом,
К стенке!

. . . .

— А ну, к чертям ее.
— Стой!
Довольно крови!

. . . .

— Крови? Сегодня крови нет!
Есть жижа, жижа и жижа
От скотного двора людей.
Видишь, темнеет лужа?
Это ейного брата
Или мужа.

Ср. в той же поэме: господа — «белые звери», «олень», «орловский рысак», матросы — «морские волки», «гончие-братва» и т. п.

Однако само понятие «биологического конфликта» совершенно бессмысленно. Говорить о конфликте можно только там, где есть сознание, или, другими словами, конфликт может быть только социально-историческим. Но это отнюдь не означает, что именно таким он и фиксируется сознанием. Наоборот, формы, в которых осознается конфликт, в которых он делается реальностью сознания, могут быть любые, самые фантастические, и чаще всего как раз такими и бывают. В данном случае социально-исторический конфликт бабы и барыни первого плана отражается во втором плане в форме «естественно-биологического» антагонизма.

В действительности же дело обстоит противоположным образом. Вернемся еще раз к эпизоду охоты. С точки зрения персонажей, здесь люди уподоблены животным. С точки зрения общей концепции поэмы, наоборот, перед нами проекция человеческого антагонизма на животных, в конечном счете — проекция социально-исторического антагонизма на природу. Противопоставление собаки и зайца с этой точки зрения должно быть понято уже не как естественное противопоставление, скажем, хищника грызуну, а как противопоставление животного домашнего, «очеловеченного» — животному дикому, «природному». При этом их характеристики получают обратное значение: «дикий»-мирный, «домашний»-хищный. С точки зрения автора, противопоставление собака — заяц означает противопоставление ч е л о в е к а и п р и р о д ы и именно их вражду. Поэтому охота в поэме получает характер чего-то дикого, злобного и противоестественного[1]. Она как бы увидена

_____

[1] Ср. «Псовую охоту» Некрасова. Как заметил В. О. Перцов, «совпадение материала только обостряет отрицательные эмоции Хлебникова на фоне героической идеализации: «Кто же охоты собачьей не любит, тот в себе душу заспит

273

непонимающими и ясновидящими глазами самой природы, почти так же, как в маленьком прозаическом рассказе «Охота», написанном с точки зрения зайца (НП, 296). Вот эта природная точка зрения и есть собственно авторская точка зрения, с которой все эти противопоставления, социально-исторические антиномии приобретают диалектический смысл. Тут мы уже выходим из ограниченных пределов сознания персонажей в концептуально-поэтическую сферу поэмы.

С этой точки зрения главное противопоставление второго плана щенок — ребенок должно быть понято не как противопоставление человека и животного, но как противопоставление человека и природы. Но мы знаем, что противопоставление щенок — ребенок является проекцией противопоставления барыня — баба, причем проекцией в одно и то же время прямой и обращенной (как и противопоставление помещик — крестьянка), а это возможно лишь в том случае, если щенок и ребенок так же, как барыня и баба, не только противопоставлены, но и едины. «Сынок» и «щенок» в сценах кормления подчеркнуто параллельны или симметричны (ср. параллельность характеристик бабы и барыни):

> Два ведра на коромысле: черный щенок и сынок
> милоокий.
>
> На одной руке собака повисла,
> Тявкает, матерь собачую кличет
> . . . .
> А на другой
> Папаня родимый обнял ручками грудь,
> Ротиком в матерь родимую тычет,
> Песни мурлычит
> . . . .
> Здесь собачища
> С ртищем
> Зайчище ловить, в зубищах давить.
> А там мой отец, ровно скотец,
> На материнскую грудь
> Разевает свой ртец
> . . . .
> А на другом,
> Мух отгоняя,
> Мой папаня
> Над головкою сонную ручку занес
> . . . .

и погубит» (ВЛ, 1966, № 7, с. 61). Контраст будет еще разительнее, если учесть двусмысленный характер описания охоты у Некрасова. Восторг доходит до такой степени, что грозит обернуться своей противоположностью, «героическая идеализация» легко может стать сатирой и обличением. Но в любом случае мы остаемся на «человеческой» точке зрения.

> Грудь одна ее, знай,— милому сыну ее синеглазому
> . . . .
> А другую сосет пес властелина ее.
> . . . .
> Здесь выжлец, с своим хвостищем,—
> А здесь мой отец, возле матери нищим!
> . . . .
> Так они вместе росли, щенок и ребенок.

Сама структура описания указывает на раздельное единство этих образов. Если в противопоставлении бабы и барыни существенным моментом является то, что они старухи, и поэтому их едино-раздельность имеет окончательный и необратимый смысл, то в противопоставлении щенка и ребенка существенно то, что они — дети, «собачье дитя и человечье». Баба и барыня по природе едины, но социально-исторически они разделены и сознания их несовместимы. Щенок и ребенок, напротив, по природе раздельны, но по природе же они едины, ибо в них еще отсутствует сознание, они еще пребывают вне социально-исторической действительности. Как только вступит в силу сознание действительности, «сынок» удавит «щенка». Но пока этого сознания нет, они едины в своем изначальном природном состоянии. Что это значит? Это значит, что между ними нет антагонизма, едино-раздельность щенка и ребенка выводит нас за пределы конфликтности. «Собачье дитя и человечье» едины и равны перед лицом природы, как едино и равно все живое.

15

Их природное единство воплощено в образе матери — Собакевны. В этом образе, так же как и в образе прачки, сквозь человеческие черты явственно проступают черты материально-природные. Начиная с простейших сравнений:

> И дородна и бела
> Чернобровая,
> Что калач из печи, что пирог!
>
> И прослыла коровой.
>
> Бела как снежок
> Стала, белей горностаюшки.
>
> И истощала же бабка!
> Как щепка.
> Свечкою тает и тает.
> Лишь глаза ее светят как звезды.

до развернутых метафор:

> И по сонной реке две груди — два лебедя плывут.
> А рядом повиснул щенок будто рак и чернеет, лапки-
> > клешни!

> Дитя — мотылек.
> Грудь матери — ветка.

> ...золото медовое волнутся, чернеет,
> Рассыпалось на грудь светлыми, как рожь, волосами, —

прослеживается природная субстанция образа. В последних примерах он уже прямо трактован как пейзаж. Особенно наглядно это в таких гиперболах:

> Вот и плачет она тихо каждую ночку,
> Слезы ведрами льет.

> И по ночам в глазах целые ведра слез.

> Вот и плачет всю ночку.
> Осеннею ночкой — ведра слез!

Но главное в образе Собакевны — это, конечно, сцены кормления. Уже тот факт, что описание этих сцен занимает почти пятую часть всей поэмы, указывает на их особое значение. Характерно, что ни у Марлинского, ни у Короленко, ни у Касаткина непосредственного изображения кормления вообще нет.

С натуралистической точки зрения эти сцены должны были бы вызывать чувства ужаса и возмущения, однако для всякого достаточно чуткого читателя ясно, что смысл этих сцен гораздо сложнее. Вместе с этими чувствами они диктуют и чувства прямо противоположные, вплоть до умиления и блаженства. Как это может быть? Как может описание сцен кормления грудью ребенка и щенка получить прямо-таки возвышенный смысл? Все это возможно лишь в том случае, если эти сцены понимать символически. Тогда перед нами будет уже не просто ребенок и не просто щенок, а символические образы человека и животного и, соответственно, не просто крестьянка, а символический образ природы. Сам акт кормления уравнивает «сынка» и «щенка», делает их молочными братьями. В таком случае перед нами уже не сцены страдания и унижения человека, но, напротив, сцены возвышенные и радостные, символически изображающие единство всего живого на лоне рождающей и кормящей матери-природы. Или, другими словами, перед нами в едино-раздельности матери, «сынка» и «щенка» мифопоэтический образ единства и полноты мира. Ср. аналогичный образ в пьесе «Маркиза Дэзес»:

Смотрите лучше: вот жена, облеченная в солнце, и только его,
Полулежа и полугреясь всей мощью тела своего,
Поддерживая глубиной раздвинутого пальца
Прекрасное полушарие груди (о взоры, богомольные скитальцы!),
Чтобы рогатую сестру горячим утолить молоком,
Козу с черными рожками и черным языком.
Как сладок и, светом пронизанный, остер
Миг побратимства двух сестер.
Миг одной из их двух жажды
Сделал мать дочерью, дочь матерью, родством играя дважды.

Здесь то же единство мира со всей очевидностью символически выражено в сцене кормления козы некой антропоморфной богиней (соединяющей в себе черты языческие и христианские). Причем, естественно, никаких отрицательных переживаний эта сцена не вызывает, ввиду откровенной эстетической отрешенности образа. Этот образ содержит в себе идею единства и обратимости прошлого (животного) и будущего (человек) в вечном настоящем божественной природы, где порождающее и порождаемое, причина и следствие принципиально обратимы, в противоположность необратимости истории. Ср., например, еще более наглядное выражение той же идеи в стихотворении «Я видел юношу-пророка...»:

Стеклянной пуповиной летела в пропасть цепь
Стеклянных матерей и дочерей, внизу река шумела
Рождения водопада, где мать воды и дети менялися местами.

Именно в таком ключе и нужно понимать символический смысл тройственного образа Собакевны, «сынка» и «щенка». Крестьянка не только «мамка Летая», «собачья мамка», «собачиха», но она сама, как говорит ее прозвище,— «собакевна», дочь собаки (ср. также «прослыла коровой», «ровно корова»). Ее ребенок — «ровно скотец», «голенький, сморщенный... красненьким скотиком» и, напротив, щенок — «славный мальчик», «А умный! Даром собачьих книг нет!». Контаминация характеристик человека и животного говорит об их концептуальном родстве, щенок и ребенок — братья, дети матери-природы.

Триединство матери, ребенка и щенка, в сравнении с аналогичным образом из пьесы «Маркиза Дэзес», конечно, гораздо сложнее и глубже, ибо в образе Собакевны его символический, концептуально-поэтический смысл неотделим от реального, социально-исторического смысла. А следовательно, его радостное и благоговейное переживание неотделимо от трагического, оба этих аспекта слиты в амбивалентный образ кормления. Он в одно и то же время говорит о величайшем унижении и страдании человека и о возвышении и торжестве природы. И наоборот, высшее состояние жизненности оказывается чревато смертью:

> А в молоке нехватка и вычет!
> Матери неоткуда его увеличить!
> И оба висят, как повешенные.

Именно поэтому сцены кормления играют важнейшую роль не только во втором плане. Это кульминация всей поэмы. С одной стороны, в противопоставлении ч е л о в е к — ж и в о т н о е мы видим максимальное напряжение конфликтности, с другой — в этих сценах, переключающих действие из социально-исторической сферы в природную, из сферы сознания персонажей в сферу концептуальную, конфликтность снимается. Здесь тот момент поворота и переворота, который прямо соответствует сцене стирки первого плана. Натуралистичнейший, казалось бы, эпизод получает прямо противоположный смысл, развертываясь в возвышенную и прекрасную картину. Здесь так же, как в сцене стирки, происходит чисто смысловое переворачивание и выворачивание наизнанку. Если Собакевну понимать только как крестьянку, то выкармливание грудью собаки низводит ее на уровень животного. В этом случае перед нами жуткие сцены торжества социальной несправедливости. Но если образ Собакевны понимать символически как образ природы, а соответственно щенка и ребенка как детей природы-матери, то перед нами будет естественная, гармоническая картина единства всего живого. Низведение человека на уровень животного оборачивается возвышением и торжеством человека, но уже не как социально-исторического феномена, а как природного. В этом смысле сцены кормления нужно понимать, как и стирку, в качестве очищения и преображения.

16

Образ Собакевны в целом, так же как образ прачки, раскрывается посредством катахрестических столкновений: «первая красавица» и «собачиха», «корова» и «великомученица святая» и т. п. В конечном счете перед нами столкновение жизни и смерти. Если образ прачки в первом плане поэмы раскрывается как полнота уничтожения и смерти, за которой стоит возможность возрождения и жизни, то в образе Собакевны, наоборот, — полнота жизни, чреватая смертью. Однако в противоположность образу прачки, где его амбивалентный смысл только подразумевается, здесь в образе Собаквны полное и завершенное единство жизни и смерти. Если прачка символизирует момент «неслиянности и нераздельности всего», момент всеобщего отрицания, то Собаквна воплощает момент противоположный, момент специфически хлебниковский — всеобщего изначального и окончательного единства, образ торжествующей природы. Это выше всякого отрицания и разделения, это в полном смысле синтез, тогда как в образе прачки мы видим лишь отрицательный момент синтеза.

Прачка воплощает то, что разделяет бабу и барыню, это воплощенная вражда, отрицание и смерть. Собаквна же предстает воплощением того, что объединяет щенка и ребенка, это воплощенная любовь, утверждение, жизнь. Относительно первого плана образы второго плана конструируются так, что Собаквна воплощает то, что объединяет бабу и барыню, это их материнское, природное начало. Соответственно, щенок и ребенок воплощают то, что разделяет их, это их социально-историческое сознание. И с точки зрения господ и с точки зрения рабов собака — «нечистая тварь». Но помещик отождествляет с собакой крепостного, а крепостной — помещика. Таким образом, и с той и с другой стороны сознается принципиальная и непреодолимая раздельность мира. Человек отделен от природы, а поэтому человек отделен от человека. Если есть противопоставление человека животному, значит, неизбежно и противопоставление человека человеку. Если собака — «нечистая тварь», то и человек тоже «нечистая тварь». Социально-исторический антагонизм, с точки зрения Хлебникова, есть результат отпадения человека от природы. Преодоление этой вражды возможно лишь с преодолением антиномии природы и истории, с осознанием равенства всего живого. Социальная гармония, по Хлебникову, немыслима вне гармонии природно-космической. Лишь в возвращении человека к природе возможно ее очищение от скверны социально-исторической вражды[1].

Очень часто идеи Хлебникова толкуют как призыв к историческому возврату назад, к прошлому человечества. На самом же деле такое возвращение им мыслилось как возвращение человека (и человечества) к самому себе, к своей природе. А это значит не движение назад и даже не движение вперед по дороге истории, а выход из истории, ее преодоление в осозна-

---

[1] Ср. его утопический рассказ «Утес из будущего» (СП, IV, 296—299).

нии истории как функции природы. Единство природы и истории не в прошлом и не в будущем, к нему не надо ни возвращаться, ни идти вперед,— его нужно осознать в настоящем, ибо природа есть вечное настоящее, она не знает ни прошлого, ни будущего:

> Опять волы мычат в пещере
> И козье вымя пьет младенец,
> И идут люди, идут звери
> На богороды современниц.
> Я вижу конские свободы
> И равноправие коров:
> Былиной снов сольются годы,
> С глаз человека спал засов.

Точно так же триединство матери, щенка и ребенка нужно понимать чисто концептуально, вне времени, как символическое изображение гармонии мира. При этом мы ни на минуту не забываем о конкретно-историческом смысле этого образа. И как раз такое двойное восприятие — глазами истории и глазами природы — придает этим сценам огромное напряжение и выразительность. Перед нами наглядно сквозь оболочку истории просвечивает природа в образе Собакевны, «сынка» и «щенка».

Собакевна едина с щенком и ребенком, и в то же время она им противопоставлена так же, как едины и противопоставлены баба, барыня и прачка. Троица второго плана точно соответствует троице первого плана:

<table>
<tr><td></td><td colspan="2" align="center">прачка</td></tr>
<tr><td>I план:</td><td></td><td></td></tr>
<tr><td></td><td>барыня</td><td>баба</td></tr>
</table>

<table>
<tr><td></td><td>«щенок»</td><td>«сынок»</td></tr>
<tr><td>II план:</td><td>Собакевна</td><td></td></tr>
</table>

Щенок и ребенок так же, как барыня и баба, суть две ипостаси единого образа, с той разницей, что противопоставление б а р ы н я — б а б а имеет конкретный социально-исторический характер, а противопоставление щ е н о к — р е б е н о к вместе с социально-историческим получает общий концептуальный характер. Проекция противопоставления первого плана во второй как бы выворачивает его наизнанку и тем самым вскрывает его смысл. Соответственно и Собакевна есть проекция образа прачки, выворачивающая его наизнанку и вскрывающая его смысл.

Если в образе прачки нам предстоит воплощенное настоящее, неуловимый поворот между прошлым и будущим, то в образе Собакевны мы видим и прошлое и будущее слитыми воедино; можно сказать, что прачка воплощает мгновенное настоящее истории, а Собакевна — вечное настоящее природы. Если «прачки лицо сумраком скрыто», то в образе Собакевны нам вполне явлен не только лик, но и весь цельный и полнокровный божественный облик природы. Если главное в образе прачки — грубые, стирающие, очищающие руки, то в облике Собакевны — ее прекрасное, чистое, кормящее лоно. Если в описании стирки мы видим уничтожение, развоплощение всего и возвращение в стихийное, природное лоно, то в описании кормления, наоборот, воплощение и произрастание всего живого из природного лона. На прямое соотнесение стирки и кормления в их символически-космическом значении указывают, в частности, такие детали: «как кипяток молока, белые пузыри над корытом, облака», «Пены белые горы, как облака молока...» Короче говоря, прачка и Собакевна суть два образа природы. В обоих случаях, и в описании стирки и в описании кормления, перед нами магически-символическое изображение жизне- и смертедеятельности природы. Причем в обоих случаях природный характер действия выражен и тем, что дело происходит ночью; ночь, тьма, сумрак и в первом плане поэмы и во втором предстают непосредственно ощутимым явлением природы в ее конкретнейшем и отвлеченнейшем облике.

В образе прачки воплощена природа в ее разрушающей, уничтожающей, очищающей и обновляющей функции. Это грозная, безжалостная, титаническая, стихийная, темная природа космических потрясений и переворотов, то, что мы называем «мертвая природа».

В образе Собакевны, напротив, воплощена «живая природа», в ее творящей, порождающей, охраняющей функции. Это милостивая, вселюбящая, безмятежная, ясная природа земного мира и гармонии.

Но оба эти образа, и прачка и Собакевна, суть лишь разные функции, разные аспекты единой природы, взаимодополняющие и взаимораскрывающие друг друга. Можно сказать, что образ Собакевны есть оборотная сторона образа прачки. Рассматривая образ прачки сквозь образ Собакевны, мы видим, что прачка символизирует возмездие за попранную и извращенную природу, и наоборот, рассматривая образ Собакевны сквозь образ прачки, мы видим, что Собакевна символизирует окончательное торжество очищенной и обновленной природы, возвращенной к изначальной гармонии.

Прачка и Собаквна стоят в ряду магистральных хлебниковских образов природы. Наиболее близка в этом отношении к поэме «Ночь перед Советами» драматическая поэма «Гибель Атлантиды», где мы также находим природу в двух ее ипостасях. Рабыня, невинно убитая жрецом, превращается в ужасное чудовище:

> Висит — надеяться не смеем мы —
> Меж туч прекрасная глава.
> Покрыта трепетными змеями,
> Сурова точно жернова.
> . . . .
> «Я жреца мечом разрублена,
> Тайна жизни им погублена,
> Тайной гибели я вею
> У созвездья Водолея.
> . . . .
> Прежде облик восхищения,
> Ныне я богиня мщения».

Прачка и Собаквна в их единстве могут быть сопоставлены также с поэмой «Ладомир». При всей сложности концепции образа *Ладомира* в нем достаточно ясно выступает природа в двух ее основных функциях: разрушающей и творящей. Причем, поскольку *Ладомир* — это прежде всего образ революции, то естественно, что он ближе к образу прачки. Доминирующий образ поэмы «Ладомир» — космический переворот, «божественный взрыв» — прямо соотносится с «космической стиркой» поэмы «Ночь перед Советами» (а также с «пожаром» в поэме «Ночной обыск»).

В связи с образом прачки нужно вспомнить и такие апокалипсические образы раннего творчества Хлебникова, как фантастическая птица в поэме «Журавль» и не менее фантастический дракон в поэме «Змей поезда», в которых природа выступает в своей враждебной функции, с той существенной разницей, что эти образы еще не содержат или недостаточно выражают идею переворота и обновления. Наиболее же тесно образ прачки, естественно, связан с образами революции в поэмах «Прачка» и «Настоящее».

Что касается образа Собаквны, то круг типологически близких ему образов еще более широк. Это едва ли не самый разработанный образ всего хлебниковского творчества и уж наверняка самый любимый. Прежде всего с Собаквной ассоциируются образы русалок и вил, которых мы находим во многих стихотворениях и поэмах. Особенно интересны в этом отношении образы Вилы в поэме «Вила и леший», Вилы и Русалки в поэме «Лесная тоска». Близость образа Собакевны к таким образам вскрывает его фольклорно-мифологическую основу. Первоначальными названиями поэмы «Вила и леший» были «Истар и леший» и даже «Природа и леший» (в черновом текста *Природа* прямо взята в качестве личного имени (см. НП, 436; 220—225). В образе Собакевны можно найти совмещение черт Русалки и Богоматери из поэмы «Поэт», причем вначале Собакевна сопоставима с Русалкой, затем с Богоматерью. Все это говорит о том, что в образе Собакевны мы сталкиваемся с отражением древнейшего мифологического комплекса Великой матери всего живого или Богини со многими именами[1]. Перед нами не просто символический образ природы, но образ, опирающийся на древнюю традицию и тем самым активизирующий широкий круг ассоциаций. Такое сопряжение глубочайшей архаики в образе Собакевны — Великой матери с самой животрепещущей современностью в образе Прачки-революции — вполне закономерный результат хлебниковского метода мифопоэтического реализма.

---

[1] См., напр.: Л о с е в А. Ф. Античная мифология в ее историческом развитии. М., 1957, с. 63—68.

Отступление шестое

О НООСФЕРЕ И МЫСЛЕЗЁМЕ

Характернейшие хлебниковские поэтические образы, символы, важнейшие понятия его философии строятся на «совмещении несовместимого», как бы поперек обычного движения мысли. Например, в стихотворении «Где засыпает невозможность на ладонях поучения...» (осень 1921):

> Мешайте всё в напитке общем:
> Слова — мы нежны! любим! ропщем!
> И пенье нежной мглы моряны голубой
> Бросайте чугуну с бычачьей головой;
> С венком купён — волчицы челюсть,
> С убийцею — задумчивое ладо,
> С столетьями — мгновений легких шелест
> И с хмелем лоз — стаканы яда;
> Со скотской дворовой жижей — голубое
> И пенье дев — с глухонемым с разодранной губою;
> Железу острому — березу
> И борову — святую грёзу,
> Чтоб два конца речей
> Слились в один ручей
> И вдруг легли, как времени трупы,
> У певучих бревен халупы.

Вся эта образность, очевидно, не является простым смешением разнородных представлений, она возникает из соединения противоположностей, создающих «наибольшую разницу напряжений», откуда и происходит поэтический «разряд». И это совершенно наглядный образ поперечного строя мысли. Вместе с тем, как мы говорили (см. главу 4, раздел 4), *молния* (то есть энергия) не просто художественный образ, молния в его философии является и принципом всеобщего единства, и первообразом мира, и архетипом поэтического слова. Еще в студенческих заметках 1907 года он писал: «Естествознание переживает период, который очерчивает время восхода светила. Это светило — понятие *энергия* — способность изменения в пространстве. Это равноценное оказалось применимым для целого мира понятий, которые оно дало от себя, как почки от семени. Но огромная группа жизненных фактов осталась вне этой переоценки: это и есть материя. Материя есть группа жизненных фактов, не сведенных еще на понятие *энергии*» (ГПБ, ф. 1087, № 37, л. 1). А в 1921 году, разъясняя свой взгляд на природу как «вещество молний», говорил (в передаче Д. Козлова): «Материя распадается на электроны, радиоэнергию, психо-энергию, последняя материализуется и кольцо замыкается...»[1] Вот это «мира кольцо», «единый знаменатель», охватывающий мир всеобщим единством и пересекающий его поперек, мы видим и в драматической поэме «Сестры-молнии» и во множестве других произведений Хлебникова.

Однако подобную образность мы склонны скорее относить на счет поэтического строя мысли, редко задумываясь о том, насколько он характерен для науки. Между тем такие понятия, как *ноосфера* (или *пневматосфера* — по П. А. Флоренскому, или *психосфера* — по А. Л. Чижевскому), получившие в последнее время широкое признание и распространение, по-видимому, так же отражают поперечный строй мысли. Если сопоставить понятие «живого вещества», введенное В. И. Вернадским для обозначения «совокупности живых организмов», с неизбежно возникающими в связи с *ноосферой* представлениями о «мыслительном веществе» или «веществе мысли», то самопротиворечивый характер понятия *ноосферы* будет очевиден. На эту загадку обращал внимание Вернадский в своей последней статье 1944 года «Несколько слов о ноосфере»: «М ы с л ь н е е с т ь ф о р м а э н е р г и и. Как же может она изменять материальные процессы? Вопрос этот до сих пор научно не разрешен»,— однако, продолжал он,— «эмпирические результаты такого «непонятного» процесса мы видим кругом нас на каждом шагу». И потому подчеркивал: «Как правильно сказал некогда Гёте (1749—1832) — не только великий поэт, но и великий ученый,— в науке мы можем знать только к а к произошло что-нибудь, а не п о ч е м у и д л я ч е г о»[2].

Ссылка на Гёте в этих размышлениях весьма показательна. Для нас же она особенно важна, потому что Хлебников — ученый и поэт — в своем творчестве предельно сближал науку и поэзию. Если в исследованиях «законов времени» он настаивал на принципе «как?» («Я не выдумывал эти законы; я просто брал живые величины времени, стараясь раздеться донага от существующих учений, и смотрел, по какому закону эти величины переходят одна в другую, и строил уравнения, опираясь на опыт.— ДС, 6), то в литературных произведениях он ставил вопросы «почему?» и «для чего?», то есть искал причины и следствия тех же законов природы. На это указывал еще Тынянов: «Новый строй обладает принудительной силой,

_____

[1] К о з л о в Д. Новое о Велимире Хлебникове.— «Красная новь», 1927, № 8, с. 185.

[2] В е р н а д с к и й В. И. Философские мысли натуралиста. М., 1988, с. 509.

он стремится к расширению. Можно быть разного мнения о числовых изысканиях Хлебникова. Может быть, специалистам они покажутся неосновательными, а читателям только интересными. Но нужна упорная работа мысли, вера в нее, научная по материалу работа — пусть даже неприемлемая для науки,— чтобы возникали в литературе новые явления. Совсем не так велика пропасть между методами науки и искусства. Только то, что в науке имеет самодовлеющую ценность, то оказывается в искусстве резервуаром его энергии (СП, I, 28).

На близость Хлебникова к тому направлению мысли, в котором возникло учение о ноосфере, обращали внимание давно и даже прямо связывали его поэтический пафос с воздействием идей Вернадского[1]. На самом деле к весьма сходным, по существу тождественным представлениям о направлении развития живого вещества в природе Хлебников пришел совершенно независимо от Вернадского, Э. Леруа и Тейяра де Шардена и задолго, почти за четверть века до них, причем формулировал эти представления также сходным образом.

Как известно, понятие *ноосферы* ввел философ и математик Э. Леруа в 1927 году под влиянием учения Вернадского о биосфере. Тогда же его принял и развил Тейяр де Шарден[2], а позже и существенно в ином направлении — Вернадский. Слово *ноосфера,* по аналогии с *биосфера,* образовано от греческого νόos — разум и σφαῖρα — оболочка Земли. Хлебников те же представления в ряде заметок («О будущем человека», «Новое», «Пусть на могильной плите прочтут...» и др.), относящихся к осени 1904 года, также вначале пытался выразить по-гречески: γε — νοῦs, образуя это слово от γε (земля) и νοῦs (ум, разум). А затем, как всегда в подобных случаях, нашел ему русское соответствие в великолепном неологизме: *мыслезём.* И, как свойственно вообще хлебниковскому словотворчеству, слово это настолько естественно входит в язык, что кажется, будто оно существовало всегда (ср. *чернозём, кремнезём*).

Поэтому, в частности, встречая это слово в художественных произведениях Хлебникова, мы воспринимаем его поэтически и не связываем с ним каких-либо научных представлений. Например, в «Песни Мирязя» (1907):

«В мыслезёмных воздушных телах сущих возникали каменные взоры и взгляды, а высеченные из некоего изначального

[1] См., напр.: Г о р Г. Замедление времени.— «Звезда», 1968, № 4, с. 181; К у м о к Я. Пять лет жизни.— «Огонек», 1988, № 11, с. 24.
[2] Т е й я р де Ш а р д е н П. Феномен человека. М., 1987.

мирня мировые тела трубящих мирязей свивались в двузглядный взор и медленно опускались на дно морское.

Ах, эти звучащие мысли и рокот сих струн! Кем вы повешены на то место, откуда я взял вас? Вы, высокие струны от звезд к камням и рощам».

Или в «Искушении грешника» (1908):

«И повсюду летали пустотелые с безбытийными взорами враны, и всё сущее было лишь дупла в дебле пустоты. И молчаниехвостый вран туда и сюда летал над опустелыми жуткими нивами. И была кривдистая правда, и качались грусточки над озером грустин, и был умночий пущи зол, и ужас стоял в полях мыслезёмных и пение луков меняубийц...»

Между тем «мыслезём», оставаясь художественным образом, выступает одним из основных его философских и естественнонаучных понятий. Вот ход его рассуждений в заметках «О будущем человека»: «Не должно ли было бы остановиться в эти же первые года нового столетия и попытаться определить наши ожидания и веру в будущее, нашу веру в силы человечества? Нельзя ⟨ли⟩ отыскать за некоторый промежуток времени направление, по которому следовали взаимные отношения человеческого рода и земли, и, уловив это направление, сказать, что, если не будет крупных и непредвиденных изменений, человечество будет подвигаться по тому же пути?

Прежде всего, как оно смотрит на будущее?

На этот вопрос можно ответить скорее положительно.

Современный человек утратил то почти мистическое отношение к природе, отношение...»

К сожалению, следующий лист рукописи утрачен, и мы можем только догадываться, какими соображениями руководствовался Хлебников в своих оптимистических утверждениях, которые мы находим на следующем сохранившемся листе:

«Вот источники той здоровой уверенности, что деятельность человечества не будет порвана чем-то извне его. Эта убежденность и заставляет человека смотреть ⟨на будущее уверенно⟩ и смело итти вперед».

Можно предположить, что эту уверенность Хлебников черпал в том направлении «взаимных отношений человеческого рода и земли», которое ведет к неуклонному росту «мыслительного вещества» на Земле, в направлении, так сказать, «цефализации» земли. Во всяком случае, непосредственным продолжением его рассуждений служили расчеты соотношения массы «мозговой ткани» человечества и массы Земли:

«На Земле 1 200 м⟨иллионов человек⟩. В каждом человеке

287

1 200 гр⟨аммов⟩ = (1000)^4 гр⟨аммов⟩ мозговой ткани, уже переработано человечеством в мозговую ткань. А клеточка мозговой ткани — самый благородный и сложный тип однокле⟨точной ткани⟩.

$$\frac{4\pi r^3}{3} = 6 \cdot (100)^4 \text{ см}$$

$$4 \cdot 6^3 (100)^{12} \cdot 5 \text{ гр.} \frac{1}{20 \cdot 6^3 (100)^6} \text{ земной массы»}$$

(ГПБ, ф. 1087, № 33, л. 1—2)

Отсюда следовал решительный вывод:

«Всё учение нашего времени сгущается на примере двух заповедей:

I. Увеличивайте число людей на всей земле.

II. Увеличивайте вес отдельного мозга во всяком человеке. Это два пути мирового спасения.

Поистине, святое: горд я! — вымалвливаю, когда думаю, какие высокие, огромные горы уже могли быть сложены из собранных вместе человеческих мозгов.

Впрочем, эта задача назначена к исполнению еще задолго до человеческого рода. Вспомним о тех огромных ноздреватых щитах на черепе носорога, соседящих общей костью с крохотным вместилищем мозга.

Поистине: земля волит быть мозгом!» (там же, л. 4).

Интересно, что эти рассуждения в некоторых чертах предвосхищают размышления Вернадского тридцатых годов, несопоставимые, разумеется, по широте охвата и глубине разработки с хлебниковскими, но совпадающие в самом направлении мысли. В книге «Научная мысль как планетное явление» Вернадский писал: «Цивилизация «культурного человечества» — поскольку она является формой организации новой геологической силы, создавшейся в биосфере,— н е м о ж е т п р е р в а т ь с я и у н и ч т о ж и т ь с я, так как это есть большое природное явление, отвечающее исторически, вернее геологически, сложившейся организованности биосферы. Образуя ноосферу, она всеми корнями связывается с этой земной оболочкой, чего раньше в истории человечества в сколько-нибудь сравнимой мере не было[1]. С другой стороны, «энергия

---

[1] Вернадский В. И. Философские мысли натуралиста, с. 46.

полюбники — ~~быть~~ б. 67

Люб.

Любечел. Любень любица княжаю дзар.

любе. Любица любимец. Любика миролюбица
славол... скотолюбица ~~~~ любимая. любиана.

разлюбники полюбники. Взрыв солнце любовниц ~~
горемлюбцы.

о любники о люб. милой днями

любушие. любитель.

любитва любня любоешь. любота.

любочь очень любиво любоба худоба

влюбленность. любатина.

заслюбь прилюб единолюбовный

любево - гиево любрый

всевлюблюбкie всевлюблина.

Любица. веслюбина.

Любота сиелмаеть и трепетать ся обьятяхся заломало
зав заловшими имени красная и светлая любота.

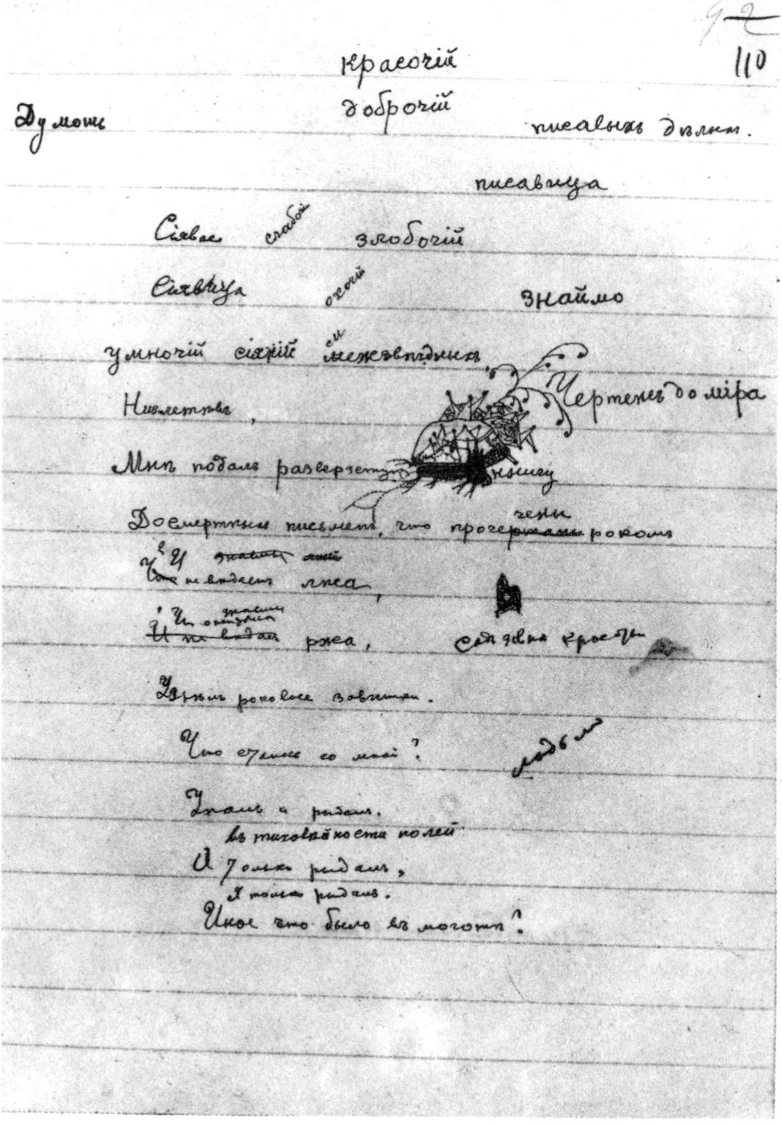

красочій

Думонъ   доброчій   писальнъ дѣлин.

                              писавица

Сіяе слабо злобочій

Сіяяуу оточій   знаймо

умночій сіяхіи межевпдпна   Чертенъ до міра

Нислетрья,

Мнѣ подаль развергается книгу

Досмертным письмен, что прогерналин роколь

...лѣеа,

...ржа,   Сей дѣыя кросчи

Дзуын роколог вавыпал.

Что стние со мной?

Знаю я ридаю.
          въ тихоблѣпости полей
А только ридаю,

Иное что было въ мочоти?

Илл. 2

Илл. 3

Илл. 4

Илл. 5

Илл. 6

Илл. 7

Илл. 8

Илл. 9

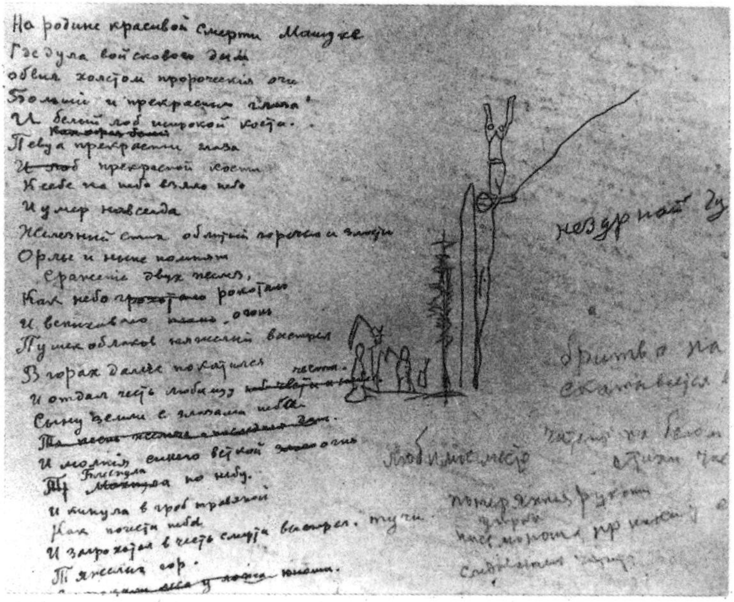

На родине красивой смерти — Машуке
Где дула войскового дни
облил холстом пророческий огн
Большой и прекрасный глаза.
И белый лоб широкой кости
Певца прекрасные глаза
И лоб прекрасной кости
Как све та небо взяло небо
И умер навсегда
Железный стих облаял кровью и злоба
Орлы и ныне помнят
Сражение двух песен
Как небо проходало рокотал
И величавые пение огни
Пушек облаков голосистый взятил
В горах далёко показался
И отдал честь любимых
Синцу земли с пламенем неба
Ты песнь тяжелая
И молния синего ветвой
Ты Мазепа по небу
И хлынула в гроб прежней
Как похесть небо
И заброхала в чело смерть вечерел тучи
Ты яселки сор

невзрачной гу...

бритва на
скатившись

любимое небо

Илл. 10

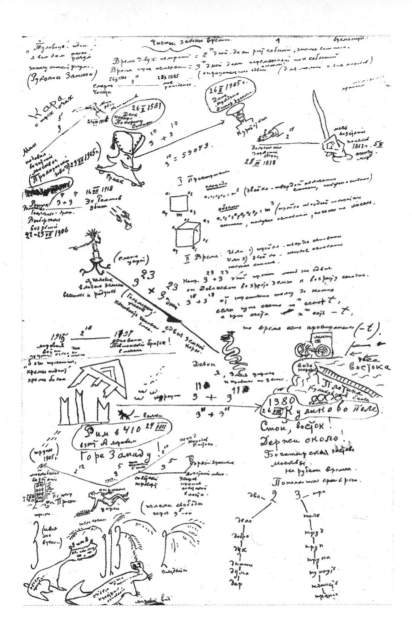

Илл. 11

Илл. 12

Илл. 13

Илл. 14

Илл. 15

Илл. 16

Илл. 17

человеческой культуры ⟨...⟩ связана с психической деятельностью организмов, с развитием мозга в высших проявлениях жизни и сказывается в форме, производящей переход биосферы в ноосферу только с появлением р а з у м а. Его проявление у предков человека вырабатывалось, по-видимому, в течение сотен миллионов лет, но оно смогло выразиться в виде геологической силы только в наше время, когда Homo sapiens охватил своею жизнью и культурной работой всю биосферу». Поэтому «разум может максимально проявляться ⟨...⟩ только при максимальном развитии основной формы биогеохимической энергии человека, т. е. при максимальном его размножении».

И далее, подсчитывая количество людей, населяющих нашу планету, и прикидывая возможности роста населения Земли, Вернадский приходил к столь же оптимистическому выводу, что и Хлебников, утверждая, что «источник энергии, который захватывается разумом, в энергетическую эпоху жизни человечества, в которую мы вступаем,— практически безграничен. Отсюда ясно, что культурная биогеохимическая энергия ⟨...⟩ обладает тем же свойством»[1].

Таким образом, первый хлебниковский тезис («Увеличивайте число людей на всей земле») представлялся неоспоримым и Вернадскому. Что касается второго тезиса («Увеличивайте вес отдельного мозга во всяком человеке»), то он, по-видимому, сразу же вызвал сомнения у самого Хлебникова. И в следующих заметках того же времени под названием «Новое» он писал:

«γε — νovs — поклонники гену⟨с⟩.

Сион братьев — Земля-Мозг!

Аксиома.

Человеческий мозг изменяется очень медленно. Разница между мозгом европейца и дикаря, сына 20 века и минус 20 века не так велика, ее почти не существует. Всякие попытки увеличить ее бесплодны.

Человеческое тело есть сложная система равновесий, и, нарушая ее, мы нарушаем ту приходо-расходную книгу, которую зовем жизнью, а торговый дом ждет крах.

Изменяется содержание мозга, но не объем, есть аберрация мозга, но не рост с неотвратимостью рока.

Дравид, державший огромное число божественных песен в голове, дикарь, с красивым и выпуклым лбом, не изучал Ньютона...» (там же, л. 3 об.).

---

[1] В е р н а д с к и й В. И. Философские мысли натуралиста, с. 132, 134, 136.

Именно этой точки зрения придерживался Вернадский: «У человека ⟨...⟩ форма биогеохимической энергии, связанная с разумом, с ходом времени растет и увеличивается, быстро выдвигается на первое место. Этот рост связан, возможно, с ростом самого разума — процессом, по-видимому, очень медленным (если он действительно происходит) — но главным образом с уточнением и углублением его использования, связанным с сознательным изменением социальной обстановки, и, в частности, с ростом научного знания.

Я буду исходить из факта, что в течение сотен тысячелетий скелеты Homo sapiens, в том числе и череп, не дают основания для рассмотрения их как принадлежащих к другому виду человека. Это допустимо только при условии, что мозг палеолитического человека не отличается сколько-нибудь существенным образом по своей структуре от мозга современного человека. И в то же время нет никакого сомнения, что разум человека из палеолита для этого вида Homo не может выдержать сравнения с разумом современного человека. Отсюда следует, что разум есть сложная социальная структура, построенная как для человека нашего времени, так и для человека палеолита, на том же самом нервном субстрате, но при разной социальной обстановке, слагающейся во времени (пространстве-времени по существу).

Ее изменение является основным элементом, приведшим в конце концов к превращению биосферы в ноосферу явным образом, прежде всего — созданием и ростом научного понимания окружающего»[1].

Хлебников, однако, отказываясь, по существу, от второго тезиса с естественнонаучной точки зрения, оставлял его в силе — эмоционально и поэтически — для себя лично. В автоэпитафии он писал: «Сердце, плоть современного порыва человеческих сообществ вперед, он видел не в князь-человеке, а в князь-ткани — благородном коме человеческой ткани, заключенном в известковую коробку черепа. Он вдохновенно грезил быть пророком и великим толмачом князь-ткани, и только ее. Вдохновенно предугадывая ее волю, он одиноким порывом костей, мяса, крови своих мечтал об уменьшении отношения $\frac{\varepsilon}{p}$, где ε[7] — масса князь-ткани, а p — масса смерд-ткани, относительно себя лично. Он грезил об отдаленном будущем, о земляном коме будущего...» (НП, 318). Поэтому и главный его вывод из размышлений о будущем человека приобретал глубоко личный и творческий смысл:

[1] Вернадский В. И. Философские мысли натуралиста, с. 133.

«Земля — мозг, всё мыслезём.

Сириус нашего бытия» (там же, л. 4 об.).

В этом отношении Хлебникову, пожалуй, ближе Тейяр де Шарден, в конце тридцатых годов писавший в книге «Феномен человека»: «С самой первой страницы этой книги я пытаюсь показать лишь одно: по неустранимым причинам однородности и стройности волокна космогенеза должны быть продолжены в нас глубже, чем до тела и костей. ⟨...⟩ В самом деле, можно ли включить мысль в органический поток пространства-времени, не оказавшись вынужденным предоставить ей первое место в этом процессе? Как представить себе космогенез, распространенный на дух, не оказавшись тем самым перед лицом ноогенеза?

Эволюция не просто включает мысль в качестве аномалии или эпифеномена, а легко отождествляется с развитием, порождающим мысль, и сводится к нему, так что движение нашей души выражает сам прогресс эволюции и служит его мерилом. Человек, по удачному выражению Джулиана Хаксли, открывает, что он н е ч т о и н о е, к а к э в о л ю ц и я, о с о-з н а в ш а я с а м у с е б я»[1].

По Хлебникову, «земля волит быть мозгом», и человек, ощущая себя на оси эволюции, осознает самого себя «мыслезёмом», где разница напряжений между ε (мысль) и p (зём) дает наибольшую энергию творчества, продолжающего творчество природы. Таким было самосознание Хлебникова в самом начале пути, и оно определило его основное направление. Можно сказать, ничуть не преувеличивая, что из «мыслезёма» выросло все его творчество. Идея «мыслезёма» пронизывает в явном или, чаще, неявном виде все его естественнонаучные, языковедческие и философско-числовые труды от раннего «Метабиоза» до «Досок судьбы», она же вдохновляла его художественные замыслы от «Искушения грешника» и «Песни Мирязя» до «Сестер-молний», «Ладомира», «Зангези», «Синих оков».

Причем эту идею Хлебников, так же как позднее Вернадский и Тейяр де Шарден, прямо проецировал на современную историческую действительность, удивительным и опять-таки «поперечным» образом сопрягая отвлеченнейшие построения философско-поэтической мысли с самой злободневной публицистикой. Это можно видеть в статьях «Наша основа», «Радио будущего», в «Досках судьбы», в поэме «Ладомир», в сверх-

---

[1] Т е й я р д е Ш а р д е н П. Феномен человека, с. 176.

повести «Зангези» и, может быть, особенно наглядно в одном стихотворении 1920 года. Приведем его полностью[1]:

Необходимо труду вернуть его природу чуда.
Разве это не чудо — новый воздушный мозг,
Опутывающий землю?
То, что мы находили под крышкой черепа,
То теперь сами строим для земли
И всего рода людей
Как мозг нового существа.
Необходимо быть осторожным со словом «приказ такой-то»,
Потому что высшие виды труда
Совсем не подчиняются приказу
И вместо них приказ получает подделку из низшей области труда.
Сейчас наблюдается детская игра в приказы.
Здесь есть другой путь:
Как одна струна своим звучанием
Вызывает звучание другой,
Одинакового с ней числа колебаний, одинаково настроенной,
Так и высокие трудовые волны
Одного человека самим своим звучанием
Могут без приказа вызывать
Одинаковые по высоте
Трудовые волны соседей.
Это — зажигательное действие
Пороховых струн труда.
Действует в пространстве.
Примером не использовано до сих пор.
Таким образом, для того чтобы труд
Мог бы подняться на высшие струны
Своей жизни, нужно чтобы общественный строй
Отказался от приказа
Как завещанного рабским и военным бытом.
Нужно дать место и простор вдохновению
И зажигательным примерам.
Тогда на смену приказному строю
Придет вдохновенный строй,
Где люди будут вдохновлять друг друга
Для высших видов труда.
Приказ есть наследие дикарского
Военного быта.
Струны увеличивают силу труда.
Идемте в замки,
Построенные из глыб ударов сердца!

(ЦГАЛИ, ф. 527, оп. 1, № 64, л. 102 об).

---

[1] Стихотворение публиковалось только в книге В. П. Григорьева «Грамматика идиостиля» (с. 195) не вполне точно и, главное, без разбивки на строки, в качестве прозы. Между тем как раз характерно, что его ритмо-интонационный строй, «поперечный» противопоставлению стиха и прозы, вполне отвечает «поперечному» строю мысли (ср. стихотворение «Лунный свет».— Отступление 2).

292

Отсюда становится понятным, что хлебниковская формула: «Вдохновение есть ⟨пробежавший⟩ ток от всего ко мне, а творчество есть обратный ток от меня ко всему» — прямо вытекает из идеи «мыслезёма». Отсюда же понятно, что формула эта относится не только к личному, но вообще к вдохновению и творческому труду человечества, в большой перспективе мировой эволюции. Эти строки Хлебников писал в конце мировой и гражданской войны в России, пережив крушение старого государства, и, видя превращение военного коммунизма в новую, еще более страшную тотальную государственность, находясь в самой гуще «восстания масс», он указывал «поперечный» выход его энергии.

Спустя два десятилетия, в начале второй мировой войны, об этом же с другого конца земли (он работал тогда в Китае) писал Тейяр де Шарден: «Ни в какой другой век своей истории человечество не было столь оснащено и не делало стольких усилий, чтобы привести в порядок свои множества. «Движения масс». Это уже не орды, вышедшие потоками из лесов Севера и степей Азии, а, как хорошо сказано: соединенный научно «людской миллион». Людской миллион в шеренгах, на парадных площадях. Людской миллион, стандартизированный на заводе. Моторизованный людской миллион... И все это приводит лишь к самому ужасному порабощению! Кристалл вместо клетки. Муравейник вместо братства. Вместо ожидаемого скачка сознания — механизация, которая как будто неизбежно вытекает из тотализации... ⟨...⟩

Даже при таком глубоком нарушении правил ноогенеза я утверждаю, что мы должны не отчаиваться, а вновь рассмотреть самих себя. ⟨...⟩ Земля не только покрывается мириадами крупинок мысли, но окутывается единой мыслящей оболочкой, образующей функционально одну обширную крупинку мысли в космическом масштабе. Множество индивидуальных мышлений группируется и усиливается в акте одного единодушного мышления. ⟨...⟩ Уличному «здравому смыслу» и такой философии мира, для которой возможно лишь то, что всегда было, подобные перспективы кажутся невероятными. Но уму, освоившемуся с фантастическими размерами универсума, они кажутся, наоборот, совершенно естественными просто потому, что пропорциональны космическим громадностям. ⟨...⟩ Во всяком случае, безусловно одно: стоит выработать совершенно реалистический взгляд на ноосферу и гиперорганическую природу социальных связей, как нынешнее состояние мира становится более понятным, ибо обнаруживается очень простой смысл в глубоких волнениях, колеблющих в настоящий момент человеческий пласт. ⟨...⟩

Новой области психической экспансии — вот чего нам не хватает и что как раз находится перед нами, если мы только поднимем глаза.

Мирное завоевание, радостный труд — они ждут нас по ту сторону всякой империи, противостоящей другим империям, во внутренней тотализации мира — в единодушном созидании Духа Земли»[1].

Нельзя не видеть здесь, да и во всей книге Тейяра де Шардена, множества совпадений с важнейшими мыслями Хлебникова. Идея космической природы социально-исторических событий, идея «научно построенного человечества» не на основе «приказа», а на основе «вдохновения» (здесь, говоря о «движении масс», Тейяр де Шарден имел в виду некоторые положения известной книги Ортеги-и-Гассета «Восстание масс»), идея «ладомира духа», долженствующего предшествовать «ладомиру тел», и т. п.— все это, несомненно, производные хлебниковского «поперечного», «отвесного», или, по Тейяру де Шардену, «радиального» мышления. Оно протягивает «высокие струны от звезд к камням и рощам», как читаем в «Песни Мирязя», оно строит «новый воздушный мозг, опутывающий землю», как в стихотворении «Необходимо труду вернуть его природу чуда...».

Такое мышление называют «космическим». И это верно, если только речь идет не просто об уходе в какие-то космические, запредельные дали, но о таком космическом сознании, которое не покидает Землю и человека, сопрягая бесконечно большое с бесконечно малым и находя их внутреннее единство. Тейяр де Шарден, опять-таки совпадая с Хлебниковым в исходных положениях и выводах, рассуждал так: «Кажется, существует лишь одна реальность, способная преуспеть в этом и обнять одновременно и это бесконечно малое, и это бесконечно громадное,— энергия, подвижная универсальная сущность, откуда все возникает и куда все возвращается, как в океан. Энергия, новый дух. Энергия, новый бог»[2].

С этого положения, как мы помним, Хлебников начинал и на протяжении всего творчества утверждал энергийную, или молнийно-световую, природу мира, говоря об энергии в самом отвлеченном значении — как универсальной сущности и «едином знаменателе» мировых явлений, и в самом конкретном —

---

[1] Тейяр де Шарден П. Феномен человека, с. 203, 199.

[2] Там же, с. 203—204.

как молнии и электричестве (например, в стихотворении, прямо названном: «Бог 20-го века», 1915). Однако было бы ошибочным думать, что, выдвигая энергию как первую и последнюю реальность, мы неизбежно придем к полному растворению «я» в «мире», личного в безличном. Единое — не безлично. «Все наши трудности и взаимные отталкивания, связанные с противопоставлением целого и личности, исчезли бы, если бы мы только поняли, что по структуре ноосфера и вообще мир представляют собой совокупность, не только замкнутую, но и и м е ю щ у ю ц е н т р. Пространство-время необходимо к о н в е р г е н т н о п о с в о е й п р и р о д е, поскольку оно содержит в себе и порождает сознание. Следовательно, его безмерные поверхности, двигаясь в соответствующем направлении, должны снова сомкнуться где-то впереди в одном пункте, назовем его о м е г о й, который и сольет, и полностью их поглотит в себе. ⟨...⟩ В перспективах ноогенеза время и пространство действительно очеловечиваются, или скорее сверхочеловечиваются. Отнюдь не исключая друг друга, универсум и личное (то есть «центрированное») возрастают в одном и том же направлении и достигают кульминации друг в друге одновременно.

Значит, неверно искать продолжение нашего бытия и ноосферы в безличном. Универсум — будущее — может быть лишь сверхличностью в пункте омега»[1].

Поэтические предвосхищения и антиципации такого сверхличного, или, как мы говорили, внелично-личного единства воплощались в хлебниковских образах *Юноша Я-Мир, Мирязь* и, конечно, наиболее полно в образе *Ладомира*, в котором как бы проектировалось такое слияние человека и человечества с природой, когда человек мыслится всеобъемлющим, как природа, а природа — единой вселенской личностью (см. главы 2 и 4). Тейяр де Шарден в соответствии с новозаветной традицией это единство называл *Омегой*. Хлебников определял его формулой $Я^{в\ степени\ всё}$. И не случайно в том и другом случае подразумевался образ круга или сферы, центр которой везде, а край нигде,— самый наглядный образ ноосферы, или мыслезёма.

Столь разительные совпадения естественнонаучных исследований Вернадского и теологических построений Тейяра де Шардена с научно-поэтическими предчувствиями и предвидениями Хлебникова не могут не удивлять. Но еще удивительней, мне кажется, их единодушные оптимистические воззре-

---

[1] Т е й я р д е Ш а р д е н П. Феномен человека, с. 204—205.

ния на будущее человечества. Этим завершал свою книгу Тейяр де Шарден. Об этом же, почти дословно повторяя то, что в 1904 году, в дни русско-японской войны, говорил девятнадцатилетний студент Хлебников, писал Вернадский в итоговой статье 1944 года «Несколько слов о ноосфере»: «Сейчас мы переживаем новое геологическое эволюционное изменение биосферы. Мы входим в ноосферу.

Мы вступаем в нее — в новый стихийный геологический процесс — в грозное время, в эпоху разрушительной мировой войны.

Но важен для нас факт, что идеалы нашей демократии идут в унисон со стихийным геологическим процессом, с законами природы, отвечают ноосфере.

Можно смотреть поэтому на наше будущее уверенно. Оно в наших руках. Мы его не выпустим»[1].

В наши дни, в конце века, такая уверенность кажется странной и почти непонятной. С чем это связано — с какими-то процессами эволюции биосферы, угрожающими ей самоуничтожением? Или это связано с нашим самосознанием, с самим строем и направлением современной общественной, научной и художественной мысли?

Может быть, к ответу на эти вопросы нас подводят следующие заметки Вернадского начала двадцатых годов:

«Будущий историк мысли, несомненно, отметит наше время как эпоху исключительного и давно небывалого изменения и углубления человеческого сознания. ⟨...⟩ Стоя на почве научного охвата природы, натуралист по существу в своих суждениях стоит бессознательно на почве, далеко превышающей современные достижения научной мысли, выражающиеся в так называемых научных объяснениях — причинах и следствиях, в математических образах и формулах. ⟨...⟩ На его мировоззрение и вытекающие из него суждения — раз он не теряет связи с окружающей его бесконечной и безначальной природой и не замыкается в узкие пределы, ограниченные научными гипотезами и математическими схемами, ⟨...⟩ бессознательно и независимо от его воли влияет большее целое, чем то, которое в данный момент охвачено научным мировоззрением. ⟨...⟩ Натуралист неизбежно и всегда связан не только с математическими и логическими достижениями своего времени, но еще, может быть, больше — с тем огромным неизвестным, иррациональным, которое вскроется — и то не целиком — перед человечеством в логической и математиче-

---

[1] В е р н а д с к и й В. И. Философские мысли натуралиста, с. 510.

ской форме только при дальнейшей будущей эволюции его мысли. Конечно, такая связь с будущим очень различна в разное время и в научной работе отдельных ученых»[1].

Может быть, дело именно в этом, и в наше время связь с мировым целым, с природной почвой, с мыслезёмом ощущается слабее? Во всяком случае, для Хлебникова эта связь всегда была непосредственным источником и поэтического и научного творчества. В одной из заметок (вероятно, 1912 года) он писал: «Минковский и некоторые другие (я, начиная с 1903 года) думали объединить время ⟨с пространством⟩, понимая его как пространство четвертого измерения; но не задавались вопросом, существуют ли степени времени, именно — годом во второй степени была бы особая единица, в которой дней ⟨...⟩ помещается 133 225 ⟨то есть 365^2⟩.

Я говорю так не только потому что говорю, но потому что второй Я говорит так через меня» (ГПБ, ф. 1087, № 26, фр. 1). И все его числовые труды были прежде всего способом осознать это второе, или, может быть, вернее сказать, это первое, природное «я», ввести «заумное» в разумное поле. Так, например, вычислив соотношение поверхности земного шара и красного кровяного шарика, равное $1:365^{10}$, он восклицал: «Чудо! Я знал о нем заранее, до вычислений» (ЦГАЛИ, ф. 527, оп. 1, № 87, л. 50).

Поэтому, чтобы сохранить это живое, непосредственное, природное, цельное знание, он и стремился строить свое творчество поперек существующих границ между отдельными науками и искусствами. «Есть виды нового искусства числовых лубков, творчества, где вдохновенная голова вселенной так, как она повернута к художнику, свободно пишется художником числа; клети и границы отдельных наук не нужны ему: он не ребенок. Проповедуя свободный треугольник трех точек: мир, художник и число, он пишет ухо или уста вселенной широкой кистью чисел и, совершая свободные удары по научному пространству, знает, что число служит разуму тем же, чем черный уголь руке художника, а глина и мел — ваятелю, работая числоуглем, объединяя в этом искусстве бывшие до него знания»,— писал он в 1919 году в статье «Голова вселенной. Время в пространстве»[2].

[1] Вернадский В. И. Философские мысли натуралиста, с. 215—216.
[2] Хлебников В. Утес из будущего, с. 213.

Глава седьмая
СЛОВО В ПРОЗЕ

1

В невольном порядке нашего восприятия литературного дела Хлебникова проза его стоит на последнем месте — после поэзии и драматургии, а за прозой следуют уже его естественнонаучные, филологические и философско-числовые труды. И потому, говоря о прозе, легче всего было бы дать ей привычное и как будто понятное определение «прозы поэта». В проницательных «Заметках о прозе поэта Пастернака» (1935) Р. Якобсон писал: «Проза поэта — не совсем то, что проза прозаика, и стихи прозаика — не то, что стихи поэта: разница является с мгновенной очевидностью ⟨...⟩ Вторично приобретенный язык, даже если он отточен до блеска, никогда не спутаешь с родным. Возможны, конечно, случаи подлинного, абсолютного билингвизма. Читая прозу Пушкина или Махи, Лермонтова или Гейне, Пастернака или Малларме, мы не можем удержаться от изумления перед тем, с каким совершенством овладели они вторым языком; в то же время от нас не ускользает странная звучность выговора и внутренняя конфигурация этого языка»[1]. Но если непосредственное переживание прозы Хлебникова, причисленного к тому же ряду, видимо, таково, как описал его Р. Якобсон, то фактически, дело обстоит гораздо сложнее.

В хлебниковской иерархии ценностей поэзия отнюдь не занимала безусловно первенствующее место. В отличие, скажем, от Пастернака, пришедшего к поэзии через музыку, или от Маяковского, шедшего через живопись, Хлебников шел к поэтическому слову от естествознания, филологии и математики. Не зря в итоговых заметках 1922 года под названием «Что я изучил» он начинал перечень так: «Звери. Азбука. Числа...» И стихи вовсе не были его «первым языком» в литературе. Самые ранние сознательные его литературные опыты были прозаическими (их-то он, вероятно, и посылал М. Горькому

---

¹ Я к о б с о н Р. Работы по поэтике. М., 1987, с. 324.

в 1904 году), и первым произведением, с которым он выступил в печати, было стихотворение в прозе «Искушение грешника» (1908). Его первой книгой, задуманной в 1910 году, но оставшейся, правда, неизданной, должен был стать сборник прозаических и драматических сочинений (см. НП, 359—361). А первой книгой, увидевшей свет, был диалог «Учитель и ученик. О словах, городах и народах» (1912). К 1908 году относится его грандиозный замысел сверхповести «Поперек времени», осуществленный только в 1914 году в «Детях Выдры», но уже тогда имевший достаточно определенные очертания. Это «сложное произведение» он называл и «романом» и «драмой» и предполагал включить в него в качестве самостоятельных глав самые различные повествовательные и драматические вещи, написанные и стихами и прозой, с использованием разнообразных приемов словотворчества, звукописи и т. п. (см. НП, 354—355, 358). Вот это принципиальное разножанровое многоязычие и было, по-видимому, «первым» и «родным» его языком, из этого синкретического слова исходило все его творчество, и к нему оно возвращалось.

В своем первичном отношении к литературному творчеству он не был ни прозаиком, ни поэтом, ни драматургом, он прежде всего был с л о в е с н и к о м, для которого различные виды речи, раздельные роды и виды литературы были только разными состояниями, разными способами существования единого с л о в а — в стихе, в драматическом действии, в прозаическом повествовании, даже в научном описании. Поэтому определение «проза поэта» оказывается здесь или недостаточным, или излишним.

Тем более что в самом понятии прозы скрывается двоякий смысл. С одной стороны, мы отличаем прозу с ее понятийным строем от поэзии с ее образным строем мысли и чувства. С другой — мы отличаем прозу от стиха как особого строя речи. Так вот, чисто понятийного слова у Хлебникова, по существу, нет, вернее, оно также выступает одним из состояний единого с л о в а. «Слово живет двойной жизнью,— писал он в статье «О современной поэзии» (1919).— То оно просто растет, как растение, плодит друзу звучных камней, соседних ему, и тогда начало звука живет самовитой жизнью, а доля разума, названная словом, стоит в тени, или же слово идет на службу разуму, звук перестает быть «всевеликим» и самодержавным: звук становится «именем» и покорно исполняет приказы разума; тогда этот второй — вечной игрой цветет друзой себе подобных камней. ⟨...⟩ Эта борьба миров, борьба двух властей, происходящая в слове, дает двойную жизнь языка: два круга летающих звезд. В одном творчестве разум вращается кругом звука, описывая круговые пути, в другом — звук кругом разума. Иногда солнце — звук, а земля — понятие; иногда солнце — понятие, а земля — звук». Но в любом состоянии этого космоса с л о в а оно всегда чувственно ощутимо, наглядно и в этом смысле — образно. Даже в научно-философских и числовых изысканиях, даже отрицая «слово» и воспевая «число» как предельно точное понятие, он оставался поэтом и художником. «Лицо времени писалось словами на старых холстах Корана, Вед, Доброй Вести и других учений. Здесь, в чистых законах времени, то же великое лицо набрасывается кистью числа и таким образом применен другой подход к делу предшественников. На полотно ложится не слово, а точное число, в качестве художественного мазка, живописующего лицо времени»,— говорил он в предисловии к «Доскам судьбы» (1922). И дело тут, очевидно, шло не об отрицании образного мышления, а об его расширении и углублении. Читая «Доски судьбы», останавливаешься пораженный невозможностью ответить на простейший вопрос: что перед нами — поэзия или проза, философия или искусство, математика или мифология? «Похожие на дерево уравнения времени, простые, как ствол, в основании и гибкие и живущие сложной жизнью ветвями своих степеней, где сосредоточен мозг и живая душа уравнений, казались перевернутыми уравнениями пространства, где громадное число основания увенчано или единицей, двойкой или тройкой, но не далее. Это два обратных движения в одном протяжении счета, решил я. Я видел их зрительно: горы, громадные глыбы основания, на которых присела, отдыхая, хищная птица сознания, для пространства, и точно тонкие стволы деревьев, ветки с цветами и живыми птицами, порхающими по ним, казалось время. ⟨...⟩ Там, где раньше были глухие степи времени, вдруг выросли стройные многочлены, построенные на тройке и двойке, и мое сознание походило на сознание путника, перед которым вдруг выступили зубчатые башни и стены никому не известного города. Если в известном сказании Китеж-град потонул в глухом лесном озере, то здесь из каждого пятна времени, из каждого озера времени выступал стройный многочлен троек с башнями и колокольнями, какой-то Читеж-град».

Ясно, что отделить здесь образ от понятия, слово от числа невозможно, они свободно переходят друг в друга, взаимно оборачиваются и различаются лишь разным направлением движения мысли, от понятия к образу или от образа к понятию, от числа к слову или наоборот. И автор здесь столь же мыслитель, сколь и поэт, а поэт — столь же художник слова, сколь и «художник числа», как прямо называл себя Хлебников (ср. его графические «мировые страницы — Приложение 1, илл. 11).

В его иерархии ценностей число было если не выше, то первее, внутреннее, сущностнее слова, и вместе с тем он представлял его в живом образе, чувственно конкретном и неповторимом. И если угодно, число было «праязыком» его поэтического слова, за которым следовали «вторые языки» его стиха и прозы.

Они, в свою очередь, также не отделены друг от друга непроходимой границей, и между ними существует множество переходных форм, нередко совмещающих в пределах одного произведения разные типы речи, где проза, непрерывно изменяясь, переходит в стихи, и наоборот. Переходная область стихопрозы или прозостиха в некотором смысле является даже отличительной чертой хлебниковского стиля, и, хотя нередко такие вещи принимают за черновые наброски, на самом деле они представляют собой полноценные художественные произведения, в которых внешняя незавершенность и недооформленность, как бы колеблющаяся между стихом и прозой, оказывается необходимым конструктивным моментом. Такова, например, автобиографическая вещь «Это было старое озеро...» (1911). В некоторых случаях, даже когда у нас нет никаких сомнений в совершенной законченности произведения, вопрос о его стиховом или прозаическом восприятии остается принципиально неразрешимым изнутри. Так, знаменитый хлебниковский «Зверинец» (1909, 1911) в разных изданиях с достаточным основанием относят и к стихам и к прозе, и лишь тот факт, что сам Хлебников в перечне произведений помещал его среди прозаических вещей, заставляет отдать предпочтение авторской воле. Из этой промежуточной, переходной, совмещающей в себе противоположные начала и потому особенно напряженной области, по-видимому, естественно вырос и развился в самостоятельное явление хлебниковский свободный стих, преобладающий в его позднем творчестве.

Слово здесь также живет двойной жизнью. И если в стихе оно в пределе стремится к чистому звуку, то в прозе раскрывается в полноте своего смысла. Такова вообще антиномия стиха и прозы; у Хлебникова она лишь достигает наибольшей напряженности. Об этом в 1928 году писал Ю. Тынянов, ограждая Хлебникова от обвинений в создании им «бессмыс-

301

ленной звукоречи»: «Те же, кто все-таки центр тяжести вопроса о Хлебникове желают опереть именно на вопрос о поэтической бессмыслице, пусть прочтут его прозу: «Николай», «Охотник Уса-Гали», «Ка» и др. Эта проза, семантически ясная, как пушкинская, убедит их, что вопрос вовсе не в «бессмыслице», а в новом семантическом строе и что строй этот на разном материале дает разные результаты — от хлебниковской «зауми» (смысловой, а не бессмысленной) до «логики» его прозы» (СП, I, 26).

Конечно, сейчас уже Хлебников не нуждается в защите, но, может быть, еще больше нуждается в понимании его новый смысловой строй, до сих пор еще новый и неосвоенный. Ведь проза его совсем не так ясна и логична, в особенности самые характерные хлебниковские вещи, вроде «Искушение грешника» или «Ка», а стихи в подавляющем большинстве далеки от «бессмысленной звукоречи». И все же стих его действительно тяготеет к «заумному» языку, а проза — к языку «умному». Стих и проза — не просто разный материал, не только разные состояния слова, но совершенно разные, вплоть до полной противоположности, направления его движения. Об этом можно судить хотя бы по «Заклятию именем»:

> О, достоевскиймо бегущей тучи.
> О, пушкиноты млеющего полдня.
> Ночь смотрится, как Тютчев,
> Замерное безмерным полня.

Прозаическое слово Достоевского тяготеет к земному миру, тогда как стиховое слово Пушкина, Тютчева и подразумеваемое в последней строке слово самого Хлебникова стремится к миру небесному и занебесному. Еще нагляднее это в сверхповести «Зангези» (1922), где боги говорят «заумными» стихами, а люди — «умной» прозой. Зангези поет о богах, покидающих землю:

> Они голубой тихославль.
> Они голубой окопад.
> Они в никогда улетавль,
> Их крылья шумят невпопад.
> Летуры летят в собеса
> Толпою ночей исчезаев...

А люди ему отвечают: «Зангези! Что-нибудь земное! Довольно неба! Грянь «камаринскую»!»

Конечно, в таком противопоставлении священной, божественной, обращенной к небу речи и речи обыденной, человеческой и земной еще не было ничего нового, напротив, здесь можно видеть лишь возвращение и разве что обострение исконной противоположности стиха и прозы. Но именно здесь и начинается собственно хлебниковское осмысление разных состояний слова. Ведь на «заумном» языке там же, в «Зангези», говорят не только боги, но и птицы, а в повести «Ка» на том же «языке богов» изъясняются обезьяны. Можно сказать, что в поэтической системе Хлебникова «заумная» стиховая речь воплощает природно-космическое состояние слова, тогда как прозаическая речь — его социально-историческое бытие. Между ними возможны непрерывные переходы, превращения, различные смешения и даже своеобразный параллелизм, как, например, в восьмой главе повести «Ка», где Эхнатен, находящийся одновременно в Древнем Египте и в современных африканских джунглях, в своем человеческом образе говорит «умными» стихами, а в своем обезьяньем образе — «заумной» прозой. Но, как правило, «заумный» язык все же прочно ассоциируется со стихом, а «умный» — с прозой. При этом «заумный» и «умный» языки, подобно стиху и прозе, также не знают непроходимой границы. В статье «Наша основа» (1919) Хлебников писал: «Заумный язык — значит находящийся за пределами разума. Сравни «Заречие» — место, лежащее за рекой, «Задонщина» — за Доном. То, что в заклинаниях, заговорах заумный язык господствует и вытесняет разумный, доказывает, что у него особая власть над сознанием, особые права на жизнь наряду с разумным. Но есть путь сделать заумный язык разумным». И этот путь вел его к созданию «звездного» языка, над которым он много работал и идею которого многократно разъяснял в своих статьях и декларациях, придавая ей исключительное значение. «Звездный» язык, или «азбука ума», считал он, есть «грядущий мировой язык в зародыше. Только он может соединить людей. Умные языки уже разъединяют». На этом языке он писал стихи и даже предлагал опыты прозы (в статье «Художники мира!»). Для нашей темы здесь важно иметь в виду, что хлебниковская «азбука ума» представлялась ему каким-то синтезом природно-космического и социально-исторического слова, единством поэзии и прозы во всех значениях этих понятий.

2

Проза Хлебникова в своем общем объеме и в объеме отдельных произведений далеко уступает написанному в стихах и в драматическом роде. Даже самые большие повести — «Ка» и «Есир» — короче многих его поэм, а стихотворения в прозе, вроде «Песни Мирязя» и «Зверинца», пространней рассказов. Наделенный, по остроумному замечанию О. Мандельштама, «чисто пушкинским даром ⟨...⟩ легкой поэтической болтовни»[1] в стихах, Хлебников в прозе удивительно немногословен и как будто совершенно чужд стихии описывания и рассказывания. И это тем более удивительно при общей эпической настроенности и огромном богатстве его слова. Он мог, казалось, без всяких усилий писать целые числовые трактаты в стихах, целые поэмы перевертнем или на «заумном» языке, но «умная» проза его на редкость скупа и сжата, словно обычный человеческий язык давался ему трудней языка «священного». Словесное изобилие и красочность таких вещей, как «Малиновая шашка», рассказа, состоящего большей частью из разговоров, очевидно, принадлежит чужой, не авторской речи. Собственно хлебниковское прозаическое слово скорее графично, чем живописно, или, может быть, лучше сказать, конструктивно, а не изобразительно.

Поэтому в прозе отчетливо переживается энергетическое различие «малой» и «большой» повествовательной формы, хотя объемы их могут почти не отличаться, как, скажем, рассказа «Малиновая шашка» и повести «Есир». Не объем, а конструктивное соотношение планов и смысловая напряженность сюжета определяют масштаб восприятия. Общий «алгебраический» характер его слова, который он ясно сознавал и прямо формулировал («от арифметики к алгебре в искусстве» — ЦГАЛИ, ф. 527, оп. 1, № 125, л. 25), может быть, наиболее обнаженно сказался в прозе. И с этой точки зрения маленькая повесть «Ка» соответствует большому роману, вроде «Петербурга» Андрея Белого. (Впрочем, эти два самые значительные открытия в русской прозе начала века, кстати сказать, появившиеся почти одновременно в 1916 году — в марте повесть Хлебникова в сборнике «Московские мастера», в мае роман А. Белого отдельным изданием,— сопоставимы и во многих других отношениях.)

По той же причине даже небольшие отрывки, в другой системе казавшиеся бы незаконченными и не связанными набросками, здесь воспринимаются в свете какого-то «давно задуманного целого» и читаются как «бесконечные, продолженные вдаль записки», по удачному выражению Ю. Тынянова (СП, I, 24). «Целое», может быть, не дошло до нас (как продолжение повести «Ка»), может быть, вообще не состоялось, но его энергию несет на себе каждый такой фрагмент.

---

[1] М а н д е л ь ш т а м О. Слово и культура. М., 1987, с. 212.

И мы так или иначе достраиваем, продолжаем и как бы «реконструируем будущее» в нашем воображении. Таков собственный хлебниковский метод, и этого он требует от читателя:

> Умейте отпечатки ящеров будущего
> Раскапывать в слов камнеломне
> И по костям
> Строить целый костяк.

Наглядный образ подобного «реконструирования» можно видеть в описании каменной бабы из набросков к повести «Ка^2»: «И величественный молебен войнопоклонников. И серые боги, высеченные секирой из Времени. И храмовое заклание одним возрастом других у ног серых богов — вас я прочел на неизъяснимой улыбке каменной бабы, лежавшей в саду одного художника, покрытой оспой времени. И требник войны загадочно торчал в ее отсутствовавших руках» (СП, V, 126—127).

Восприятие отдельных вещей в перспективе целого, и не просто какого-то большого сочинения, какой-то сверхповести, а по сути своей не ограниченного и незавершимого и потому, разумеется, не осуществимого ни в каком реальном, «конечном» литературном произведении «творения», заставляет читать и вполне законченные вещи как отрывки и фрагменты «мировой сверхповести». Каждое произведение принципиально не равно самому себе, не самотождественно и не замкнуто. И потому так редки здесь чистые жанровые формы. При всей своеобычности такие нравоописательные рассказы, как «Жители гор» или «Закаленное сердце» (1912—1913), представляют собой боковые ходы хлебниковской прозы. И не случайно, видимо, «Жители гор» остались неопубликованными, а «Закаленное сердце» печаталось под псевдонимом.

Преобладающими и характерными для него в прозе, как и в поэзии и в драматургии, были формы сложные, смешанные, переходные и, главное, обратимые. Это в первую очередь стихотворения в прозе, вроде «Была тьма...» и «Песнь мраков» (1905—1907) с их не вполне еще самостоятельной аллегорической символикой, а затем уже собственно хлебниковские, словотворческие и, так сказать, образотворческие, вроде «Песни Мирязя» (1907), «Искушения грешника» (1908) и «Зверинца» (1909), с которыми он и вошел в литературу и которые надолго определили его поэтическое лицо в читательском восприятии.

С другой стороны, это проза в стихах, то есть ритмизованная и метризованная проза, вроде «Чернея макушкой стриженой...» (1912—1913), более характерная, впрочем, для драматической прозы. Стихи вообще легко включались в его прозу, и не только в виде инкрустаций, но и путем непрерывного перехода от прозаического к стиховому строю и обратно. Так, в пьесе «Мирсконца», где действие идет в обратном порядке человеческой жизни, по мере омоложения героев бытовая проза ритмизуется и почти превращается в стихи, даже рифмованные, а дальше, с детством героев, опять возвращается в прозу, чтобы завершиться младенческим безмолвием.

Точно так же прозаическое повествование, все равно — лирическое или эпическое, легко превращается в диалоги и монологи. «Белой земли люди...» (1911), «Управда...» (1912), даже «Окó», снабженная подзаголовком «Орочонская повесть», читаются как проза, но проза, как бы застигнутая в ее переходе от повествования к драме. Рассказ «Малиновая шашка» в самые напряженные и поворотные моменты сюжета прямо превращается в драматургическую запись текста со специфическими обозначениями речей персонажей: П е р в а я с е с т р а...; В т о р а я с е с т р а...; С т а р ш и й б р а т...; Х л о п е ц... и т. п. В результате действие в этих сценах приближается к нам вплотную, освобождаясь от посреднического голоса автора. И наоборот, в некоторых драматических произведениях авторские ремарки разрастаются в самостоятельное описание, как, например, в первом парусе «Детей Выдры». И такая проза «ремарочного стиля» (по определению Н. И. Харджиева) может существовать отдельно, как бы подразумевая драматическое действие («Выход из кургана умершего сына», 1912—1913), или же параллельно ему, как прозаическое послесловие к драматической поэме «И и Э» (1911), содержащее нечто вроде либретто поэмы. (Прозаическая параллель, к сожалению не сохранившаяся, была и у поэмы «Журавль».)

В особенности же характерна обратимость лирики и эпоса, являющаяся вообще отличительной чертой жанровой эстетики Хлебникова. В целом, за исключением немногих ранних лирических опытов 1904—1905 годов, проза тяготеет к эпическому повествованию, в наиболее чистом виде развернутому в «Смерти Паливоды» и «Есире». Но чаще эпос оборачивается лирикой, а лирика эпосом в пределах одного произведения. Совершенно наглядно это в «Песни Мирязя», само название которой указывает на обратимое единство внеличного и личного. Неологизм *мирязь*, как будто образованный по типу *витязь,* на самом деле соединяет «мир», то есть внеличное начало, с «я», то есть началом личным, в едином образе: *мир-я-зь.* (Ср. название прозаического фрагмента «Юноша

Я-Мир»). И, собственно, «Песнь Мирязя» есть не что иное, как гимн в честь этого единства, где мир выступает как личность, а личность — как мир. (Позже все это найдет завершенное выражение в образе «Ладомира».)

«Песнь Мирязя» вообще оказывается как бы пересечением и совмещением несовместимого: поэзии и прозы, лирики и эпоса, языка существующего и несуществующего, вновь создаваемого перед нашими глазами; и если попытаться назвать жанр этой «песни», то мы придем, вероятно, к весьма громоздкому определению: лиро-эпическое словотворческое стихотворение в прозе. А если учесть здесь еще и несомненное жанрообразующее воздействие некоторых музыкальных («симфонизм», перекликающийся с «Симфониями» А. Белого) и живописных (словотворческий «пуантилизм») начал, то ее жанровое определение получило бы какой-то гротескный характер. Тем не менее именно такова многосложная и оборотническая природа хлебниковского творчества.

Тут мы подходим к основному и важнейшему свойству его прозы, придающему ей особый смысл и, возможно, главную прелесть. Это свойство, вновь возвращающее нас к понятию «проза поэта», — откровенно и мощно выраженное л и ч н о е н а ч а л о, но не просто поэтический лиризм, а нечто гораздо более сложное и вместе с тем совершенно естественное, что, за неимением лучшего определения, назовем а в т о б и о г р а ф и з м о м. Это «жизнь поэта», к которой отношение у нас, конечно, иное, чем к «поэзии». Ведь лирическое «я» в стихах совсем не то, что «я» в автобиографической прозе, между ними, по слову Пушкина, «дьявольская разница». Вот эту глубочайшую антиномию «творческой жизни» с поразительной простотой и очевидностью Хлебников раскрывал в статье «Говорят, что стихи должны быть понятны...» (1920): «Не есть ли природа песни в ⟨уходе от⟩ себя, от своей бытовой оси? Песня не есть ли бегство ⟨от⟩ я? Песня родственна бегу, — в наименьшее время покрыть наибольшее число верст образов и мысли! ⟨Если не уйти от⟩ себя, не будет пространства для бегу. Вдохновение всегда изм⟨еняло⟩ происхождению певца. Средневековые рыцари воспевают ди⟨ких⟩ пастухов, лорд Байрон — морских разбойников, сын царя Будда — и прославляет нищету. Напротив, судившийся за кражу Ше⟨кспир⟩ говорит языком королей, так же как и сын скромного м⟨ещанина⟩ Гёте, и их творчество посвящено придворной жизни. Никогда не знавшие войны тундры Печорского кр⟨ая⟩ хранят былины о Владимире и его богатырях, давно забытые ⟨на⟩ Днепре». Отсюда следовал вывод если не всеобщего, то во всяком случае достаточно широкого закона, в соответствии с которым «творчество» есть «наибольшее отклонение струны мысли от жизненной оси творящего». Другими словами, поэзия, в самом общем ее понимании, как бы «поперечна» жизни. И тут мы находим объяснение излюбленных хлебниковских сюжетов «поперек времен» и всего его «поперечного» строя мысли.

Но и в частном случае этот закон проливает свет на отношения «поэзии» и «прозы». Если в поэзии поэт уходил от себя, от своей «жизненной оси», то в автобиографической прозе к себе возвращался, как бы подтверждая свою самотождественность. И если поэзия вообще есть забвение себя, самозабвение, то прозу эту можно назвать памятью о себе. В наброске «Нужно ли начинать рассказ с детства?..» он писал: «Да, я прожил какой-то путь и теперь озираю себя; мне кажется, что прожитые мною дни — мои перья, в которых я буду летать, такой или иной, всю мою жизнь. Я определился. Я закончен. Но где же то озеро, где я бы увидел себя? Нагнулся в его глубину золотистым или темно-синим глазом и понял: я тот! Клянусь, что кроме памяти у меня нет озера, озера — зеркала...»

Память эта была совершенно необычной. В конце жизни Хлебников сетовал, что у него нет дневников. И действительно, хоть сколько-нибудь постоянных и подробных записей ежедневных событий, как это делали, скажем, А. Блок или М. Кузмин, он никогда не вел. Правда, в ранний петербургский период он «писал дневник своих встреч с поэтами» (СП, V, 287), который, по-видимому, уничтожил после разрыва с литературным кругом Вячеслава Иванова. Однако, судя по сохранившимся записям более позднего времени[1], можно думать, что и ранние носили тот же своеобразный характер. Большей частью это краткие записи дат и событий, как сугубо личных, так и литературных и общественных, в которых, кажется, невозможно найти какой-либо последовательности «течения жизни». И главное, в них нет того, что составляет непосредственный интерес всякого дневника, нет ощущения неповторимости настоящего дня. Напротив, его занимают повторы, возвращения, пересечения, странные переклички всех этих бытовых, часто незначительных и случайных событий, и он смотрит на них как бы взглядом натуралиста, наблюдающего циклические ритмы природы в самых разнообразных явлениях, и потому дневники скорее напоминают фенологические

---

[1] Часть записей, в основном 1913—1915 гг., опубликована в СП, V, 327—335; записи 1916—1922 гг. большей частью остаются в рукописях.

и орнитологические записи, которые он вел в отрочестве и юности. Замечательно, что на восторженное письмо В. Каменского, в котором тот сообщал о своей женитьбе, он отвечал «отчаянной радостью» и... «деловым предложением»: «Записывай дни и часы чувств, как если бы они двигались, как звезды. Твои и ее. Именно углы, повороты, точки вершин. А я построю уравнение! У меня собрано несколько намеков на общий закон. (Например, связь чувств с солнцестоянием летним и зимним.) Нужно узнать, что относится к Месяцу, что к Солнцу. Равноденствия, закат солнца, новолуние, полнолуние. Так можно построить звездные нравы. Построй точную кривую чувства: волны, кольца, винт вращения, круги, упадки. Я ручаюсь, что если она будет построена, то ее можно будет объяснить М, З, С,— Месяц, Солнце, Земля. Эта повесть не будет иметь ни одного слова» (май 1914 г.— НП, 369).

Подобным же образом он изучал дневники Марии Башкирцевой, строил «уравнения жизни» Пушкина и Гоголя, подобным же образом хотел написать «повесть» своей жизни[1]. В литературной автобиографии «Свояси» (1919) он говорил: «Заклинаю художников будущего вести точные дневники своего духа: смотреть на себя как на небо и вести точные записи восхода и захода звезд своего духа». Но такая точка зрения не может не быть обратимой: взгляд на себя как на звездное небо непременно требует и взгляда на звездное небо как на себя. Поэтому хлебниковская память о себе была в то же время памятью о мире. Он ощущал себя не равным самому себе. Поэтому и каждое отдельное произведение оказывалось не равным самому себе, и лирика оборачивалась эпосом, а эпос лирикой, и творчество оборачивалось жизнью, а жизнь творчеством.

Автобиографическая проза как раз и возникала в точках пересечения «я» и «мира». И понятно, что такие «точки», «углы», «повороты» не могли составить непрерывной линии ни в дневниковых записях, ни тем более в воспоминаниях, они непременно должны были быть поперечны «течению жизни». В одном из юношеских автобиографических набросков (вероятно, 1904 года) он писал: «Отчего мне сделалось тогда вдруг так скучно, тоскливо? Оттого ли, что мне хотелось тогда видеть ответность видений, слышать ответность звуков моему «я» в тот миг? Оттого ⟨ли⟩, что я ослабел ненадолго

---

[1] Аналогичный опыт построения «кривой» собственной душевной жизни предпринял в те же годы Н. Я. Пэрна. См. его посмертно изданную книгу «Ритм жизни и творчества» (М., 1925).

и искал в жизни поддержки? — не знаю. Оттого ли, что я мучительно прислушивался к ней и искал в ней того, ради чего бы стоило жить, а она мне, ровно и тихо проходя предо мной, бесстрастно говорила, что нет того, ради чего стоило бы жить?..» И приходил к удивительно ясному и бесстрашному заключению, предсказывавшему всю его будущую творческую судьбу: «Нельзя, плывя против течения, искать у него поддержки»[1].

Так строится вся эта проза, вплоть до потрясающих посмертных записок «с того света», рассказывающих о последнем пересечении «я» и «мира»: «Я умер и засмеялся. Просто большое стало малым, малое большим. Просто во всех членах уравнения бытия знак «да» заменился знаком «нет». Таинственная нить уводила меня в мир бытия, и я узнавал вселенную внутри моего кровяного шарика. ⟨...⟩ И я понял, что всё остается по-старому, но только я смотрю на мир против течения. Я вишу как нетопырь своего собственного «я»[2].

3

Отдельные автобиографические наброски и очерки Хлебникова, от самой ранней из дошедших до нас записей начала 1904 года «Нас не била плеть...» — о революционных студенческих волнениях в Казанском университете, с чего, по-видимому, и началось пробуждение его социально-исторического сознания, и до последних записок мая — июня 1922 года, образуют разорванную, но внутренне единую линию, проходящую через всю его творческую жизнь. «Память о себе» то выходит на поверхность в прямых воспоминаниях о тех или иных событиях его жизни, то как бы уходит в глубину и скрывается в, так сказать, косвенных и метафорических мемуарах, уходит в сторону и сложно разветвляется, но неизменно возвращается в основное русло «жизни поэта».

Ближе всего к привычной автобиографической прозе его лирические наброски или зарисовки 1904 года, свидетельства первых «ударов молодой крови в мир», как писал он позднее. Эти юношеские записки «Нас не била плеть...», «Отчего мне сделалось тогда вдруг так скучно...», «Была уже ночь...» на первый взгляд кажутся даже более литературными, чем «Искушение грешника» или «Зверинец». На самом деле отнести их к литературе можно лишь весьма условно, лишь

---

[1] Х л е б н и к о в В. Утес из будущего, с. 40.
[2] Там же, с. 145.

помня о дальнейшей поэтической судьбе автора. Сами же по себе они несамостоятельны и связаны родовой пуповиной с дневниковыми записями для себя, в них нет еще того, что делает дневники литературой. Автор здесь прежде всего занят собой, а не словом, он работает над собой, волнуется, сомневается, размышляет, короче говоря, живет реальной жизнью, а не «в слове», не «в образе». Слово для него еще только средство объективировать и закрепить переживания. И потому реальное «содержание», даже очень подлинное, глубокое и поэтичное, не укладывается в слово, выпирает и торчит сквозь него. Он, что называется, пишет с натуры, не в силах еще преобразовать ее в самостоятельный художественный образ[1]. Слово здесь следует натуре, и натура, таким образом, осмысляет слово. Отсюда столь характерные для начинающих пресловутые «муки слова», «поиски слова», легко угадываемые в этих лирических записках. Недаром в набросках повести «Евгений Воейков», относящихся к тому же периоду, герой повести так восхищен философским стилем Спинозы, которого он читает в латинском подлиннике: «А все-таки какая красивая, точная форма... Как одеянье слова плотно обхватывает у Спинозы стан мысли... поверхность ее обтягивает без ненужных складок... совпадая с ней по кривизне» (ГПБ, ф. 1078, № 8, л. 12).

Однако собственный хлебниковский стиль, к которому он вскоре пришел через погружение в словотворческую стихию русского языка, что и было «наибольшим отклонением струны мысли от жизненной оси творящего», возник совершенно иным путем. Это был не путь точности, это был путь свободы, где слово не следовало ни вещи, ни мысли, а пересекало их «поперек натуры». Поэтому так драгоценны для нас некоторые намеки, некоторые предсказания будущего поэта, которые мы открываем в его ранней прозе. В особенности — одно рассуждение в том же «Евгении Воейкове»: «Платон, Шопенгауэр, Ньютон, все эти гении были свободны и были гениями потому, что́ были свободны. А Декарт, а Спиноза, а Лейбниц? Что делало их гениями? Независимость от вида, свободное состояние дало им возможность сохранить присущую детскому возрасту впечатлительность, способность к синтезу, расположение к схватыванию аналогий; словом, они только сохра-

---

[1] То же самое происходило и в его тогдашних занятиях живописью: если сравнить, например, его ученические работы «Голова старика», «Портрет кучера», «Портрет отца» начала девятисотых годов с великолепным автопортретом 1909 года, различие будет совершенно очевидно (см. Отступление 4).

нили большую впечатлительность и подвижность ума; ум их был чувствительным прибором для улавливания аналогий, законосообразности, закономерного постоянства, и потому они ее улавливали там, где не улавливает ее обыкновенный человеческий ум с общею чувствительностью» (ГПБ, ф. 1078, № 8, л. 9). Здесь трудно угадать будущего Хлебникова стилистически, и оттого мысль выглядит обнаженной и как бы чуждой ему. Но на самом деле рассуждение это, юношески неловкое, многое объясняет в его жизни и творчестве. В частности, мы убеждаемся в том, что так называемая хлебниковская «инфантильность», давно уже ставшая навязчивым общим местом в разговорах о нем, была сознательным, волевым и принципиальным его отношением к миру. Ведь «детское» в человеке — это и есть его природное и творческое начало.

Прямые воспоминания у Хлебникова появляются значительно позднее, в основном после 1917 года[1], на тридцать третьем году жизни. И объясняется это, по-видимому, прежде всего тем редчайшим совпадением памяти о себе и памяти о мире, которое несла с собой революция. Ведь 1917 год, предсказанный им в «Учителе и ученике» (1912), был реальным осуществлением мысли в действительности, пересечением и совмещением творчества с жизнью, в чем и заключался для него главный смысл автобиографии. Основные вехи ее он оставил в очерках «Нужно ли начинать рассказ с детства?..» (1917—1918), в котором возвращался к самому началу своей памяти; «Ранней весной 1917...» (известном под редакционным заглавием «Октябрь на Неве»), в котором он вспоминал о революционных событиях в Петрограде и Москве; «Никто не будет отрицать...» (1918), где рассказано о продолжении тех же событий в Астрахани; «Перед войной» (1922) — о самом начале эпохи войн и революций в России; «Разин напротив» (1921—1922) — об орнитологической экспедиции на Урал в 1905 году (продолжение, в котором речь идет о пребывании в Персии весной — летом 1921 года, осталось в черновых набросках); «Ветка вербы» (1922) — о последнем годе его жизни в Персии, на Кавказе и в Москве. Сюда же можно отнести краткую литературную автобиографию «Свояси» (1919) и предисловие к «Доскам судьбы» (1922), в которых

---

[1] Более ранние автобиографические записки «Три Веры» (1915) дошли до нас в очень трудно читаемых черновиках, весьма неисправно и выборочно напечатанных под условным названием «Записки из прошлого» (СП, IV, 319—323).

он вспоминал о своей поэтической работе и об исследованиях законов времени.

Однако даже в этих рассказах о себе, в которых естественно было бы видеть выражение сознания неповторимости собственной судьбы в своем времени, «я» непременно пересекается с «не-я» и лишь таким путем возвращается к себе. Парадоксальным образом сознание «я тот» означает «я — другой», и «я другой» означает «я — тот». Задавая вопрос «Нужно ли начинать рассказ с детства?», он говорил о детстве как о воскрешении прапамяти народа, и, вспоминая место своего рождения в Калмыкии, на пересечении Запада и Востока, «где море Китая затеряло в великих степях несколько своих брызг, и эти капли-станы, затерянные в чужих степях, медленно узнавали общий быт и общую судьбу со всем русским людом», он говорил о себе — другом: «Но ведь это я, но в другом виде, это ⟨второй⟩ я — этот монгольский мальчик, задумавшийся о судьбах своего народа». Точно так же, размышляя о своей жизни в целом, он представлял ее повторением судьбы Степана Разина, но в обратном направлении, называя его своим «отрицательным двойником», а себя «Разиным напротив» и «Разиным навыворот».

В косвенных воспоминаниях, вроде отрывков «Суровая прелесть гор...» (1909), «Лубны...», «Коля был красивый мальчик...» (1912—1913) или рассказов «Николай», «Охотник Уса-Гали» (1913), «Малиновая шашка» (1921), в которых речь идет не о себе, присутствие «я» неустранимо, и мы видим его как бы боковым зрением. Описания природы или человеческих судеб, близких или далеких и чужих, взятых в самом начале, как у юного скрипача Коли Рябчевского, в высшем напряжении и подъеме, как у лихого «червоного есаула» Петровского, или в конце, как у нелюдимого охотника Николая, так или иначе бросают свет на судьбу самого Хлебникова. Больше того, я думаю, в образе Николая он видел многие черты своего характера и своего пути в жизни, и мы сейчас в описании страшной смерти охотника на пустынном острове, вдали от людей, невольно читаем пророчество собственной смерти поэта в новгородской глуши.

Хотя рассказ «Николай» посвящен реальному лицу (охотник был другом отца писателя, и его фотография сохранилась в семейном альбоме Хлебниковых), его можно понять как метафорическую автобиографию. И в этом смысле он занимает промежуточное положение между очерком и художественным вымыслом. В чистом виде метафорическая автобиография составляет сердцевину хлебниковской прозы. Здесь «я» выступает в чужих обликах и в иных обстоятельствах, но степень его отчуждения может быть различной. В таких вещах, как «Я умер и засмеялся...» или «Утес из будущего» (1921—1922), «я» очень близко реальному «я» автора, однако взято оно в совершенно фантастических обстоятельствах «жизни после смерти» или в каких-то отдаленных грядущих временах. В таких случаях переносный смысл рассказываемого вполне понятен. Но вот повесть «Есир» может читаться просто как историческое повествование из времен Степана Разина, и герой повести, астраханский рыбак Истома, невольно повторяющий знаменитое «хожение за три моря» Афанасия Никитина, на первый взгляд совсем не связан с автобиографией Хлебникова. Однако внимательный читатель заметит странную смещенность композиции повести и как бы перспективное сокращение масштаба изображения по мере удаления в глубины Азии. Впечатление такое, что автор не следует за героем, как в обычном эпическом повествовании, а как будто следит за его странствиями, оставаясь в исходной точке. Можно представить себе повесть в виде какой-то картины, передние планы которой — остров Кулалы, где жил Истома, Астрахань, «охваченная славой Разина», вернувшегося из персидского похода, нападение киргизов, захвативших Истому, калмыцкое кочевье, куда сначала попал он, проданный в рабство,— написаны крупно, с множеством ярких и выпуклых подробностей. А дальше, на вторых и третьих планах, с перемещением действия на Кавказ, в Персию, в Индию и на Яву, куда увлекает судьба Истому, пространство и время словно сжимаются, фигуры уменьшаются, теряя в подробностях и яркости освещения, превращаясь в призрачные тени. И там, в глубине картины, мы попадаем в иной мир, вернее, тот же мир видим совсем иначе, выходя из действительности реально-исторической в действительность философски-мифологическую. «И то, что ты можешь увидеть глазом, и то, что ты можешь услышать своим ухом, все это мировой призрак, Майя, а мировую истину не дано ни увидеть смертными глазами, ни услышать смертным слухом. Она — мировая душа, Брахма. Она плотно закрыла свое лицо покрывалом мечты, серебристой тканью обмана. И лишь покрывало Истины, а не ее самое дано увидеть бедному разуму людей. Исканием истины казалась эта страна Истоме, исканием и отчаянием, когда из души индуса вырвался стон: «всё — Майя!» Таким образом, странствия Истомы на Восток оказываются вместе с тем и путешествием в страну «поисков истины». Оттуда, из этой «Индии духа», Истома вновь возвращается к исходной точке, замыкая полный круг повествования. «Когда его сильно потянуло на родину, он вернулся вместе с одним караваном, посетил свой остров, но ничего не нашел, кроме сломанного весла, которым когда-то правил. Грустно постояв над знакомыми волнами, Истома двинулся дальше. Куда? — он сам не знал».

Так, казалось бы, вопросом без ответа кончается повесть. Казалось бы, он вернулся к своему «первобытному состоянию», и все испытания его были бессмысленны и бесплодны. На Волге за те годы, пока отсутствовал Истома, разгорелось и потерпело страшное поражение великое восстание Степана Разина, и оно, казалось бы, тоже было напрасным. Однако в большой исторической перспективе все это выглядит иначе. Если до неволи Истома был свободен естественно и безотчетно, то теперь, снова вернув свободу, он сознает ее. Со своего малого острова Истома вышел в большой мир и, возвращаясь, несет его в себе. Он знает, «как дух свободы пылает над всем миром», воодушевляя и борьбу сикхов в Индии и крестьянские войны в Китае, так же как и восстание Разина. Он знает и внутренние поиски свободы: «будь сам, самим собой, через самого себя, углубляйся в самого себя, озаряемый умным светом». И, возвращаясь на родину, он возвращается к себе — другим, с памятью о себе и памятью о мире. Его путь дальше — это путь свободы, через века, из своего времени — в будущее.

В «Досках судьбы», сопоставляя даты казни Степана Разина 19 июня 1671 года, восстания на Красной Пресне 29 декабря 1905 года и отречения царя 17 марта 1917 года, Хлебников находил их числовые закономерности и строил «уравнение роста русской свободы, подымающейся цветком из головы Разина». Он говорил: «На Волге столет⟨ия⟩ поют о Разине. Что это значит? Что цепь звеньев $3^8 + 3^9 + 3^{10}$, тяжело громыхая, как пароходная цепь, проходила сквозь душу» (ЦГАЛИ, ф. 527, № 8, л. 65; № 83, л. 10 об). Душу народа и его собственную,— добавим мы.

Повесть «Есир» Хлебников писал в Астрахани, мечтая о путешествии в Персию и Индию, на переломе 1918—1919 годов, когда «дух свободы», как и во времена Разина, «пылал над всем миром». И в воображаемых странствиях Истомы — его посланца в те далекие времена и страны — он также уходил от себя и возвращался к себе, в свое время. Этим-то скрытым личным началом и объясняются как бы гравитационные смещения повествования, и лишь подставив сюда автобиографические значения и читая повесть как историю внутренних испытаний духа в образе Истомы, мы подойдем к верному ее пониманию[1]. Но только подойдем, потому что эта повесть о свободе и рабстве требует более широкого восприятия, и, лишь сделав следующий шаг и увидев в судьбе Истомы образ исканий человеческого духа вообще, можно будет, как говорил Хлебников о поэме «Ладомир», «охватить содержание, бывшее больше меня».

Биографию обычно понимают как изображение человека в своем времени. Тем более этого мы ищем в автобиографических произведениях, читая, скажем, «Историю моего современника» В. Г. Короленко или мемуарную трилогию Андрея Белого. Но что, если человек в таком изображении не равен самому себе, если он осознает себя как другого и другого как себя, если в своем времени он видит другое время и в другом времени — свое? И что если этих «я» и этих времен множество и все они, сохраняя свою неповторимость, просвечивают друг через друга и взаимооборачиваются? Это значит, что мировая история и множественные судьбы человечества переживаются как личное сознание, и наоборот, личное сознание переживается как мировая история. Их совпадение Хлебников прежде всего хотел выразить в числовых уравнениях своих «законов времени», где одна перемена знака, плюс на минус, может говорить о перемене судеб целых народов:

...Лишь я поставлю да-единицу
В рассудке моем,—
Будет великого Рима пожар.
Строчку Гомера прочтут полководцы
На крыше дворца, видя пожар,
Улыбаясь утонченно.
Нет-единицу поставлю —
Будет гореть Византия...

И в том же совпадении «я» и «мира» заключена самая суть хлебниковского автобиографизма, наиболее полно, как новое художественное сознание, выраженного в повести «Ка». Это

---

[1] Это подсказывает и само имя героя (*истома* — крайняя усталость, изнеможение). Оно выступает здесь и именем собственным и «именем» состояния духа, как бы переключая из прямого плана в метафорический. Поэтому оно кажется вымышленным, хотя это подлинное старинное русское имя, отмеченное историками (см.: Т у п и к о в М. Н. Заметки к истории древнерусских имен. СПб., 1892) и встречающееся, например, в «Князе Серебряном» А. К. Толстого и «Повести о Симеоне, Суздальском князе» Н. А. Полевого. Любопытно, что в эпилоге последней приводится выписка из Никоновской летописи, которую можно было бы взять эпиграфом к «Есиру»: «...в веке своем многи напасти подъят, и многи истомы претерпе, во Орде и на Руси, тружася, добиваясь своей отчины...»

одно из важнейших, узловых произведений Хлебникова и, кажется, самое странное, фантастическое и загадочное явление во всей русской прозе. Каким-то невероятным образом повесть соединяет в себе прозу и поэзию, язык «заумный» и «умный», эпос, лирику и драму в их взаимных превращениях, глубочайшую философскую мысль и откровенную каламбурную игру слов, трагизм и юмор, мифологию и политику, самую злободневную действительность России 1915 года и отдаленнейшие эпохи прошлого и будущего. Хронологические рамки ее охватывают 3600 лет, от 1378 года до Р. Х. и до 2222 года н. э. Действие повести происходит в современном Петербурге и в Древнем Египте, в Астрахани и в мусульманском раю, в африканских джунглях и в желудке огромной каспийской белуги, в Арктике и в Индийском океане. Среди ее действующих лиц мы встречаем ученого 2222 года, египетского фараона Аменофиса IV и Нефертити, могольского императора Акбара, древнеиндийского царя Ашоку, художника Павла Филонова, Магомета и райских гурий, завоевателя Цейлона Виджая, Лейли и Медлума, обезьян и русского купца в Абиссинии, Маяковского и его приятельницу Соню Шамардину, и множество других разнообразных персонажей вплоть до Мировой Воли. Одни из них прямо участвуют в действии, другие только упомянуты, как бы намечая какие-то возможные или подразумеваемые ответвления сюжета, третьи лишь угадываются с разной степенью определенности. И все это множество имен и лиц, разных времен и народов, реальных и фантастических, многократно встречаются друг с другом, снятся друг другу, меняют облики, умирают, оживают, переходят друг в друга и т. п., так что в сплошных метаморфозах иногда просто невозможно решить, «кто есть кто» и где все это совершается. Вполне понятно лишь то, что происходят эти чудеса через посредство Ка — загадочного двойника героя и рассказчика повести.

«Девственной и невразумительной» называл эту прозу О. Мандельштам,— «девственной и невразумительной, как рассказ ребенка, от наплыва образов и понятий, вытесняющих друг друга из сознания»[1]. «Шутливо-беззаботной» называл ее сам Хлебников. Но если О. Мандельштам говорил, очевидно, о непосредственных ощущениях, какие возникают при первом чтении повести, то в признании Хлебникова слышится счастливое и отрешенное чувство преодоления и осмысления действительности в художественном творчестве. На самом деле за

---

[1] Мандельштам О. Слово и культура, с. 212.

«девственностью и невразумительностью», за «шутливой беззаботностью» повести стоит большая и разносторонняя работа историка, философа и филолога[1], а в самой повести содержится целая эстетическая система, глубоко продуманная и основанная на принципиально новых отношениях числа и слова. В ней, как и в сверхповести «Дети Выдры», «скрыта разнообразная работа над величинами — игра количеств за сумраком качеств».

4

Называя «Ка» фантастической повестью, мы в общем верно представляем ее характер, имеющий много общего с романтической, утопической и так называемой научной фантастикой (вроде высоко ценимой Хлебниковым «Машины времени» Г. Уэллса). И все же фантастика «Ка» коренным образом отличается от привычных литературных вымыслов отсутствием всякой иллюзии правдоподобия. Она не отсылает нас ни к какой условной, романтической, утопической или футурологической действительности, возможной, как говорил еще Аристотель, «по вероятности или необходимости». Она прямо вводит нас в особый мир, который можно описать лишь с помощью парадокса: это невозможно, но это существует, или: этого нет, но это есть. И существует этот невозможный мир не где-то «там», а прямо здесь. Так начинается один из отрывков, примыкающих к «Ка»: «Мы взяли $\sqrt{-1}$ и сели в нем за стол. Наш Ходнырлет был глыбой стекла, мысли и железа,— летавшей, бегавшей, нырявшей». И мы оказываемся на пересечении «мысли» и «вещи», где мысль как бы становится вещественной, а вещь — мыслительной. В одной из заметок (около 1912 года) Хлебников писал: «Простой ум только видит мысли; мыслитель властвует над их весом и владеет ими. Поэтому только мысливший вправе утверждать, что мысли обладают весом нисколько не меньше явным, чем у вещей. Мысли и вещи суть отрицательные и положительные числа. Но так как вещи с земным весом падают на землю, то мысли, обладая звездным весом, летят к небу» (ГПБ, ф. 1087, № 26, фр. 4, л. 2). Если же мы извлекаем квадратный корень из отрицательных чисел, мы получаем положительные числа. $\sqrt{-1} = 1$. Но если это «чудо» (как называл мнимые числа Лейбниц) возможно в математике, то оно возможно и в искусстве и в действительности, поскольку «законы мира совпадают с законами

---

[1] Частично этот материал рассмотрен в статье Вяч. Вс. Иванова «Хлебников и наука» (Сб. «Пути в незнаемое». М., 1986).

счета», как писал Хлебников в отрывках 1922 года. «Мысли» и «вещи» пересекаются в слове, и поэт, как бы извлекая вещественный корень из мысли, обращается с «мыслями» как с «вещами» и с «вещами» как с «мыслями», рассматривая слово как мнимое число. К этому он призывал еще в первой своей декларации «Курган Святогора» (1908) и на этом основывал всю свою эстетику: «В учении о слове я имею частые беседы с √-1 Лейбница» («Свояси», 1919). Подобно «воображаемой геометрии» Лобачевского он хотел создать в слове «другой, несуществующий вещественный мир» («Спор о первенстве», 1914).

В этом-то «воображаемом слове» и происходит действие его фантастических произведений. И хотя здесь обыгрываются привычные мотивировки фантастической литературы — сны и чудеса или открытия и изобретения,— все они совершаются именно в «несуществующем вещественном мире» слова и возможны благодаря его двойственной мыслительно-вещественной природе. Поэтому, скажем, *Ходнырлет* — своеобразная «машина воображения», явно перекликающаяся с «машиной времени» Уэллса — сделан «из слова», в котором только и возможны такие невероятные превращения: «Я переделывал статью в далекий город и медленно выбирал слова». На это же указывал и первоначальный подзаголовок повести «Ка» — «Железостеклянный дворец», представлявший слово в виде какого-то «дворца воображения», насквозь прозрачного и непроницаемого, где «стекло звало в гости глаза и захлопывало двери перед возможным туловищем», как варьировал он тот же образ в другом месте[1]. В это прозрачное и призрачное пространство мы попадаем с первых же слов повести: «У меня был Ка; в дни Белого Китая Ева, с воздушного шара Андрэ сойдя в снега и слыша голос: «иди!», оставив в эскимосских снегах следы босых ног,— надейтесь! — удивилась бы, услышав это слово. Но народ Маср знал его тысячи лет назад...»

В отличие от обычного, даже самого фантастического повествования, где мы так или иначе входим в обстоятельства,

---

[1] Обратное уподобление архитектуры слову, написанному «азбукой согласных из железа и гласных из стекла», встречается в статье «Мы и дома» (1915). Вообще подобные архитектурные конструкции «из стекла и железа», начиная со знаменитого «Хрустального дворца» Пакстона на Лондонской всемирной выставке 1851 года, немало занимали воображение современников. Ср., например, «Железобетонные поэмы» В. Каменского (1914—1915) или неосуществленный замысел кинофильма С. Эйзенштейна «Стеклянный дом» (конец 1920-х годов. См.: «Искусство кино», 1979, № 3, с. 94—113. Публикация Н. Клеймана).

знакомимся с действующими лицами, пусть самыми невероятными, но все же к а к б ы г д е - т о существующими, здесь мы прежде всего наталкиваемся на странные и малопонятные слова (что в древности называлось «глоссами»), к тому же в весьма странных сочетаниях, как будто зовущих к пониманию и тут же захлопывающих перед ним двери. И мы действительно начинаем с удивления: что такое *Ка*? кто такой *Андрэ* и при чем тут *Ева*? что такое *Белый Китай*? и что это за народ *Маср*? Можно, конечно, предположить, что имена эти были известны современникам Хлебникова и просто к нашему времени забыты. Частью так оно и есть, и имя шведского инженера Соломона Андре, пытавшегося достичь Северного полюса на воздушном шаре и бесследно исчезнувшего вместе с двумя спутниками в 1897 году, должно было быть знакомо, как нам сейчас имена космонавтов. Ведь то была эпоха последних великих географических открытий: только в 1909 году Р. Пири на собачьих упряжках первым добрался до Северного полюса, а в 1911 году Р. Амундсен открыл Южный полюс. Но, скажем, о египетских древностях и в особенности об эпохе Аменофиса IV, о котором много говорится в повести, мы сейчас, когда портреты Нефертити в бесчисленных отпечатках размножены по всему миру, знаем несравненно больше. И, заглянув в популярный словарь, легко узнать, что *ка* в древнеегипетской мифологии олицетворяло жизненную силу человека, фараона или бога, а *Маср* есть арабское название Египта, а само слово *Египет* (Хет-ка-Пта) означает «дом жизненной силы бога Пта». Однако ни в каких словарях мы не найдем *Белого Китая*, как не найдем объяснений, почему Ева оказалась в эскимосских снегах.

И все же дело не в особых знаниях (действительно у Хлебникова очень больших, избирательных и неожиданных) и не в каком-то стремлении загадывать загадки (хотя в повести множество каламбуров, игры слов, откровенных мистификаций и «скрытых смыслов», требующих расшифровки). Дело больше в нашей привычке читать «за словом», а не «в слове» и, главное, в новом поэтическом строе. Приняв его логику, мы без труда поймем, что *Белый Китай* — не редкостное название, не загадка, а скорее разгадка и совершенно точное выражение смысла[1]. *Белый Китай* просто-напросто означает современную Европу, где вновь, как когда-то в Китае, изобретено воздухоплавание (и об этом прямо сказано в последней главе повести:

---

[1] Ср.: *Белая Арапия* — название легендарной христианской страны на Востоке.

«это было в те дни, когда люди впервые летали над столицей севера»). Таким образом, в этом «железостеклянном дворце» сквозь современную Европу как бы просвечивает древний Китай, сквозь Запад — Восток, сквозь арабский Маср — древний Египет. Точно так же в «Свояси», говоря о «Ка», Хлебников называл Аменофиса IV — «Магометом Египта»[1]. По Хлебникову, однотипные события и подобные люди могут являться не только в разных точках пространства в одно время, но и в разные времена, и, различаясь во внешнем облике, они тождественны по смыслу. «Могут спросить,— писал он в статье «Колесо рождений»,— как можно искать общего закона для рождения подобных людей, если борцы за одно и то же дело родились в разных государствах и члены разных народов. Но государство-молния давно соединило все человечество, сплетя в одну косу волосы всех людей. Можно вообразить себе такого наблюдателя с соседней звезды, который бы хорошо видел людей, но не заметил ни народов, ни государств. ⟨...⟩ Делают ошибку, считая время непрерывной величиной: оно прерывно, как и числа, и две соседние точки могут быть качественно различны, а дальние — тождественны»[2].

В этом суть происходящего в повести «Ка», и эту суть лучше всего передает замечательная формула из одного отрывка «Скуфьи скифа»: «Веками раньше, но в тот же вечер...» Поэтому *в дни Белого Китая* означает «веками позже, но в те же дни», да и все события повести совершаются в те же дни, но веками раньше или позже. Поэтому и Ева, прародительница человечества, первая вкусившая от древа познания, оставляет свои следы там, куда устремлен познающий дух современного человека[3]. В фантастической атмосфере повести, где «времена сияют через времена», даже то, чего не мог знать Хлебников, кажется уже заложенным в слове, как, например, тот факт, что остатки исчезнувшей экспедиции С. Андре были обнаружены в 1933 году на острове Белом.

Поэтому и забытое древнеегипетское *ка* означает нечто реальное и существующее ныне. Что же такое *ка*? За более чем трехтысячелетнюю историю Египта в различных его теологических школах и традициях понятие *ка* получало очень сложные, противоречивые, а часто и запутанные толкования,

---

[1] Ср. Х л е б н и к о в В. Время мера мира. Пг., 1916, с. 16.
[2] Х л е б н и к о в В. Утес из будущего, с. 214.
[3] Ср. так называемый «след Адама» на Цейлоне, где, по одному из апокрифических преданий, он впервые ступил на землю после изгнания из рая.

так что среди современных исследователей нет единого мнения о его характере, тем более его не могло быть во времена Хлебникова, когда изучение египетской мифологии, по существу, только начиналось[1]. *Ка* толкуют и в качестве олицетворения жизненной силы, отличающей одушевленные существа, и в качестве олицетворения неповторимой индивидуальности, темперамента, личности, присущей первоначально богам и царям, позже и всем людям, и в качестве двойника, внешне и сущностно тождественного человеку, царю или богу, причем последние обладали несколькими *ка* (у солнечного бога Ра их было до 14). Все эти представления объединяет то, что *ка* бессмертно, изначально присуще человеку (бог Хнум, создавая из глины людей на гончарном круге, одновременно создавал и их *ка*) и сопровождает его в течение всей жизни, определяя его судьбу как на земле, так и в загробном мире. После смерти человека *ка* находится в его мумии или в его изваянии. Жрецы погребального обряда назывались «слугами ка», гробница — «домом ка», скульптор, создававший изваяние умершего,— «тот, который воскрешает». И при жизни и после смерти человека *ка* могло покидать его тело или изваяние, посещать загробный мир, вступать в общение с людьми, царями и богами и их *ка*. Будучи сущностно тождественным человеку, *ка* тем не менее обладало и собственным независимым существованием.

Многие из этих представлений так или иначе отразились в повести, получая, однако, свободную, значительно более широкую и своеобразную интерпретацию. На образ Ка наслаиваются греческие, римские и христианские мифологические образы, связанные с понятиями о демоне, гении, ангеле человека как олицетворении его внутренних свойств и его судьбы, и их позднейшие, хорошо нам знакомые мифопоэтические и литературные отражения. Характерно, что сторонним взглядом Ка опознается именно через образ лермонтовского Демона: «А, это он, безноглазый! — воскликнули несколько прохожих.— А где же Тамара, где Гудал? — дав воткать в повесть эти художественные мелочи своим испугом горожан». У Хлебникова Ка не просто «двойник души», но ее деятельное начало. Он — «посланник при тех людях, что снятся храпящему господину», он «ходит из снов в сны, пересекает время и дости-

---

[1] См.: К о р о с т о в ц е в М. А. Религия древнего Египта. М., 1976, с. 189—195; П е р е п е л к и н Ю. Я. Древний Египет.— В кн.: История Древнего Востока. М., 1988, с. 378—379; Ф р а н к - К а м е н е ц к и й И. Г. Памятники египетской религии в фиванский период. II. М., 1918, с. 37, 55—57.

гает бронзы (бронзы времен). В столетиях располагается удобно, как в качалке. Не так ли и сознание соединяет времена вместе, как кресла и стулья гостиной». Надо иметь в виду, что «сон» здесь, как почти всегда у Хлебникова, предельно сближается с художественным творчеством; их общая основа — воображение, способность переживать и воплощать чувства, желания, мысли в зримых и живых образах, картинах, действиях, лицах и положениях (драматические произведения, основанные на воображении, Хлебников предлагал называть «сно».— СП, V, 300). Поэтому Ка в повести выступает и как плод воображения, то есть действующее лицо, и как сама способность воображения, то есть главное движущее, творческое начало. «Он учил, что есть слова, которыми можно видеть, слова-глаза, и слова-руки, которыми можно делать. Вот некоторые его дела».

С этого, собственно, и начинается действие, и все происходящее в повести, все невероятные встречи и приключения на пространстве мировой истории, которые мы видим словами-глазами, совершаются посредством Ка, творятся его словами-руками. (Возможно, это связано с египетскими изображениями *ка* в виде фигуры человека с поставленными на голове согнутыми в локтях руками.) При этом, называя рядом с *ка* другие элементы человеческой сущности по древнеегипетским представлениям, а именно *ба* — посмертное воплощение души человека, изображавшееся в виде птицы с человеческой головой, и *ху* — небесное воплощение умершего, его дух, Хлебников, вероятно, контаминировал это *ху* с другим *Ху* — олицетворением божественного слова, посредством которого творит бог Ра. В то же время надо иметь в виду, что священные книги египтян назывались «Бау-Ра», то есть «души бога Ра» или книги «магической силы бога Ра»[1]. И, следовательно, можно предположить, что все эти элементы — *ка, ху* и *ба* — в повести так или иначе воплощались в слове, и именно в слове магическом, заряженном творческой энергией.

Можно даже сказать, что повесть «Ка» есть книга «магической силы человека». И если позволительно «перевести» ее начало на более привычный нам язык, можно было бы читать так: «У меня был Ка...» — У меня был гений, у меня был дар творческого воображения. Но это не какая-то мифологическая выдумка, это органическое свойство человека, его бессмертный дух, о чем знали еще в глубокой древности, но о чем забыли

_____

[1] См.: Т у р а е в Б. А. Египетская литература. М., 1920, с. 12—15.

современники, с характерным для наших дней пафосом научно-технического познания и покорения пространства. И так же, как мы нашли способ преодоления земного тяготения, заново открыв воздухоплавание, известное древним китайцам, так нам еще предстоит заново открыть способ преодоления времени и осознать то, что египтяне называли *ка.*

Об этом Хлебников говорил многократно и особенно замечательно в статье «О пользе изучения сказок» (1918) и в заметках начала 1922 года (в связи с докладом искусствоведа А. Топоркова): «Искусство обычно владеет желанием в науке власти... Я желаю взять вещь раньше, чем беру ее. Он говорил, что искусство должно равняться по науке и технике, ремеслу с большой буквы. Но разве не был за тысячелетия до воздухоплавания сказочный ковер-самолет? Греки Дедала за два тысячелетия? Капитан Немо плавал под водой за полстолетия до мощной битвы немцев при Фарерских островах. Открытие машины времени Уэльсом. Так ли художник должен стоять на запятках у науки, быта, события? А где ему место для предвидения, для пророчества, предволи?» (ЦГАЛИ, ф. 527, № 98, л. 26 об.).

Хлебниковский Ка воплощает в себе творческий дух художника, пророчествующего вперед или — по Шлегелю — назад, и в этом смысле он подобен «машине времени». Но, в отличие от уэллсовской машины, Ка движется не вдоль времени, а поперек времен, пересекая их в любых направлениях и соединяя в единое целое. Ка воплощает творческий дух в числе, в слове и в образе. В числе он есть $\sqrt{-1}$, в слове — непосредственная действительность мысли, в образе — «другой вещественный мир», существующий в воображении. Этот «другой мир» возникает на пересечении «первого мира» и творческого «я». По великолепному определению Хлебникова, которому, я думаю, суждено стать классическим, «вдохновение есть ⟨пробежавший⟩ ток от всего ко мне, а творчество есть обратный ток от меня ко всему». Носителем этого тока от «мира» к «я» и от «я» к «миру», своеобразным проводником вдохновения и творчества выступает Ка. С его помощью герой повести, как пушкинский Германн, может даже вести карточную игру с Мировой Волей (Судьбой, Роком): «Несмотря на свою мировую природу, ваш противник ощущается вами как равный, игра происходит на началах взаимного уважения, и не в этом ли ее прелесть? Вам кажется, что это знакомый, и вы более увлечены игрой, чем если бы с вами играл гробовой призрак. Ка был наперсником в этой забаве». Ка может быть буквально носителем художественного слова — на нем, превратившемся в гальку, Лейли пишет «японское» трехстишие, и сам является автором загадочного лирического стихотворения, состоящего из одних знаков препинания:

$$! ? ...$$

В то же время другой Ка, исполняя завещание умирающего Аменофиса IV, через века и пространства передает его дух герою повести. Таким образом, хлебниковский Ка является единой мерой всех превращений творческого духа, как бы «единицей духа», «единицей мысли», уравнивающей все одушевленные существа, как реальные, так и фантастические, как живые, так и мертвые, как в прошлом, так и в будущем. И в этом отношении он, конечно, прямо связан с общей хлебниковской энергийной, или, в его терминологии, «молнийной», концепцией мира. Поэтому часто такие «превращения духа», «переселения душ» он прямо описывал как разряд молнии. По его признанию, «во время написания заумные слова умирающего Эхнатэна «манчь, манчь!» из «Ка» вызывали почти боль; я не мог их читать, видя молнию между собой и ими...» («Свояси»).

Но, продолжал он, «теперь они для меня ничто. Отчего — я сам не знаю». Важное признание. Ведь нечто подобное случается и в нашем переживании художественного творчества. Повесть «Ка» может читаться непосредственно-жизненно, «магически», и тогда мы как бы входим в «железостеклянный дворец» творческого сознания и участвуем в превращениях мирового духа. Это трудное и мучительное чтение. Но ту же повесть можно читать «шутливо-беззаботно», как занимательный рассказ о фантастических приключениях. И это по-своему не менее увлекательно.

5

С чисто литературной точки зрения в «Ка» можно видеть просто любовную повесть о разлуке, приключениях и счастливом соединении *влюбленных*, даже еще определеннее — историю Лейли и М е д л у м а. Правда, этот «вечный сюжет» мы узнаем не сразу, лишь постепенно добираясь через множество наслоений к его ядру, которое лишь неясно просвечивает сквозь перипетии рассказа. Сначала мы не знаем ни имени героя, ни причины его печали. Затем догадываемся о его разлуке с возлюбленной, но еще не можем решить ни кто она, ни где находится, жива ли она, да и вообще существовала ли она когда-либо на свете или это только его мечта.

Потом, после ряда ошибок, ложных узнаваний и т. п., когда мы вместе с героем и его Ка как бы ищем героиню, узнаем ее имя. Но и тогда, когда герой видит во сне «лучшую повесть арамейцев «Медлум и Лейли», мы все еще не знаем, что мы внутри ее сюжета. И лишь в самом конце повести слышим имя героя: Медлум. Хотя и тут у нас нет полной уверенности, потому что соединение влюбленных, может быть, только «продолжение сна». Однако, глядя на повесть «с конца», мы все же понимаем, что некоторая неопределенность должна оставаться, потому что ядро сюжета сводится к простейшему биному, где «он» и «она» могут выступать в бесконечно разнообразных обличьях и обстоятельствах, принадлежать разным временам и народам, могут быть историческими лицами, мифологическими фигурами или литературными персонажами. Причем степень их проявленности также может быть бесконечно различной — одни прямо названы, другие смутно угадываются или только подразумеваются. Это могут быть сам Хлебников и его возлюбленная Надежда Николаева, Маяковский и Соня Шамардина, Аменофис IV и Нефертити, тот же Аменофис в облике обезьяны и безымянная женщина с кувшином, египетские божества Гор и Гатор, библейские Адам и Ева, японские Изанаги и Изанами, лермонтовские Демон и Тамара, гоголевские Левко и Ганна, легендарные Степан Разин и персидская княжна и т. д. Короче говоря, сюжет «Ка» строится по той же формуле, что и в сверхповести «Дети Выдры»: «Разные судьбы двоих на протяжении веков» («Свояси»). С той разницей, что в «Детях Выдры» и в примыкающих к этой сверхповести произведениях («Око́», «И и Э», «Гибель Атлантиды», «Шаман и Венера», «Вила и леший» и др.) судьба каждой такой пары представляет самостоятельный сюжет, а в «Ка» они совмещаются, перекрещиваются, образуя самые странные сочетания, вроде «Аменофис IV и Лейли». Здесь те же самые «разные судьбы» даны сразу в «двоих» и не на «протяжении веков», а в одно время. «Ка» можно было бы назвать сжатой сверхповестью, и, хотя она написана после «Детей Выдры», она ближе к первоначальному замыслу: «свобода от времени, от пространства, сосуществование волимого и волящего ⟨...⟩ И все объединено единством времени и сваяно в один кусок протекания в одном и том же времени» (НП, 354—355).

Почему же ядром повести оказывается именно история Медлума и Лейли? Сюжет этот, получивший мировую известность главным образом благодаря поэме Низами «Лейли и Меджнун» (1188) и распространенный на Востоке в бесчисленных литературных версиях[1], вообще привлекал Хлебникова, видимо, в связи с замыслом сверхповести «Дети Выдры», в которой он хотел «построить обще-азийское сознание в песнях». В 1911 году он работал над поэмой «Медлум и Лейли», к сожалению дошедшей до нас только в черновиках[2]. И, судя по ним, его занимали не литературные обработки легенды арабского племени узра, как у Низами и его последователей, а более архаическая версия, сохранившаяся в курдском фольклоре[3]. Действие поэмы приурочено к Курдистану, а не к Аравии, и имя героя *Медлум*, а не *Меджнун*, близко к курдским версиям — *Меджлум, Меджрум*. Но самое существенное заключено в концовке поэмы. В отличие от всех литературных версий, где Меджнун и Лейли после смерти превращаются в два дерева или два куста цветущих роз, переплетающихся ветвями, в фольклорных сказаниях влюбленные возносятся на небо и превращаются в звезды, Медлум — в восточную, Лейли — в западную, и два раза в году, весной и осенью, они встречаются друг с другом на небосводе. Эти встречи знаменуют важнейшие события в жизни курдов-кочевников: весной — выход на горные пастбища, осенью — возвращение — и тем самым как бы замыкают в своем кругу существование народа. Таким образом, история Медлума и Лейли, связывающая небо с землей, запад с востоком, историю с природой, символически охватывает все человеческие судьбы звездной судьбой влюбленных, преодолевающих всеобщую раздельность и вражду, преодолевающих смерть. Таков обобщающий смысл простейшего трехстишия, которое пишет Лейли на камне, скрывающем в себе Ка:

> Если бы смерть
> кудри и взоры имела твои,
> я умереть бы хотела.

Вот этот-то «алгебраический» характер сюжета, очевидно, и привлекал Хлебникова. В любовной повести скрывалась вся мировая история, со всем бесконечным множеством отдель-

---

[1] См.: Б е р т е л ь с Е. А. Низами. М., 1948; О н ж е. Низами и Физули. Избранные труды, т. II. М., 1962.

[2] НП, 209—212. О поэме см. в кн.: Т а р т а к о в с к и й П. И. Социально-эстетический опыт народов Востока и поэзия В. Хлебникова. Ташкент, 1987.

[3] На это обратил мое внимание М. С. Киктев. Прямой источник хлебниковской поэмы неизвестен, близкие к нему фольклорные тексты см. в сб. «Курдские эпические песни-сказы» (М., 1962). Сопоставление литературных и фольклорных версий сюжета содержится в предисловии М. Б. Руденко в кн.: Б и т л и с и Х а р и с. Лейли и Меджнун. М., 1965.

ных лиц и событий, прошлых и будущих. Поэтому образы Медлума и в особенности Лейли, оставаясь вполне конкретными и индивидуальными, достигают в «Ка» высочайшей степени символического обобщения. В седьмой главе, когда Лейли оказывается в Африке, перед нами рисуется такая картина: «Вместе с прекрасной скорбью, отразившейся в ее движениях, она была поразительно хороша и чудно стройна. Ка заметил, что на ногте красивой правильной ноги отразилась вся площадка леса, множество обезьян, дымящийся костер и клочок неба. Точно в небольшом зеркале можно было заметить старцев, волосатые тела, крохотных младенцев и весь табор лесного племени. Казалось, их лица ожидали конца мира и чьего-то прихода». Лейли является к ним (вспомним Еву в эскимосских снегах), знаменуя начало новой эпохи, переход от природного существования к Истории. Но это не просто «общество обезьян», отражающееся на ногте ее ноги, это образ всего современного человечества на пороге XX века. Оно не понимает своего прошлого и потому не знает своих будущих судеб. И Лейли, как бы играя на струнах истории, пророчит в духе хлебниковских «законов времени»: «Она дотронулась до струн и произнесла: «Судеб завистливых волей я среди вас; если бы судьбы были простыми портнихами, я бы сказала: плохо иглою владеете; им отказала в заказах, села сама за работу» ⟨...⟩ Ка заметил, что каждая струна состояла из 6 частей по 317 лет в каждой, всего 1902 года. При этом, в то время как верхние колышки означали нашествия Востока на Запад, винтики нижних концов струн значили движения с Запада на Восток. Вандалы, арабы, татары, турки, немцы были вверху; внизу — египтяне Гатчепсут, греки Одиссея, скифы, греки Перикла, римляне. Ка прикрепил еще одну струну: 78 год — нашествие скифов адия саки и 1980 — Восток». (И мы сейчас за этой последней датой узнаем недавние события в Иране.)

В конечном счете Лейли — это Мировая душа, или Природа,— излюбленный хлебниковский образ, проходящий в бесконечно меняющихся обликах через множество его произведений. И с такой точки зрения повесть о Медлуме и Лейли приобретает значение мистерии (жанром «мистерии» прямо обозначен один из опытов продолжения «Ка» — «Скуфья скифа»).

Тут возникает интереснейший вопрос о литературных традициях повести. Конечно, очевидна ее связь со всякого рода романтической, утопической и научной фантастикой. Но этого мало для понимания ее жанра и стиля. Читая и перечитывая повесть,— а она как раз предполагает многократное внимательное чтение и вдумывание,— мы открываем в ней множество перекрещивающихся литературных связей от древнеегипетской прозы до современной футуристической поэзии, образующих причудливые пересечения, где, казалось бы, несовместимые жанры, мотивы, образы поэтического творчества разных времен и народов просвечивают друг через друга. Так, например, «японское» трехстишие Лейли строится на мотиве «любовь — смерть», мотиве, совершенно не свойственном классической японской поэзии, но зато в высшей степени характерном для арабской, и, таким образом, представляет собой, так сказать, арабо-японскую лирику. А дальше эта лирика оказывается в неожиданном соседстве с эпической образностью русской классики: «Думая о камне, с написанной на нем веткой простых серо-зеленых листьев и этими словами «Если бы смерть кудри и взоры имела твои, я умереть бы хотела», Ка летел в синеве неба, как золотистое облако; среди малиновых облачных гор, настойчиво маша крылами, затерянный в стае красных журавлей, походившей в этот ранний час утра на красный пепел огнедышащей горы, красный, как и они, и соединенный с пламенеющей зарей красными нитями, вихрями и волокнами». Вспомним источник этого описания в повести Гоголя «Тарас Бульба»: «Иногда ночное небо в разных местах освещалось дальним заревом от выжигаемого по лугам и рекам сухого тростника, и темная вереница лебедей, летевших на север, вдруг освещалась серебряно-розовым светом, и тогда казалось, что красные платки летели по темному небу». Если же вспомнить еще, что оно было, по свидетельству П. В. Нащокина, внушено Гоголю Пушкиным, а образ Ка здесь явно перекликается с лермонтовским Демоном, то характер стилистики повести будет достаточно нагляден.

Однако за всей многосложностью и многогранностью этого «железостеклянного дворца» прозы настойчиво ощущается простая, издавна знакомая и неожиданно ожившая в XX веке литературная традиция. В самом деле, где еще в мировой литературе находим мы такое странное и вместе с тем естественное сочетание простодушной любовной повести с изощреннейшей и сложнейшей символикой мистерии? Где еще находим мы рассказ о разлуке, скитаниях, невероятных приключениях в различных экзотических странах — Египте, Абиссинии, Персии, Индии и других фантастических далях и даже на том свете четы влюбленных и о счастливом их соединении, занимательный рассказ, который в то же время может быть истолкован философски-мифологически как история испытаний человеческой души? Где еще встречаем мы такое смешение самых разнородных начал: современный быт и магия, приключения и философия, любовь и пифагорейская числовая мистика, стихи и проза, повествование и драматическое действие и т. д.?

Все это, очевидно, характерные приметы произведений того жанра, который условно называют «античным романом»[1]. Это в первую очередь «Повесть о любви Херея и Каллирои» Харитона, «Пастушеская повесть о Дафнисе и Хлое» Лонга, «Повесть о Левкиппе и Клитофонте» Ахилла Татия, «Эфиопика» Гелиодора, «Метаморфозы, или Золотой осел» Апулея, а также «Киропедия» Ксенофонта Афинского, «История Александра Великого» Псевдокаллисфена, «Жизнь Аполлония Тианского» Филострата, с которых, собственно, и начиналась европейская проза и которые сейчас, через два тысячелетия, читаются с новым наслаждением. Часть произведений этого жанра Хлебников знал прямо, некоторые, вероятно, читал в подлиннике, другие — в переводах и пересказах или во всяком случае имел о них представление из общей истории литературы, из специальных литературоведческих трудов, в частности А. Н. Веселовского. Многое он мог усвоить через знатока и переводчика этой литературы Михаила Кузмина, которого он в ранний период называл своим учителем, особенно восхищаясь как раз его стилизацией античного романа «Подвиги великого Александра». Наконец, косвенно стилистику жанра он мог воспринять через древнерусскую литературу и литературу XVIII — начала XIX века. Нужно только иметь в виду, что хлебниковская повесть о Медлуме и Лейли не была ни стилизацией, ни реставрацией. Тут действовал общий закон его творчества: движение вперед через возвращение к первоначалам и первоистокам. И в античном романе он видел исконную и чистую сущность художественной прозы.

Она возникла в эпоху поздней античности, когда, по мысли А. Н. Веселовского, «уединение человека, тем более поэта, в самого себя, в его внутренний мир» было попыткой «восстановить на свой страх более или менее цельную картину внешнего мира: свой личный эпос»[2]. Вот это, пожалуй, больше всего привлекало Хлебникова, отвечая его стремлению

---

[1] См. сб. «Античный роман». М., 1969.

[2] В е с е л о в с к и й А. Н. Из истории романа и повести. Материалы и исследования. Вып. 1: Греко-византийский период. СПб., 1886, с. 11.

заново найти в XX веке прямые связи «я» и «мира» на основе личного начала. Поэтому, кажется, нет лучшего определения, чем **личный эпос**, для жанра «Ка», да и вообще всего направления хлебниковской прозы. И не только хлебниковской: проза Андрея Белого, Пруста, Джойса позволяет говорить о возникновении в первой четверти XX века нового жанра — «субъективной эпопеи».

Хлебников дал его первые, может быть самые чистые образцы, в сжатом виде намечавшие перспективу его развития. Причем если античный роман явился следствием перенесения древней мифологии в сферу человеческих отношений, был, так сказать, очеловечиванием мифа, то хлебниковский личный эпос, наоборот, направлен к новому осмыслению современной истории и человека через мифологию. Возвращаясь к первоначалам и первоистокам, Хлебников, со свойственным ему поразительным проникновением в архаическое сознание, как бы проходил сквозь античный роман еще глубже, в египетскую литературу и мифологию, в которой угадывал подоснову романа. И действительно, как показали позднейшие исследования, основной сюжет античного романа восходит к египетскому мифу об Осирисе и Исиде[1]. Этот миф скрыто присутствовал в «Ка», а в замыслах продолжения повести он уже явственно выходил на поверхность и прямо назывался: «Озирис XX века» (СП, IV, 331).

Но что может означать в XX веке этот древнейший миф об убиении Осириса его братом Сетом, о любви и горе Исиды, собирающей расчлененные части тела мужа, возвращающей ему жизненную силу и рождающей сына Гора, который победит Сета и восстановит справедливость? Надо думать, что Хлебников видел в нем простой и наглядный прообраз современного мира, разделенного всеобщей враждой и смертью. И так же, как посредством мифа о победе Тезея над чудовищным Минотавром он осмыслял мировую войну, как посредством мифа об Атлантиде предсказывал гибель современной машинной цивилизации, попирающей природу, так в мифе об Осирисе он искал подтверждения своей веры в возрождение совершенной полноты, единства и справедливости мира.

В большом времени эпоса прошлое и будущее образуют единое целое с настоящим. В одном из отрывков «Досок судьбы» Хлебников писал: «Мы должны уметь читать знаки,

---

[1] См.: Kerényi K. Die griechisch-orientalische Romanliteratur in religionsgeschichtlicher Beleuchtung. Tübingen, 1927.

начертанные на страницах прошлого, чтобы освободиться от роковой черты между прошлым и будущим, как матери рабств, глупой веревки между «богами» и людьми. Мы должны знать, что высота отвлечения расширяет условный круг настоящего времени, этот рабский призрак человеческого духа, и под грозные завывания трубы: «несть времени!» — должны подняться на такую высоту, чтобы кругозор настоящего обладал лучом в сотни лет на прошлое и будущее пространства.

Высота мысли пересекает под прямым углом наше времяощущение, и если высота полета беркута создает кругозор в десятки верст, для в прахе ползающего дождевого червяка сотни верст мира орла обращаются, по существу, в точку.

Нужно бояться быть милым земляным червяком в вопросах о времени, помня, что рост в высоту обращает прошлое и будущее время в одну страну настоящего. ⟨...⟩ Отсутствие вышины обращает в ничто круг настоящего и делает из него точку — удел червяка; доступная уже нам высота обращает в настоящее сотни лет прошлого и будущего. Это не шутка!

Таковы сваи другого мышления. Кто на высоте, у того нет времени. Он видит прошлое и будущее.

Не следует забывать, что если отдельные люди движутся по времени на несколько лет впереди остального человечества, они достигают этого вышиной мысли».

ПРИЛОЖЕНИЕ 1

ИЛЛЮСТРАЦИИ НА ВКЛЕЙКЕ

Илл. 1. В. Хлебников. Словотворческая рукопись («Любь»). 1907—1908

Илл. 2. В. Хлебников. Рукопись стихотворения «Умночий сияний межзвездных...». 1907—1908

Илл. 3. В. Хлебников. Лотос и птичка. 21 июня 1900. Фрагмент

Илл. 4. В. Хлебников. Портрет кучера. Начало 1900-х гг.

Илл. 5. В. Хлебников. Уральский пейзаж. 10 июля 1905

Илл. 6. В. Хлебников. Портрет В. А. Хлебникова. 1914

Илл. 7. В. Хлебников. Портрет В. Е. Татлина. 25 мая 1916

Илл. 8. В. Хлебников. С. М. Городецкий и А. Е. Крученых. 28 октября 1920

Илл. 9. Ж. Калло. Искушение Святого Антония. Эскиз. 1634

Илл. 10. В. Хлебников. Рисунок к сверхповести «Зангези». 1921

Илл. 11. В. Хлебников. «Мировая страница». 1922

Илл. 12. Л. Бакст. Древний ужас. 1908. Фрагмент

Илл. 13. Н. Касаткин. Крепостная. 1910

Илл. 14. Неизвестный художник. Помещик с собаками. Первая половина XIX в.

Илл. 15. В. Татлин. Угловой контррельеф. 1914—1915

Илл. 16. К. Малевич. Супрематизм. 1915

Илл. 17. В. Кандинский. Рисунок. 1918

ИЛЛЮСТРАЦИИ В ТЕКСТЕ

Илл. 1. Словотворческая рукопись («Младуга-Радуга»). 1907—1908 *(с. 21)*

Илл. 2. Черновая рукопись статьи «Закон поколений». 1914 *(с. 26—27)*

Илл. 3. Портрет В. И. Иванова. Конец 1920 — начало 1921 *(с. 37)*

Илл. 4. «Кривая творчества». 1921 *(с. 65)*

Илл. 5. «Мировые противоположности». 1920 *(с. 75)*

Илл. 6. Рукопись стихотворения «О, достоевскиймо бегущей тучи...». 1907—1908 *(с. 108)*

Илл. 7. Автопортрет. 1909 *(с. 156)*

Илл. 8. Мава. Рисунок в рукописи поэмы «Вы, привыкшие видеть жизнь...». 1922 *(с. 158)*

Илл. 9. Кошка, мышка, птичка. Рисунки в наброске статьи «Детское рисование в живописи». 1903—1904 *(с. 161)*

Илл. 10. Куропатка. Рисунок в записях орнитологических наблюдений. 1905 *(с. 161)*

Илл. 11. Нырок. Рисунок в записях орнитологических наблюдений. 1905 *(с. 163)*

Илл. 12. Сова. 1900-е гг. *(с. 165)*

Илл. 13. Портрет В. В. Хлебниковой. Начало 1910-х гг. *(с. 167)*

Илл. 14. Портрет А. Е. Крученых. 1913 *(с. 169)*

Илл. 15. Портрет В. В. Маяковского. 1920 *(с. 171)*

Илл. 16. Черновая рукопись стихотворения «Жар-бог». 1907—1908 *(с. 173)*

Илл. 17. Словотворческая рукопись («Дивьмо»). 1907—1908 *(с. 175)*

ПРИЛОЖЕНИЕ 2

НОЧЬ В ОКОПЕ

Реконструкция

⟨I. Ночь перед боем в стане красных⟩

Семейство каменных пустынниц
Просторы поля сторожило.
В окопе бывший пехотинец
Ругался сам с собой: «Могила!
5 Объявилась эта тетя,
Завтра мертвых не сочтете,
Всех задушит понемножку.
Ну, сверну собачью ножку!»
Когда-нибудь Большой Медведицы
10 Сойдет с полей ее пехота,
Теперь лениво время цедится
И даже думать неохота.
«Что задумался, отец?
Али больше не боец?
15 Дай затянем полковую,
А затем — на боковую!»
Над мерным храпом табуна
И звуки шорохов минуя,
«Международника» могучая волна
20 Степь объяла ночную.
Здесь клялись небу навсегда.
Росою степь была напоена.
И ало-красная звезда
Околыш украшала воина.
25 «Кто был ничем,
Тот будет всем».

⟨II. Первое отступление о гражданской войне⟩

Кто победит в военном споре?
Недаром тот грозил углом
Московской брови всем довольным,
30 А этот рвался напролом
К московским колокольням.
Не два копья в руке морей,
Протянутых из севера и юга,
Они боролись: раб царей
35 И он, в ком труд увидел друга.
Он начертал в саду невест,
На стенах Красного Страстного:

«Ленивый да не ест».
Труд свят и зверолова.
40 Молитве верных чернышей
Из храма ветхого изгнав,
Сюда войны учить устав
Созвал любимых латышей.
Но он суровою рукой
45 Держал железного пути.
Нет, я не он, я не такой!
Но человечество — лети!

⟨III. Речь вождя⟩

Лицо сибирского Востока,
Громадный лоб, измученный заботой,
50 И, испытуя, вас пронзающее око,
О хате жалится охотою.
«Она одна, стезя железная!
Долой, беседа бесполезная.
Настанет срок, и за царем
55 И я уйду в страну теней.
Тогда беседе час. Умрем
И всё увидим, став умней.
Когда врачами суеверий
Мои послы во тьме пещеры
60 Вскрывали ножницами мощи
И подымали над толпой
Перчатку женскую, жилицу
Искусно сделанных мощей,
Он умер, чудотворец тощий.
65 Но эта женская перчатка
Была расстрелом суеверий.
И пусть конина продается,
И пусть надсмешливо смеется
С досо́к московских переулков
70 Кривая конская головка,
Клянусь кониной, мне сдается,
Что я не мышь, а мышеловка.
Клянусь ею, ты свидетель,
Что будет сорванною с петель
75 И поперек желанья бога
Застава к алому чертогу,
Куда уж я поставил ногу.
Я так скажу — пусть будет глупо
Оно глупцам и дуракам,
80 Но пусть земля покорней трупа
Моим доверится рукам.
И знамена́, алей коня,
Когда с него содрали кожу,
Когтями старое казня,
85 Летите, на орлов похожи!
Я род людей сложу, как части
Давно задуманного целого.
Рать алая! твоя игра! Нечисты масти
У вымирающего белого».

336

⟨IV. Второе отступление о
гражданской войне⟩

Цветы нужны, чтоб скрасить гро́бы,
А гроб напомнит, мы цветы...
Недолговечны, как они.
Когда ты просишь подымать
Поближе к небу звездочета
95 Или когда, как Божья Мать,
Хоронишь сына от учета,
Когда кочевники прибыли,
Чтоб защищать твои знамена,
Или когда звездою гибели
100 Грядешь в народ одноплеменный,
Москва, богиней воли подымая
Над миром светоч золотой,
Русалкой крови орошая
Багрянцем сломанный устой,
105 Ты где права? ты где жива?
Скрывают платья кружева,
Когда чернеющим глаголем
Ты встала у стены,
Когда сплошным Девичьим полем
110 Повязка на рубце войны.
В багровых струях лицо монгольского
                                    Востока,
Славянской волнуяся чертой,
Стоит могуче и жестоко,
Как образ новый, время, твой!
115 Проклятый бред! Молчат окопы,
А звезды блещут и горят...
Что будет завтра — бой? навряд.

⟨V. Рассвет на поле боя в
стане белых и красных⟩

За сторожевым военным валом
Таилась конница врагов:
120 «Журавель, журавушка, жур, жур, жур...»
Оттоль неслось на утренней заре.
И доски каменные дур —
Тоска о кобзаре,
О строе колеса и палок —
125 Семейство сказочных русалок.
Но чу? «Два аршина керено́к
Брошу черноглазой,
Нож засуну в черенок,
Поскачу я сразу.
130 То пожаром, то разбоем
Мы шагаем по земле.
Черемуху воткнув в винтовку,
Целуем милую плутовку.
Мы себе могилу роем
135 В серебристом ковыле».
Так чей-то голос пел.

337

Ворчал старик: «Им мало дедовской
                                    судьбы.
Ну что ж, заслужите, пожалуй,
Отцы расскажут, так бывало,
140   Себе сосновые гробы.
А лучше бы садить бобы
Иль новый сруб срубить избы,
Сажать капусту или рожь,
Чем эти копья или нож».

⟨VI. Танковая атака бе-   Курган языческой Рогнеде
     лых. Бой⟩   Хранил девические кости,
                         Качал ковыль седые ости,
                         И ты, чудовище из меди,
                         Одетое в железный панцирь.
150   На холмах алые кубанцы.
Подобное часам, на брюхе броневом
Оно ползло, топча живое!
Ползло, как ящер до потопа,
Вдоль нити красного окопа.
155   Деревья падали на слом,
Заставы для него пустое.
И такал звонкий пулемет,
Чугунный выставив живот.
Казалось, над муравейником окопа
160   Сидел на корточках медведь
Неодолимый, точно медь,
Громадной лапою тревожа.
И право храбрых — смерти ложе!
И стоны слабых: «боже, боже!»
165   Опять брони блеснул хребёт
И вновь пустыня точно встарь.
Но служит верный пулемет
Обедню смерти, как звонарь.
Друзьями верными несомая,
170   По степи конница летела.
Как гости, как старинные знакомые,
Входили копья в крикнувшее тело.
А конь скакал...
Как желт зубов оскал!
175   И долго медь с распятым Спасом
Цепочкой била мертвеца.
И, как дубина: «бей по мордасам!»
Летит от белого конца.
Трепещет рана, вся в огне.
180   Путь пули через богородиц.
На золотистом скакуне
Проехал полководец.
Его уносит иноходец.

〈VII. Третье отступление
о гражданской войне〉 185
Как ветка старая сосны
Гнездо суровое несет,
Так снег Москвы в огне весны
Морскою влагою умрет.
И если слезы в тебе льются,
В тебе, о старая Москва,
190
Они когда-нибудь проснутся
В далеком море как волна.
Но море Черное, страдая
К седой жемчужине Валдая,
Упорно тянется к Москве.
195
И копья длинные стучат,
И голоса морей звучат.
Они звучат в колосьях ржи
И в свисте отдаленной пули,
И в час, когда блеснут ножи.
200
Морские волны обманули,
Свой продолжая рев валов,
Седы, как чайка-рыболов,
Не узнаваемы никем,
Надели человечий шлем.
205
Из белокурых дикарей
И их толпы, всегда невинной,
Сквозит всегда вражда морей
И моря белые лавины.

〈VIII. Конная атака
красных〉 210
Из Чартомлыцкого кургана,
Созвавши в поле табуны,
Они летят, сыны обмана,
И, с гривой волосы смешав
И длинным древком потрясая,
Немилых шашками секут,
215
И вдруг — все в сторону бегут,
Старинным криком оглашая
Просторы бесконечных трав.
С звериным воем едет лава.
Одни вскочили на хребты
220
И стоя борются с врагом,
А те за конские хвосты
Рукой держалися бегом.
Оставив ноги в стременах,
Лицом волочатся в траве
225
И вдруг, чтоб удаль вспоминать,
Опятьפануют на коне
Иль ловят раненых на руки.
И волчей стаи шорохи и звуки...

〈IX. Речи каменной
бабы〉 230
Чтоб путник знал о старожиле,
Три девы степи сторожили,

339

Как жрицы радостной пустыни.
Но руки каменной богини
Держали ног суровый камень.
Они зернистыми руками
235   К ногам суровым опускались
И плоско-мертвыми глазами
Былых таинственных свиданий
Смотрели каменные бабы.
Смотрело
240   Каменное тело
На человеческое дело.
«Где тетива волос девичьих?
И гибкий лук в рост человека,
И стрелы длинные на перьях птичьих,
245   И девы бурные моего века?» —
Спросили каменной богини
Едва шептавшие уста.
И черный змей, завит в кольцо,
Шипел неведомо кому.
250   Тупо-животное лицо
Степной богини. Почему
Бойцов суровые ладони
Хватают мертвых за виски
И алоратные полки
255   Летят веселием погони?
Скажи, суровый известняк,
На смену кто войне придет?
— Сыпняк.

1920

ПРИЛОЖЕНИЕ 3

АРХИВЫ

Государственный музей В. В. Маяковского (Москва) — ГММ.
Рукописный отдел Государственной публичной библиотеки им. М. Е. Салтыкова-Щедрина (Ленинград) — ГПБ.
Рукописный отдел Института мировой литературы им. А. М. Горького (Москва) — ИМЛИ.
Рукописный отдел Института русской литературы (Ленинград) — ИРЛИ.
Центральный Государственный архив литературы и искусства (Москва) — ЦГАЛИ.

БИБЛИОГРАФИЯ

Основные издания В. В. Хлебникова

Х л е б н и к о в В. Учитель и ученик. Херсон, 1912.
Х л е б н и к о в В. Изборник стихов. 1907—1914. Пг., 1914.
Х л е б н и к о в В. Ряв! Перчатки. 1908—1914. СПб., 1914.
Х л е б н и к о в В. В. Творения. 1906—1908. Предисловия Д. Бурлюка и В. Каменского. М., ⟨Херсон.⟩ 1914.
Х л е б н и к о в В. Битвы 1915—1917 гг. Новое учение о войне. Предисловие А. Крученых. Пг., 1915.
Х л е б н и к о в В. Время мера мира. Пг., 1916.
В е с т н и к В е л и м и р а Х л е б н и к о в а. № 1—2. М., 1922.
ДС.— Х л е б н и к о в В. Отрывок из «Досок судьбы». Листы 1—3. М., 1922—1923.
Х л е б н и к о в В. Стихи. М., 1923.
З а п и с н а я к н и ж к а В е л и м и р а Х л е б н и к о в а. Собрал и снабдил примечаниями А. Крученых. М., 1925.
Н е и з д а н н ы й Х л е б н и к о в. Под редакцией А. Крученых. Вып. I—XXX. М., 1928—1933.
СП.— Х л е б н и к о в В. В. Собрание произведений в 5 т. Под общей редакцией Ю. Тынянова и Н. Степанова. Предисловие Ю. Тынянова. Вступительная статья и примечания Н. Степанова. Л., 1928—1933.
Х л е б н и к о в В. Избранные стихотворения. Редакция, биографический очерк и примечания Н. Степанова. М., 1936.
НП.— Х л е б н и к о в В. Неизданные произведения. Поэмы и стихи. Редакция и комментарии Н. Харджиева. Проза. Редакция и комментарии Т. Грица. М., 1940.
Х л е б н и к о в В. Стихотворения. Вступительная статья, редакция и примечания Н. Степанова. Л., 1940. Малая серия «Библиотеки поэта».
Х л е б н и к о в В. Стихотворения и поэмы. Вступительная статья, подготовка текста, примечания Н. Степанова. Л., 1960. Малая серия «Библиотеки поэта».
Х л е б н и к о в В. Собрание сочинений в 4 т. Мюнхен, 1968—1972.

Х л е б н и к о в В. Ладомир. Поэмы, стихотворения. Предисловие Д. Кугультинова. Вступительная статья, подготовка текста и примечания Р. Дуганова. Элиста, 1984.

Х л е б н и к о в В. Стихотворения и поэмы. Предисловие В. Соколова. Составление Р. Дуганова и С. Лесневского. Подготовка текста и примечания Р. Дуганова. Волгоград, 1985.

Х л е б н и к о в В. Стихотворения. Поэмы. Драмы. Проза. Вступительная статья, составление, подготовка текста и примечания Р. Дуганова. М., 1986.

Х л е б н и к о в В. Творения. Общая редакция и вступительная статья М. Я. Полякова. Составление, подготовка текста и комментарии В. П. Григорьева и А. Е. Парниса. М., 1986.

Х л е б н и к о в В. Утес из будущего. Проза, статьи. Вступительная статья, составление, подготовка текста и примечания Р. В. Дуганова. Элиста, 1988.

Избранная литература о В. В. Хлебникове

А к с е н о в И. К ликвидации футуризма.— Печать и революция, 1921, № 3.

А л е к с а н д р о в А. Октябрьский хронограф Велимира.— Звезда, 1985, № 12.

А л ь т м а н М. Из того, что вспомнилось.— Литературная газета, 1985, 13 ноября.

А л ь ф о н с о в В. А. «Чтобы слово смело пошло за живописью» (В. Хлебников и живопись).— Литература и живопись. Л., 1982.

А н д р и е в с к и й А. Н. Мои ночные беседы с Хлебниковым.— Дружба народов, 1985, № 12.

А н ф и м о в В. Я. К вопросу о психопатологии творчества. В. Хлебников в 1919 году.— Труды 3-й Краснодарской клинической городской больницы. Вып. 1. Краснодар, 1935.

А р е н з о н Е. К пониманию Хлебникова: наука и поэзия.— Вопросы литературы, 1985, № 10.

А р е н з о н Е. Хлебников и Вивекананда.— Диалог, 1988, № 3.

А с е е в Н. Велимир.— Литературный критик, 1936, № 4.

А с е е в Н. Велимир Хлебников.— В кн.: А с е е в Н. Зачем и кому нужна поэзия. М., 1961.

Б а б к о в В. В. Между наукой и поэзией: Метабиоз Велимира Хлебникова.— Вопросы истории естествознания и техники, 1987, № 2.

Б а л о н о в Ф. Р. «Ведьмовские песни» в записи И. П. Сахарова и их реминисценции в русской литературе и искусстве.— Этнолингвистика текста. Семиотика малых форм фольклора. II. Тезисы и предварительные материалы к симпозиуму. М., 1988.

Б а р л а с В. Чистая музыка слова.— Нева, 1985, № 10.

Б е р е з а р к И. Память рассказывает. Л., 1972.

Б е р к о в с к и й Н. Я. Велимир Хлебников.— В кн.: Б е р к о в с к и й Н. Я. О русской литературе. Л., 1985.

Б е р н ш т е й н Д. Опыт истолкования символики «Башни Татлина» — Россия. Франция. Проблемы культуры первых десятилетий XX века. М., 1988.

Б е р н ш т е й н Д. Изображение города как форма его средового осознания (Образ города в творчестве Хлебникова).— Городская среда. Сборник материалов всесоюзной научной конференции. Ч. I. М., 1989.

Б и р ю к о в С. ⟨Рец. на кн.: Григорьев В. П. Грамматика идиостиля. В. Хлебников. М., 1983⟩.— Литературное обозрение, 1985, № 6.

Б р и к О. О Хлебникове. Публикация В. А. Катаняна.— День поэзии. М., 1978.

Б у р д и н а С. Эпизация художественного образа мира в лирике первых лет революции (В. Хлебников).— Проблемы современной филологии. Диалектика формы и содержания в языке и литературе. Межвузовская конференция молодых ученых. Тезисы докладов. Пермь, 1982.

В а р а в в и н Д. О стихе В. Хлебникова.— Московские мастера. М., 1916.

В е л ⟨Л е в А р е н с⟩. Хлебников — основатель будетлян.— Книга и революция, 1922, № 9—10 (21—22).

В и н о к у р Г. О. Хлебников.— Русский современник, 1924, № 4.

В о л ь п е Ц. Стихотворения Велимира Хлебникова.— Литературное обозрение, 1940, № 17.

В ы г о д с к и й Д. Велимир I.— Москва, 1922, № 6.

Г а р б у з А. В. В. В. Хлебников и А. Н. Афанасьев.— Фольклор народов РСФСР. Межвузовский научный сборник. Уфа, 1984.

Г а р б у з А. В. Солнечная символика в мифотворчестве В. Хлебникова. — Фольклор народов РСФСР. Эпические жанры, их межэтнические связи и национальное своеобразие. Уфа, 1986.

Г а р б у з А. В. Карнавальная природа поэмы Хлебникова и Крученых «Игра в аду».— Фольклор народов РСФСР. Межвузовский научный сборник. Уфа, 1988.

Г а р б у з А. В. Велимир Хлебников: Мифопоэтическая основа творчества. — Автореферат канд. дисс. Свердловск, 1989.

Г а с п а р о в М. Л. ⟨Рец. на кн.: Григорьев В. П. Грамматика идиостиля. В. Хлебников. М., 1983⟩ — Вопросы языкознания, 1985, № 3.

Г е р в е р Л. Музыкально-поэтические открытия Велимира Хлебникова.— Советская музыка, 1987, № 9.

Г о н ч а р о в Б. П. Маяковский и Хлебников. К проблеме концепции слова. — Филологические науки, 1976, № 3.

Г о н ч а р о в Б. Поэзия революции и «самовитое слово».— Вопросы литературы, 1983, № 7.

Г о р Г. Замедление времени.— Звезда, 1968, № 4.

Г о р Г. Из архива. Песни лесного Петрарки. Публикация А. Урбана. — Звезда, 1982, № 1.

Г о ф м а н В. Язык литературы. Л., 1936.

Г р и г о р ь е в А. Л. Велимир Хлебников и Герберт Уэллс.— XXII Герценовские чтения. Филологические науки. Программа и краткое содержание докладов. Л., 1969.

Г р и г о р ь е в В. П. Ономастика Велимира Хлебникова: Индивидуальная поэтическая норма.— Ономастика и норма. М., 1976.

Г р и г о р ь е в В. П. Поэтика слова. М., 1979.

Г р и г о р ь е в В. П. Собственные имена и связанные с ними апеллятивы в словотворчестве Хлебникова.— Ономастика и грамматика. М., 1981.

Г р и г о р ь е в В. П. Воображаемая филология Велимира Хлебникова.— Стилистика художественной речи. Межвузовский тематический сборник. Калинин, 1982.

Г р и г о р ь е в В. П. «Лети, созвездье человечье»: В. Хлебников — интерлингвист.— Актуальные проблемы современной интерлингвистики. Тарту, 1982.

Г р и г о р ь е в В. П. Грамматика идиостиля. В. Хлебников. М., 1983.

Г р и г о р ь е в В. П. Свобода и необходимость поэта.— Литературная учеба, 1985, № 4.

Г р и г о р ь е в В. П. Лобачевский слова.— Русская речь, 1985, № 5.

Г р и г о р ь е в В. П. Словотворчество и смежные проблемы языка поэта. М., 1986.

Д у г а н о в Р. Два метода поэтики Хлебникова.— Тезисы межвузовской научно-теоретической конференции «Проблемы русской критики и поэзии XX в.». Ереван, 1973.

Д у г а н о в Р. В. Краткое «искусство поэзии» Хлебникова.— Известия АН СССР. СЛЯ. 1974, № 5.

Д у г а н о в Р. В. Проблема эпического в эстетике и поэтике Хлебникова. — Известия АН СССР. СЛЯ. 1976, № 5.

Д у г а н о в Р. В. К реконструкции поэмы Хлебникова «Ночь в окопе».— Известия АН СССР. СЛЯ. 1979, № 5.

Д у г а н о в Р. В. В. Хлебников.— День поэзии. М., 1982.

Д у г а н о в Р. Велимир Хлебников.— День поэзии. М., 1985.

Д у г а н о в Р. Поэт, история, природа.— Вопросы литературы, 1985, № 10.

Д у г а н о в Р. «Жажда множественности бытия»: О драматургии Велимира Хлебникова.— Театр, 1985, № 10.

Д у г а н о в Р. «Звук судьбы»: Хлебников и Маяковский.— Огонек, 1985, № 46.

Д у г а н о в Р. Рисунки Хлебникова.— Панорама искусств, 1987, № 10.

Д у г а н о в Р. Проза Хлебникова.— Волга, 1988, № 8.

Д у д и н М. Вольные птицы Велимира Хлебникова.— Аврора, 1985, № 11.

Ж а д о в а Л. «Толпа прозрачно-чистых сот».— Наука и жизнь, 1976, № 8.

З у б к о в а Н. А. Из ранней прозы В. В. Хлебникова.— Исследования памятников письменной культуры в собраниях и архивах Отдела рукописей и редких книг. ГПБ. Л., 1988.

И в а н о в В я ч. Вс. Структура стихотворения Хлебникова «Меня проносят на слонах...».— Труды по знаковым системам. III. Тарту, 1967.

И в а н о в В я ч. Вс. Категория времени в искусстве и культуре XX века.— Ритм, пространство и время в литературе и искусстве. Л., 1974.

И в а н о в В я ч. Вс. Славянская пора в поэтическом языке и поэзии Хлебникова.— Советское славяноведение, 1986, № 3.

И в а н о в В я ч. Вс. Хлебников и наука.— Пути в незнаемое. М., 1986.

И в н е в Р. Велимир Хлебников в Петербурге, Москве и Астрахани.— Московский литератор, 1986, 15 августа.

И в н е в Р. Лотос.— В кн.: Ивнев Р. Избранное. М., 1988.

К е д р о в К. «Звездная азбука» Велимира Хлебникова.— Литературная учеба, 1982, № 3.

К е д р о в К. Столетний Хлебников.— Новый мир, 1985, № 11.

К о в т у н Е. Филонов и Хлебников.— Волга, 1989, № 8.

К о з л о в Д. Новое о В. Хлебникове.— Красная новь, 1927, № 8.

К о с т е р и н А. Русские дервиши.— Москва, 1966, № 9.

К о с т е ц к и й А. Г. Лингвистическая теория В. Хлебникова.— Структурная и математическая лингвистика. Вып. 3. Киев, 1975.

К у д р я в ц е в О. К. Велимир Хлебников и концепция каркаса расселения. — Известия АН СССР. Серия географическая. 1987, № 2.

К у з м и н М. ⟨Рец. на кн.: Хлебников В. Ошибка смерти. М., ⟨Харьков.⟩ 1917⟩ — Северные записки, 1917, январь.

Л а к о б а С. Бодхисаттва — Хлебников и Восток.— Сборник работ молодых ученых и специалистов Абхазии. Сухуми, 1980.

Л а п ш и н Н. Хлебников — Митурич.— Русское искусство, 1923, № 2—3.

Л а н н Ж.-К. В поисках нового классицизма: Хлебников и Мандельштам. — Русская мысль. Литературное приложение. 1988, № 6.

Л а р и н Б. А. Эстетика слова и язык писателя. Л., 1974.

Л е в и т и н а А. О природе неологизмов В. Хлебникова.— Материалы XXVI научной студенческой конференции. Тарту, 1971.

Л е й т е с А. Хлебников — каким он был.— Новый мир, 1973, № 1.

Л и в ш и ц Б. Полутораглазый стрелец. Л., 1989.

Л о к с К. ⟨О «Зангези».⟩ — Печать и революция, 1923, № 1.

Лощиц Ю. М., Турбин В. Н. Тема Востока в творчестве В. Хлебникова. — Народы Азии и Африки, 1965, № 4.

Мандельштам О. Слово и культура. М., 1987.

Мариенгоф А. Роман без вранья. Л., 1988.

Маринчак В. А. «Самовитое слово» В. Хлебникова.— Русская речь, 1978, № 2.

Марков В. О Хлебникове. Попытка апологии и сопротивления.— Грани, 1954, № 22.

Матюшина-Громозова О. Воспоминания.— Звезда, 1973, № 3—4.

Маяковский В. В. В. В. Хлебников.— В кн.: Маяковский В. В. Полное собрание сочинений в 13 т. М., 1955—1961. Т. 12.

Мирский Д. Велимир Хлебников.— В кн.: Мирский Д. Литературно-критические статьи. М., 1978.

Митурич-Хлебников М. ⟨Предисловие к публикации: Хлебников А. В. Письма к родным.⟩ — Волга, 1987, № 9.

Нагибин Ю. О Хлебникове.— Новый мир, 1983, № 5.

Неймайер Е. О Велимире Хлебникове.— Радуга, 1965, № 2.

Панов М. В. О членимости слов на морфемы.— Памяти академика В. В. Виноградова. М., 1971.

Панченко А. М., Смирнов И. П. Метафорические архетипы в русской средневековой словесности и в поэзии начала XX века.— Древнерусская литература и русская культура XVIII—XX вв. Л., 1971.

Парнис А. Е. Хлебников в революционном Гиляне.— Народы Азии и Африки, 1967, № 5.

Парнис А. Е. В. Хлебников в БакРОСТА.— Литературный Азербайджан, 1976, № 7.

Парнис А. Е. Южнославянская тема Велимира Хлебникова: Новые материалы к творческой биографии поэта.— Зарубежные славяне и русская культура. Л., 1978.

Парнис А. Е. В. Хлебников — сотрудник «Красного воина».— Литературное обозрение, 1980, № 2.

Парнис А. Е. Новое из Хлебникова.— Даугава, 1986, № 7.

Парнис А. Е. Велимир Хлебников. «Председатель чеки». Новое о поэте.— Новый мир, 1988, № 10.

Перцов В. О. О Велимире Хлебникове.— Вопросы литературы, 1966, № 7.

Петровский Д. Воспоминания о Велимире Хлебникове. М., 1926.

Повелихина А. В. «Велимир Хлебников в Петербурге-Петрограде». Описание выставки в Государственном музее истории Ленинграда. Л., 1986.

Поступальский И. О первом томе Хлебникова.— Новый мир, 1929, № 12.

Поступальский И. В. Хлебников и футуризм.— Новый мир, 1930, № 5.

«Пророческая душа». ⟨Воспоминания Д. Бурлюка, Я. Лаврина, А. А. Бруни-Соколовой, К. Б. Томашевского, Е. Д. Спасского, П. В. Митурича.⟩ Вступительная заметка Самойлова Д., публикация Парниса А.— Литературное обозрение, 1985, № 12.

Пунин Н. «Зангези».— Жизнь искусства, 1923, № 20.

Райт Р. Все лучшие воспоминанья.— Ученые записки Тартуского государственного университета. Вып. 184. Тарту, 1966.

Рудницкий К. Из одного семейного архива.— Вопросы литературы, 1976, № 5.

Самаренко В. В. В. Хлебников и Астраханский край.— Волга, 1969, № 6.

Самородова О. Поэт на Кавказе.— Звезда, 1972, № 6.

Седакова О. Образ фонемы в «Слове о Эль» Велимира Хлебникова. — Развитие фонетики современного русского языка: Фонологические подсистемы. М., 1971.

Седакова О. А. Велимир Хлебников — поэт скорости. — Русская речь, 1985, № 5.

Сигов С. В. О драматургии Велимира Хлебникова. — Русский театр и драматургия 1907—1917 годов. Л., 1988.

Слинина Э. В. В. Хлебников о Пушкине. — Пушкин и его современники. Псков, 1970.

Слинина Э. В. Тема природы в поэзии В. Хлебникова и Н. Заболоцкого. — Вопросы методики и истории литературы. Ученые записки Ленинградского государственного педагогического института. Т. 465. Псков, 1970.

Спасский С. Маяковский и его спутники. Воспоминания. Л., 1940.

Степанов Н. Велимир Хлебников. Жизнь и творчество. М., 1975.

Струнин В. И. Осмысление событий революции в поэмах В. Хлебникова. — Проблемы советской поэзии. Вып. 2. Челябинск, 1974.

Струнин В. И. «Чтоб в двух словах был водопад». В. Хлебников о поэзии. — Советская поэзия 20—30-х годов. Вып. 5. Челябинск, 1977.

Тартаковский П. Русские поэты и Восток: Бунин. Хлебников. Есенин. Ташкент, 1986.

Тартаковский П. И. Социально-исторический опыт народов Востока и поэзия В. Хлебникова. 1900—1910-е годы. Ташкент, 1987.

Татлин В. О «Зангези». — Жизнь искусства, 1923, № 18.

Тезисы докладов III Хлебниковских чтений. Астрахань, 1989.

Турбин В. Свободный ум. — Октябрь, 1985, № 11.

Тынянов Ю. Архаисты и новаторы. Л., 1929.

Урбан А. Философская утопия: Поэтический мир В. Хлебникова. — Вопросы литературы, 1979, № 3.

Урбан А. Мечтатель и трибун (О Хлебникове и Маяковском). — В мире Маяковского. Кн. I. М., 1984.

Успенский Б. А. К поэтике Хлебникова: Проблемы композиции. — Сборник статей по вторичным моделирующим системам. Тарту, 1973.

Филиппов Г. В. Русская советская философская поэзия. Человек и природа. Л., 1984.

Харджиев Н. Маяковский и Хлебников. — В кн.: Харджиев Н., Тренин В. Поэтическая культура Маяковского. М., 1970.

Харджиев Н. Новое о Велимире Хлебникове. — День поэзии. М., 1975.

Харджиев Н. Новое о Велимире Хлебникове. — Russian Literature, 1975, № 9.

Чуйков Ю. Отец и сын. — Волга, 1988, № 8.

Шнайдштейн Е. В. Исторический комментарий к поэме В. Хлебникова «Хаджи-Тархан». — Тезисы к краеведческой конференции (Секция литературного краеведения). Астрахань, 1989.

Юткевич С. В. Хлебников. «Зангези». — Леф, 1923, № 3.

Якобсон Р. Игра в аду у Пушкина и Хлебникова. — Сравнительное изучение литератур, Л., 1976.

Якобсон Р. Новейшая русская поэзия. Набросок первый: Подступы к Хлебникову. Из мелких вещей Велимира Хлебникова: «Ветер-пение...». — В кн.: Якобсон Р. Работы по поэтике. М., 1987.

Agapova Y. Khlebnikov's Bath. — Russian Literature Triquarterly. 1975, № 13.

Baran H. Khlebnikov and the mythology of the Oroches. — Slavic poetics: Essays in honor of Kiril Taranovsky. — The Hague; Paris. 1973.

Baran H. Khlebnikov's Poem «Bech». — Russian Literature, 1974, № 6.

B a r a n H. Khlebnikov and the History of Herodotus.— Slavic a. East European. I. 1978. Vol. 22. № 1.

Б а р а н Г. О некоторых подходах к интерпретации текстов Велимира Хлебникова.— International congress of Slavists. Stockholm. American contributions. Vol. I: Lingvistics and Poetics. Columbus (Ohio). 1978.

B a r a n H. On the Poetics of a Khlebnikov Tale: Problems and Patterns in «Ka». In: Structural Analysis of Narrative Texts. New York University Slavic. Papers. Vol. 2. Columbus (Ohio). 1980.

B a r a n H. The Problem of Composition in Velimir Khlebnikov's Texts.— Russian Literature. 1981. Vol. IX.

B a r a n H. Khlebnikov's «Vesennego Korana»: Analysis.— Russian Literature. 1981. Vol. IX.

Б а ш м а к о в а H. Слово и образ: О творческом мышлении Велимира Хлебникова. Хельсинки. 1987.— Neuvostolüttoinstituutin vuosikirja, № 29.

B r a b e c B. Velimir Chlebnikov.— Ceskoslovenska rusistika. 1976. № 3.

B r o w n E. Introduction In: Velimir Khlebnikov. Snake Train: Poetry and Prose. Ardis. 1976.

C h o m a V. O niektořych otazkach tvorby Velimira Chlebnikova.— Slavica slovaca. R. 5. 1970. c. 4.

C o o k e R. Image and symbol in Khlebnikov's «Night search».— In: The Ardis anthology of Russian futurism. Ann Arbor. 1980.

C o o k e R. Magic in the Poetry of Velimir Khlebnikov.— Essays in Poetics. 1980. Vol. V. № 2.

C o o k e R. Velimir Khlebnikov: A Critical Study. Cambridge. 1987.

C r o n e R. Malevich and Khlebnikov. Suprematism reinterpreted.— Artforum. 1978. December.

D o u g l a s Ch. Velimir Khlebnikov.— In: Collected Works of Velimir Khlebnikov. Vol. I. Harvard University Press. Cambridge. Massachusetts. 1987.

D o u g l a s Ch. Kindred Spirits.— Ibidem.

D r a w i c z A. Chlebnikow — mundi constructor.— Poezja. 1971. № 7.

D u g a n o v R. V. Die Ästhetik des russischen Futurismus.— In: Sieg über die Sonne. Aspekte russischer Kunst zu Beginn des 20. Jahrhunderts. Berlin. 1983 (Schriftenreihe der Akademie der Künste; Bd. 15).

F a c c a n i R. Chlebnikoviana.— Il verri. Sesta serie. 1983. № 29—30.

F a r y n o J. W poszukiwaniu istoty podobieństwa między poetickimi tworami językowymi Wielimira Chlebnikowa a s ownictwem dzieci.— Slavia orientalis. 1967. № 2.

G r y g a r M. Remarques sur la denomination poétique chez Khlebnikov.— In: Poetics. International Review for the Theory of Literature. Vol. IV. The Hague. Mouton. 1972.

G r y g a r M. Стихи и контекст: Заметки о поэзии В. Хлебникова.— In: Возьми на радость: To Honour Jeanne v. Eng-Leidmeier. Amsterdam. 1980.

H a n A. Реализованное сравнение в поэтике авангарда (На материале поэмы В. Хлебникова «Журавль»).— Russian Literature. 1989. Vol XXVI. № 4.

H o l t h u s e n I. Tiergestalten und metamorphe Erscheinungen in der Literatur der russischen Avangarde (1909—1923). München. 1974.

H o l t h u s e n I. Die sphäre der metaphern in Velimir Chlebnikovs Gedicht «Derevo».— Russian Literature. 1981. Vol. IX.

J a n a č e k V. Kručenych and Chlebnikov Co — Authoring a Manifest.— Russian Literature. 1980. Vol. VIII.

J i š a I. Věčny návrat Velimira Chlebnikova.— Slavia. Vol XXXIX. 1970. № 3.

I n g o l d F. Zur Komposition von Chlebnikov's Kranich-Poem («Žuravl») — In: Schweizerische Beiträge zum VIII. Internationalen Slavist-Kongress in Zagreb und Ljubljana. Bern. 1978.

I m p o s t i G. Poetica e teoria della lingua in Velimir Chlebnikov: Samovitoe slovo e zaum'.— Studia italiani di linguistica teorica ed applicata. Padova. Anno X. 1981. № 1—2—3.

I v a n o v V j a č. V s. La zaum'e il teatro dell'assurdo di Chlebnikov e degli Oberiuty.— Il verri. Sesta serie. 1983. № 29—30.

К а м э я м а И. Водный лабиринт, город смешанной крови. Хлебников и Астрахань. In: Acta Slavica Japonica. Vol. IV. 1986.

К а м э я м а И. Хлебников и Япония. In: Japanese Slavic and East European Studies. Vol. 7. 1986.

К а м э я м а И. Ёмигаэру Фурэбуникофу (Возрожденный Хлебников). Токио. 1989.

К ш и ц о в а Д. Пушкинские традиции и антитрадиции в поэмах Велимира Хлебникова.— Zagadnienia rodzajów literackich. T. 29. Lódź. 1982. Z. 1.

L a n n e J.-C. Il linguaggio transmentale in Chlebnikov, Kručenych e Zdanevič.— Il verri. Sesta serie. 1983. № 29—30.

L a n n e J.-C. Velimir Khlebnikov, poète-futurien. T. I—II. Paris. 1983.

L a n n e J.-C. От сказки до футуризма: по поводу Хлебникова «О пользе изучения сказок». Философия и творчество В. Хлебникова.— Acta Slavica Japonica. Sapporo. 1986. № IV.

L ö n n q v i s t B. Xlebnikov and carnival. An analysis of the poem «Poét».— Stockholm. Almqvist& Wiksell. 1979.

L ö n n q v i s t B. Chlebnikov's «Imaginist» Poem.— Russian Literature. Vol. IX. 1981.

M a r k o v V. The Longer Poems of Velimir Khlebnikov. Berkeley& Los Angeles. 1962 (University of California Publications in modern Philology. Vol. 62).

M a r k o v V. Russian Futurism: A History. Berkeley & Los Angeles. 1968.

M c L e a n R. The Prose of Velimir Khlebnikov. Diss. Princeton University. 1974.

M i c k i e w i c z D. Semantic functions in zaum'.— Russian Literature. Vol. XV. 1984. № 4.

M i g n o t Y. Le champ Khlebnikov.— Action poétique. Paris. Vol. 63. 1975.

M i r s k y S. Der Orient im Werk Velimir Chlebnikovs.— München: Sagner, 1975 Slavistische Beitr., Bd. 175).

O r a i č D. Utopijski proekti Velimira Hljebnikova.— Umjetnost Riječi. Vol. XXV. 1981. Izvanredni svezak.

O r a i č D. Звездный язык.— Russian Literature. Vol. XVII. 1985. № 1.

O r a i č D. Сверхповесть.— Russian Literature. Vol. XIX. 1986. № 1.

P r o s n a k H. Koncepcja języka Welimira Chlebnikova.— Studia rossica posnaniensia. 1982. Z. 16.

R i p e l l i n o ·A. M. Chlebnikov e il futurismo russo.— Convivium. 1949. № 5.

R i p e l l i n o A. M. Poesie di Chlebnikov. Torino. 1968.

T o d o r o v T z. Le nombre, la lettre, le mot.— In: Poétique. 1970. № 1.

T u r b i n V. N. Традиции Гоголя в творчестве Велимира Хлебникова.— Umjetnost Riječi. Vol. XXV. 1981. Izvanredni svezak.

S o l i v e t t i C. «Азбука ума» Велимира Хлебникова.— Russian Literature. Vol. XXIII. 1988. № 2.

S t o b b e P. Utopisches Denken bei V. Chlebnikov. München: Sagner, 1982 (Slavistische Beitr., Bd. 161).

V e l i m i r C h l e b n i k o v. A Stockholm symposium. Stockholm: Almqvist & Wiksell. 1985 (Stockholm Studies in Russian Literature; 20).

V e l i m i r C h l e b n i k o v. Mith and Reality. Amsterdam. 1986.

V r o o n R. «Seashore» («Морской берег») and the Razin constellation. — Russian Literature Triquarterly. 1975, № 12.

V r o o n R. Velimir Chlebnikov's «Razin: Two Trinities». A Reconstruction.— Slavic Review. Vol. 39. 1980. № 1.

V r o o n R. Velimir Khlebnikov's «Chadzi-Tarchan» and the Lomonosovian Tradition.— Russian Literature. 1981. Vol. IX.

V r o o n R. Four analogues to Xlebnikov's «Language of the Gods».— In: The structure of the literary process. Amsterdam & Philadelphia. 1982.

V r o o n R. Velimir Khlebnikov's «I esli v «Khar'kovskie pt'itsy: Manuscript Sources and Subtexts.— Russian Review. 1983. № 42.

V r o o n R. Velimir Xlebnikov's shorter poems. A key to the coinages.— Ann Arbor. 1983 (Michigan slavic materials, № 22).

W e s t s t e i j n W. G. Velimir Chlebnikov and the development of poetical language in Russian symbolism and futurism. Amsterdam. 1983.

Z b y r o w s k i Z. Wczesne poematy Wielemira Chlebnikowa.— Slavia Orientalis. Rocznik XXXI. Warszawa. 1982. № 1—2.

Z b y r o w s k i Z. Radzieckie poematy Wielemira Chlebnikowa.— Ibidem. № 3—4.

СОДЕРЖАНИЕ

ПРЕДИСЛОВИЕ 3

Глава 1. ПРИРОДА ПОЭТА 5

Отступление 1. ОБ УЧИТЕЛЕ И УЧЕНИКЕ 34

Глава 2. СМЫСЛ ТВОРЧЕСТВА 40

Отступление 2. О ТВОРЧЕСТВЕ И БЕЗУМИИ 87

Глава 3. КРАТКОЕ «ИСКУССТВО ПОЭЗИИ» 95

Отступление 3. О ФУТУРИЗМЕ И БУДЕТЛЯНСТВЕ 116

Глава 4. ПРИРОДА СЛОВА, ЭПОС, ЛИРИКА, ДРАМА . . . 133

Отступление 4. О РИСУНКЕ И СЛОВЕ 153

Глава 5. СЛОВО В ДРАМЕ 177

*Отступление 5. О ЛОГИКЕ СЮЖЕТА И РЕКОНСТРУКЦИИ
ТЕКСТА* 212

Глава 6. ИЗ ЭПИЧЕСКИХ СЮЖЕТОВ. «НОЧЬ ПЕРЕД СОВЕТАМИ» 226

Отступление 6. О НООСФЕРЕ И МЫСЛЕЗЁМЕ 284

Глава 7. СЛОВО В ПРОЗЕ 298

П р и л о ж е н и я: 1. Иллюстрации 333
              2. «Ночь в окопе». Реконструкция 335
              3. Библиография 341

РУДОЛЬФ ВАЛЕНТИНОВИЧ ДУГАНОВ

ВЕЛИМИР ХЛЕБНИКОВ
Природа творчества

Редактор *О. В. Тимофеева*
Художественный редактор *Ф. С. Меркуров*
Технический редактор *Н. Н. Талько*
Корректор *О. В. Селиванова*

ИБ № 7760

Сдано в набор 02.03.90. Подписано к печати 13.08.90. Формат
84×108^1/₃₂. Бумага офс. № 1. Гарнитура «Таймс». Офсетная
печать. Усл. печ. л. 18,48+0,84 вкл. Уч.-изд. л. 20,75. Тираж
20 000 экз. Заказ № 167. Цена 1 р. 20 к.

Ордена Дружбы народов издательство «Советский писатель»,
121069, Москва, ул. Воровского, 11.

Тульская типография Государственного комитета СССР по
печати, 300600, г. Тула, проспект Ленина, 109

Дуганов Р. В.

Д 80   Велимир Хлебников: Природа творчества.— М.: Советский писатель, 1990.— 352 с.

ISBN 5—265—01499—3

Перед нами своего рода «интеллектуальный портрет», воссоздающий образ одного из самых загадочных русских поэтов нашего века, чья по-пушкински краткая жизнь была самоотверженно отдана постижению тайны слова, тайны времени, тайны творчества, которые сливаются в удивительном явлении поэзии и личности Велимира Хлебникова (1885—1922).

        4603020101—75
Д ——————————————— 437—90   ББК 83. 3Р7
        083(02)—90

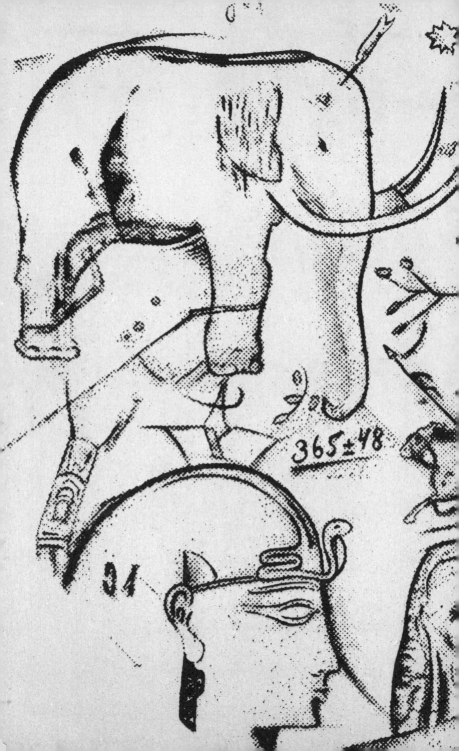

365±48

34